SEREN GAETH

D1631713

SEREN GAETH

MARION EAMES

If a star were confin'd into a tomb,
Her captive flames must needs burn there;
But when the hand that lockt her up gives room,
She'll shine through all the sphere.

Henry Vaughan

Argraffiad Cyntaf - Rhagfyr 1985

ISBN 86383 220 2

Dymuna'r cyhoeddwyr gydnabod cymorth a chyfarwyddyd
Adrannau'r Cyngor Llyfrau Cymraeg
a noddir gan Gyngor Celfyddydau Cymru.

Argraffwyd gan
J. D. Lewis a'i Feibion Cyf., Gwasg Gomer, Llandysul, Dyfed

I'M NEIAINT

Richard, Alun, Philip a John

Diolch i amryw gyfeillion am wrando, darllen a chynghori; i'r Dr. Dyfed Elis Gruffydd am wybodaeth ddaearegol; i Wasg Gomer am eu gofal a'u cydweithrediad bob amser; yn arbennig, diolch, fel arfer, i Nesta Wyn Jones am ei golygu manwl a chwbwl angenrheidiol.

1

Pan ddaeth Hanna allan o Swyddfa'r Cofrestrydd ni allai yn ei byw deimlo ei bod hi'n awr yn wraig briod. Yr oedd Robert wedi troi yn ei ôl i roi cil-dwrn i glerc y Cofrestrydd, ond ni allai hi ddioddef yr awyrgylch llychlyd funud yn rhagor. Symudodd oddi yno mor gyflym ag oedd yn weddus i briodferch newydd. Cerddodd ar hyd y coridor tywyll i gyfeiriad heulwen a sŵn strydoedd Llundain.

Teimlodd law yn gafael yn ei braich. Nid un Robert, eithr llaw Paul. Yr oedd yn dweud rhywbeth am dacsi'n aros a beth oedd yn cadw Robert cyhyd? Yn y cyntedd safai Nansi a llond dwrn o gonffeti'n barod i'w dywallt dros y pâr priod. Oedodd mewn syndod a'i braich yn yr awyr o weld Hanna'n dod i'r golwg heb ei gŵr.

'Lle mae'r priodfab?'

Yr oedd rhyw naws arbennig yn y ffordd yr ynganodd Nansi y gair 'priodfab'. Sylweddolodd Hanna am y tro cyntaf nad oedd ei ffrind pennaf yn hoffi ei gŵr newydd.

'Gwneud yn siŵr fod y cwlwm yn un cyfreithlon,' chwarddodd Paul.

Clywai Hanna y chwys o dan ei cheseiliau a glynai ei blows wrthi. Robert oedd wedi mynnu ei bod hi'n gwisgo'r sgert oren lydan a'r blows hufen. 'Sipsi wyt ti, cariad, felly pam dynwared boneddigion?' Ond yr oedd cotwm y sgert wedi crychu yn y gwres, a'r blodau yn ei gwallt eisoes yn dechrau gwywo. Teimlai fel rhywbeth mewn pantomeim eilradd.

Yr oedd golwg wahanol iawn ar Nansi yn ei siwt ysgafn felen, pob blewyn o'i gwallt yn ei le o dan ei het wellt ffasiynol. Yn llawer tebycach i briodferch. Ond byddai Nansi wedi mynnu cael priodas gapel a gwisg wen, morwyn neu ddwy, gwas a rhyw gant o wahoddedigion. Am eiliad teimlai'n eiddigeddus ohoni. Mi fyddai hithau wedi licio cael Gwion yno, o leiaf, ond nid oedd ef na'i thad na'i mam yn bresennol. Yr oedd llythyr ar ei ffordd i Sir Feirionnydd yn dweud y byddai eu merch wedi priodi erbyn iddynt ei dderbyn.

'Ddrwg gen i'ch cadw chi i gyd.'

Robert oedd yn camu tuag atynt o'r diwedd. Trodd ei wraig i edrych arno, ac fel bob amser, cydiodd rhywbeth yn ei gwddf a meddalodd ei haelodau. Cerddai â chamau rhwydd, hyderus, ei ben yn uchel, ei olygon ar ryw Olympws y tu hwnt i ddeall pawb arall. Siglai ei gês yn ei law fel pe bai ar ei ffordd i ryw gynhadledd.

Ond yn awr yr oedd wedi sefyll yn stond a syllu arni.

'Hylô . . . Mrs. Edwards.'

'Hylô . . . Dr. Edwards.'

Yr oedd hi yn ei freichiau a'i gusan yn chwalu'r dieithrwch o'i chwmpas. Bydd popeth yn iawn, meddyliai. Mae'r peth yma sydd rhyngon ni yn mynd i ddileu pob amheuaeth.

'Brysiwch!' gwaeddodd Paul o ymyl y pafin. 'Mi gefais drafferth y diawl i ddod o hyd i'r tacsi yma.'

Ni chymerai neb sylw o'r pedwar wrth iddynt ymlwytho i mewn i'r tacsi. Ysgyrnygai'r loriau a'r bysiau heibio'i gilydd fel morgrug swnllyd, ac fe'i llyncwyd yn nhrobwll y traffig.

'Ym Mhengele,' ebe Nansi o'i chornel, 'mi fyddai'r pentre i gyd y tu allan i'r capel, a'r hogia bach wedi gosod rhaff ar draws y ffordd a neb yn cael pasio heb dalu ceiniog.'

Yr oedd gan Nansi ffordd annymunol o adleisio'n union ei meddyliau hi. Sawl gwaith 'roedd hi wedi eistedd yn ei sedd ym Methel a dychmygu ei gweld ei hun yn cerdded i lawr yr eil yn ei gwyn ar fraich ei thad? Ond yn awr 'doedd arni ddim eisio clywed. Yn Llundain yr oeddynt, nid ym Mhengele, pedwar o bobl ifanc allan am sbri, fel ugeiniau o weithiau o'r blaen, ond bod dau ohonynt newydd briodi. Gwasgodd yn dynnach at Robert, ond yr oedd hwnnw'n syllu allan o'r tacsi.

'Paul, nid dyma'r ffordd i'r Clwb. Yn Holborn 'rydan ni.'

'Sylwgar iawn,' meddai Paul. 'Mi wnes i ymholiadau a 'does yr un o'ch dau Glwb Cymraeg chi yn caniatáu diodydd. Pa fath o ddathlu priodas fyddai hynny?'

'Lle'r awn ni felly?'

'Y *Lamb* neu'r *Wheatsheaf* 'rown i'n meddwl.'

'Y *Lamb* amdani, 'te. Mae ysbryd Dylan yn dal yn y *Wheatsheaf.*'

Yr oedd y dafarn yn *Lamb's Conduit St.* wedi dechrau llenwi ar gyfer yr awr ginio, a'r cwsmeriaid arferol yn cyfarch y pedwar yn swnllyd o groesawgar. Yn ei gornel ym mhen pella'r cownter safai Bob yn ei le arferol, ei drwyn chwyddedig yn ei wydr whisgi, yn barod i atgoffa pawb fel y bu unwaith yn newyddiadurwr a darlledwr disglair.

'Llongyfarchiadau, llongyfarchiadau ...' mwmiai Mollie, yr hen wraig, ei bresychen wen o wyneb yn ymgracio'n wên. Hofrai mewn gobaith y byddai un ohonynt yn ail-lenwi ei gwydr *gin* i ddathlu. Yn y gornel arall safai Jim Kleiber, yr Aelod Seneddol, mewn sgwrs ddirgel â llanc golygus.

Agorodd Sam, y tafarnwr, botel o siampaen gyda chyfarchion a dymuniadau da y cwmni. Ar ôl yfed un glasied teimlai Hanna yn gynnes tuag at bawb. Diflannodd Pengele o'i meddwl. Yma, ymhlith ffrindiau cyfarwydd yr oeddynt.

'Nansi—!'

Er mawr ddiflastod iddi gwelodd fod honno'n crio. Eisteddai'n gefnsyth yn sipian ei sudd oren yn fursennaidd, ei phenliniau'n dynn yn erbyn ei gilydd.

'Be' sy'n bod arnat *ti*?'

Ysgydwodd Nansi ei phen a chladdu ei thrwyn yn y sudd oren.

'Fe ddylet ti o bawb fod wedi cael miwsig yn dy briodas.'

Dyna'r adlais o'i meddyliau ei hun unwaith eto! Damia Nansi! Yr oedd ar Hanna awydd ei hysgwyd. Ond yr oedd y peth yn wir, on'd oedd? Nid emyn. Byddai hynny wedi bod yn rhagrithiol i Robert. Alaw werin, efallai. Neu un o'i chaneuon hi ei hun. Ond nid ei lle hi fuasai awgrymu dim o'r fath, hyd yn oed wrth Robert.

'Drycha,' gwaeddodd drwy'r sŵn, ' 'doedd dim angen ffys ar Robert a fi. Dallt?'

'Ffys? Dyna be' wyt ti'n galw miwsig mewn priodas? *Ti!* O, mae hyn i gyd mor wahanol i Bengele.'

'Yr un Hanna ydw i. Dydi Llundain ddim wedi newid yr un iot arna' i.'

Y drwg efo Nansi oedd nad oedd ganddi'r gallu i'w haddasu ei hun i amgylchiadau newydd. Yr oedd Hanna'n siŵr ei bod hi'n dysgu plant bach Camden Town yn union fel y byddai'n dysgu yn Ysgol Gynradd Pengele ddwy flynedd ynghynt. Byw ei bywyd bach Cymreig y bu Nansi yn Llundain—Clwb y Cymry, Cymdeithas Meirion, y capel. Paradwys oedd y *ghetto* hwn iddi, yn porthi ei hiraeth a'i dieithrwch.

Ceisiodd siarad yn ysgafn. 'Cofia, un hanner o 'nheulu i sy'n Galffiniaid. Mae ochr arall hefyd, os rhwbath yn gryfach.'

Ond nid oedd hyn yn gysur i Nansi. 'Mwy o reswm dros i ti gael miwsig yn dy briodas, a thitha mor falch o waed y Prices.'

O, diawch, yr oedd hi wedi cael digon ar y dôn gron. Trodd draw yn ddiamynedd oddi wrthi a chwiliodd am y lleill. Daeth llais treiddgar Paul yn uchel drwy'r sŵn a'r mwg:

'Ond mae hynny'n golygu bod allan o Lundain am wythnosau.'

'Am ddyddiau, hwyrach.'

'A beth am y wraig newydd? Ydi hi'n dod hefyd?'

'Bydd Hanna'n ôl yn yr Ysgol Gerdd. Mae ei gyrfa hi'n bwysig hefyd, cofia. Ond mae'r cynnig yn rhy ddiddorol i'w wrthod. 'Dyw hi ddim—'

Yr oedd Robert wedi sylwi ar Hanna yn ymwthio tuag atynt. Dywedodd rywbeth yn isel na allai Hanna ei ddal.

'Be' 'di'r cynnig diddorol yma?'

Edrychai Robert yn anghysurus. 'Roedd hynny ynddo'i hun yn beth anghyffredin.

' 'Rown i'n mynd i ddweud wrthyt ti,' meddai'n gloff. 'Ar ôl mynd adre.'

'Ond 'rwyt ti wedi deud wrth Paul.'

Yr oedd brathiad yn ei llais, er ei bod hi'n ceisio gwenu.

'Sori. 'Ddylwn i fod wedi aros. 'Rown i am gael amser i egluro.'

'Egluro be', yn eno'r annwyl?'

'Cyfres deledu. Yn barod i'r cwmni masnachol newydd erbyn y byddan nhw'n agor y flwyddyn nesa.'

Cododd ei haeliau. Beth oedd o'i le yn hynny? Yr oedd Robert wedi dweud laweroedd o weithiau nad oedd am gael ei gau i mewn yn y bywyd academaidd am weddill ei oes. Ond—teledu? Bu dynion o allu ymenyddol Robert braidd yn snobyddlyd ysmala o'r teledu, hyd yn hyn.

'Wel ardderchog! Be' yn union?'

'Cyfres ar gartrefi llenorion.'

Chwarddodd Hanna. 'Pwy fasa'n disgwyl i Sianel Fasnachol fod mor ddiwylliedig?'

'*Prestige*,' eglurodd Paul. 'Rhaid iddyn nhw brofi eu bod nhw o ddifri, a go brin y bydd cyfres felly'n costio gormod. Ond bydd enw Robert fel cyflwynydd yn dipyn o gaffaeliad, mae'n siŵr.'

'Be' am y coleg?'

'Wrth eu bodd,' ebe Robert. 'Os bydd un o'r uwch-ddarlithwyr yn dod â chyhoeddusrwydd i goleg newydd, maen nhw'n barod i hwyluso popeth iddo. Dros dro, wrth gwrs.'

Oedodd am eiliad cyn mynd yn ei flaen. 'Cyfres ar gartrefi llenorion Ewrop ac America fydd hi.'

'O . . .'

Deallodd yn awr. Nid ym Mhrydain, lle gallai deithio'n hwylus yn ôl ac ymlaen rhwng ei waith a'i gartref.

'Pryd?'

'Y gyntaf yn dechrau ddydd Llun.'

'Dydd *Llun*. Ond mae hi'n ddydd Gwener heddiw. Be' am ein—?'

13

Yr oedd hi ar fin dweud: 'Be' am ein mis mêl?' Ond nid oedd mis mêl i fod. 'Bwrw swildod' oedd yr hen air amdano, ond yr oeddynt wedi hen fwrw swildod. Yr oedd bywyd i fynd yn ei flaen fel o'r blaen, ond bod ganddi yn awr gwlwm o aur ar ei thrydydd bys a'r hawl i'w galw ei hun yn Hanna Edwards.

'Ac am faint fydda' i ar 'y mhen fy hun?'

Yr oedd ei llygaid wedi mynd yn dywyll iawn, a chorneli ei gwefusau wedi troi i lawr yn y ffordd a fyddai yn codi ei wrychyn.

'Drycha, gad lonydd i hyn nes byddwn ni'n ôl yn y fflat, wnei di? Fe eglura' i'r cwbl. Paid â thynnu sylw yma, cariad.' Daeth y gair olaf drwy ddannedd tynn.

Ond yr oedd gormod o sŵn yn y dafarn i bobl eraill sylwi ar y straen sydyn rhyngddynt. Ymwthiai tri llanc mewn gwisg Edwardaidd tua'r bar, eu gwalltiau wedi eu seimio'n ôl. Cadwai Sam lygad anghysurus arnynt.

'Wnaiff brechdan ham y tro?'

Gwaeddodd Paul arnynt o'r cownter, gan achub y blaen ar y Teds. Cododd Robert ei fawd i gydsynio, yna cofiodd ofyn i Hanna. Cododd hithau ei hysgwyddau'n ddi-feind.

'Well na'u pastai nhw, beth bynnag.'

'Ydan ni ddim yn mynd i gael pryd iawn?' gofynnodd Nansi'n gwynfannus. Yr oedd hi wedi blino eistedd ar ei phen ei hun yn y lled-dywyllwch, ac wedi dod draw atynt.

'Nansi, mae'n ddrwg gen i,' dechreuodd Robert, fel pe'n egluro rhywbeth yn syml wrth blentyn. ''Doeddet ti ddim wedi disgwyl brecwast priodas neu ryw rwtsh confensiynol felly, 'does bosib?'

'Ers pryd mae bwyta'n rwtsh confensiynol?' Yr oedd llais Nansi'n sychlyd.

Gwenodd Robert arni. Nid Nansi oedd yn ei boeni y munud hwnnw. 'Mae eu ham nhw'n ardderchog.' Ac fel pe bai hyn yn rhoi terfyn ar bob dadl, aeth i helpu Paul i gario'r bwyd.

'Ddeudais i wrthat ti, yn do?' ebe Nansi. ''Ddylwn i ddim bod wedi dŵad.'

'Paid â malu! 'Roedd yn rhaid i ni gael tystion.'

''Dydw i ddim yn ffitio i mewn.'

Yr oedd hyn yn wir. Cwestiwn pwysicach oedd: a oedd hi, Hanna, yn ffitio i mewn?

Yn y fflat yn ddiweddarach cafodd Robert wybod pam y bu hi mor ddig. Wedi dringo'r staer i lawr cyntaf y tŷ Georgaidd yn Pimlico yr oedd hi wedi mynd at y piano heb ddweud gair, a chyda bysedd fel morthwylion wedi dechrau chwarae'r *Fantaisie-Impromptu,* arwydd digamsyniol ei bod hi'n chwilio am ollyngdod o ryw fath. Yr oedd ffyrnigrwydd ei chwarae wedi'i ddychryn, braidd. Gadawodd iddi fynd drwy'r rhan gyntaf gan sefyll yn dawel y tu ôl iddi. Gobeithiai y byddai'n ymdawelu erbyn cyrraedd y *Cantabile.* Ond nid oedd hi mewn hwyl chwarae'n dawel, ac aeth ymlaen i wneud ei chordiau stormus ei hun. Yr oedd yn bryd ei hatal, neu mi fyddai yna hen strancio.

Rhoddodd ei ddwy law ar ei hysgwyddau. Ceisiodd hithau ymysgwyd yn rhydd ond yr oedd ei afael fel crafanc. Pan glywodd gryndod yn mynd trwyddi, dechreuodd anwesu ei gwar. Yn araf ac yn ysgafn symudodd ei law o dan ei gên ac i lawr i'r pant rhwng ei bronnau. Fel yr oedd wedi rhag-weld, yr oedd hi wedi mynd yn llonydd ac yn ddisgwylgar.

'Paid â llyncu mul ar ddydd dy briodas,' sibrydodd yn ei chlust.

Ei hateb oedd beichio crio.

'Paid, paid, *paid!*' crefai arni gan ei chofleidio. 'Mae'n ddrwg gen i . . . fydda' i ddim i ffwrdd yn hir, gei di weld.'

Cododd ei phen a rhythu arno'n gyhuddgar.

'Ond mi fyddi di yn Ffrainc nos Fawrth.'

'Nos—?'

Stopiodd fel pe bai wedi'i saethu, a'i gof yn ffrydio â chywilydd. 'O, *na!* 'Rown i wedi anghofio'r cwbl. O, Hanna, mae'n ddrwg gen i.'

Nos Fawrth. O, y ffŵl iddo fo, yn anghofio am gyngerdd y myfyrwyr yn y Wigmore Hall. Yr oedd Hanna i ganu

15

tair cân a gyfansoddodd ei hun. Yn ei awydd i gymryd y gwaith newydd, yr oedd popeth arall wedi ei sgwrio o'i feddwl.

'Ga' i—?'

Ond rhaid peidio â bod yn fyrbwyll. Newidiodd i:

'Fe fyddwn i'n ffonio Greenbaum ar unwaith i newid y dyddiad ond—'

Ni adawodd iddo orffen ei esgus. ''Does dim rhaid i ti. Mae dy waith *di*'n bwysig.'

Fe wyddai ef fod y geiriau sarcastig yn wir. Yr oedd ei waith yn y Brifysgol wedi cyrraedd rhyw fath o *cul-de-sac*. Aethai dwy flynedd heibio ers y clod a'r amlygrwydd a gafodd am ei lyfr ar D. H. Lawrence, ac ni allai orffwys ar ei rwyfau am byth. Rhagwelai am y tro cyntaf y gallai peth diflastod godi rhyngddynt ar gownt blaenoriaethau tebyg i hyn. Rhaid bod yn ofalus i'w hosgoi.

Tynnodd ei law dros ei gwallt yn dyner. Yr oedd rhywbeth plentynnaidd yn ei strancio, yn ei newid tymer sydyn, yn ei dagrau. Hyn oedd wedi apelio ato o'r cychwyn cyntaf. Ond, fel gyda phlentyn, yr oedd gofyn ei thrin yn ofalus ac yn araf. Maes o law fe fyddai hi'n dysgu.

'Mae Gwion yn dod, on'd yw e?'

''Does dim sicrwydd.' Yr oedd ei hateb yn bwdlyd. 'Go brin y byddan nhw wedi gorffen cario gwair ddechra Gorffennaf.'

'Os gwn i rywbeth am Gwion, fe fydd *e* yno gyn sicred â chloch y Bala.'

'Bydd.'

Ond 'fyddai ei gŵr ddim. Yr oedd y cyhuddiad yn dal yn ei llais. Os credai ef y byddai ei gefaill yn barod i symud môr a mynydd i ddod i wrando arni, pam na fyddai yntau wedi gwneud yr un peth?

Ond erbyn hyn yr oedd hi'n ymateb i'w anwesu, a'r blows a'r sgert oren yn gorwedd yn llipa ar y llawr. Y tu allan, swniai corn un o'r llongau cargo ar afon Tafwys, ac un arall yn ateb. Yn y pellter, rhuai'r traffig yn ddi-baid. Nid am y tro cyntaf, gorweddent ar y gwely yn caru. Ond dyma'r tro cyntaf iddi hi fedru ymollwng yn rhydd heb ofni.

Byddai Robert yn codi am hanner awr wedi chwech bob bore. Bryd hyn y byddai ei feddwl ar ei orau, meddai ef. Dyna pryd y byddai'n darllen ac yn sgrifennu. Drannoeth y briodas, ni newidiwyd y drefn. Gorweddai hithau yn ei gwely yn meddwl am ei nain.

Rhywun yn yr ysgol a ddywedodd wrthi gyntaf fod ei nain wedi cael plentyn cyn priodi ac mai un o'r sipsiwn oedd y tad. Er nad oedd hi'n deall y stori'n iawn, gwadodd y peth yn ffyrnig a thynnu gwallt y ferch a ddywedodd hyn wrthi. Ond wedi mynd adre mynnodd gael y gwir gan ei mam. Edrychai honno'n anghysurus, yn amlwg yn gofyn iddi ei hun faint ddylid ei ddweud wrth eneth ddeg oed. Ond nid oedd taw ar gwestiynau Hanna, a chafodd wybod fod ei mam yn ferch i Charlie Price a fu'n ymweld â'r dref yn achlysurol gyda ffair ceffylau bach.

'Ond sipsi go iawn oedd o,' mynnai ei mam, 'nid un o'r hen dinceriaid Gwyddelig 'na. 'Roedd o'n canu'r delyn.'

'Welsoch chi o?'

'Naddo'n tad. 'Roedd teulu mam yn 'cau gadael iddo fo ddod yn agos at y lle, ac ar ôl i mi gael 'y ngeni, mi briododd mam hefo dy daid.'

' 'Roedd taid yn hen iawn, yn doedd?'

'Oedd.'

O dipyn i beth, magwyd ynddi ryw deimlad rhamantus tuag at y stori. Nid rhywbeth i gywilyddio o'i blegid oedd tras Romani (fel y dysgodd ddweud) ond testun balchder. Bob tro y deuai ffair i'r dre, yno yr oedd hi, yn chwilio'n farus ymhlith wynebau'r dynion a gasglai'r arian ar y ceffylau bach. Ai hwn oedd Taid? Ynteu nacw yn neidio yn ei sandalau pygddu o un moto bach i'r llall? Yn nes ymlaen, dywedai synnwyr cyffredin wrthi y byddai ei thaid yn llawer rhy hen i orchwylion o'r fath, ond daliai i hongian o gwmpas y ffeiriau yn y gobaith o . . . ni wyddai hi beth.

Ond Calfiniaid amaethyddol oedd ei theulu, a'i thaid yn ben blaenor yng nghapel Bethel. Nid oedd gwaed y sipsi i'w weld yn ei mam, ac ni hoffai i Hanna dynnu arni i sôn mwy am y peth. Natur ddwys, ddistaw oedd ganddi hi, a phan wylltiai Hanna fel y gwnâi yn fynych, syllai'r fam arni â llygaid mawr trwblus, yn synhwyro fod anian weithiau yn neidio cenhedlaeth.

Pan fyddai Hanna yn eistedd rhwng ei mam a Gwion yn y sedd o dan un o ffenestri'r capel, gallai weld canghennau'r dderwen y tu allan yn siglo yn y gwynt, a theimlo'n gynnes ac yn glyd y tu mewn. Gwrandawai ar ei thad yn 'dweud gair' yn y Seiat ar ôl y bregeth, a meddwl tybed a oedd Duw yn debyg iddo. Gwrandawai ar lais contralto cyfoethog ei mam yn canu geiriau Pantycelyn neu Ann Griffiths. Weithiau byddai lwmp sydyn yn neidio i'w gwddf, ond ni sylweddolai ar y pryd mor synhwyrus oedd y geiriau wedi eu priodi â'r miwsig lleddf.

Bu'n hawdd tynnu ei dagrau erioed. Un noson, a'i thad a'i mam wedi mynd i'r Cyfarfod Gweddi, yr oedd teimlad rhyfedd wedi dod drosti. Gwenai yn awr wrth gofio fel yr oedd hi wedi'i meddiannu â sicrwydd fod Duw wedi galw arni i gyflawni rhywbeth mawr drosto. Y fath ryfyg! Heb wybod pam yn union, yr oedd hi wedi nôl papur a'r inc du a gadwai ei thad at ei lyfr cownts, wedi agor y Beibl rywle-rywle yn Llyfr Eseciel, ac wedi mynd ati i gopïo'r bennod gyntaf yn ei hysgrifen orau. Tua'r deuddeg oed oedd hi ar y pryd ac ni ddeallai ddim ar y bennod, ond yr oedd y symbolau o ddyn a chanddo bedwar wyneb a phedair aden yn gwreichioni fel lliw efydd gloyw wedi ei chynhyrfu i'r byw.

Ond ni pharhaodd yr arall-fydolrwydd hwn yn hir. Erbyn diwedd yr wythnos yr oedd hi allan unwaith eto yn cosi brithyll gyda Glyn Pendarren a oedd yn gwmni llawer rhy hen iddi, yn ôl ei mam. Llosgwyd y bennod a gopïwyd mor ofalus, ac ni ddywedodd air wrth neb am ei phrofiad.

Yn sicr 'fyddai hi ddim wedi dweud wrth Robert. Pe bai hi'n dweud, byddai'n gorfod gwrando arno'n chwerthin a dadansoddi dylanwad seicolegol afiach cyflyru meddwl plentyn â hen fythau Iddewig.

'Te?'

Yr oedd wrth y drws yn cario dwy gwpaned. Cododd hithau ar ei heistedd yn gynnes gan bleser. Ni fu mor feddylgar â hyn o'r blaen.

'Maldod,' murmurodd.

Daeth Robert i eistedd ar y gwely a gosod cusan ar ei thrwyn. 'Paid ti â disgwyl hyn bob bore.'

Ymataliodd mewn pryd rhag dweud: Na, 'fyddi di ddim yma ddydd Mawrth, na llawer dydd Mawrth ar ôl hynny.

Yn lle hynny, meddai: 'Oes gen ti lawer o waith i'w wneud cyn dydd Llun?'

Anadlodd Robert yn ddiolchgar. Yr oedd hi wedi derbyn y peth, felly.

'Oes, ond nid dydd Sul. Dim gwaith dydd Sul.'

'Cadw'r Saboth? 'Choelia' i fawr.'

'Na, mae gen i gynllunie eraill i ni ar gyfer y Sul.'

Nodweddiadol ohono, meddyliai, mai 'cynlluniau' a ddywedai, nid 'awgrymiadau', ond unwaith eto ymataliodd rhag tarfu ar eu clydwch y bore yma.

'Gad i mi glywed.'

' 'Rydw i am i ti baratoi picnic i ni ac fe awn ni i gerdded ar rosdir Sussex. 'Dwyt ti erioed wedi bod yno, naddo?'

'Naddo, ond—'

'Fe wnaiff awyr iach i'r ysgyfaint les i dy laish di.'

Yr oedd hi'n dysgu nad oedd diben dadlau ag ef unwaith yr oedd wedi penderfynu ar rywbeth. Ac wedi'r cwbl, yr oedd yn iawn. Byddai hi bob amser yn canu'n well ar ôl dringo i ben y Foel, gartre. Gwibiodd darlun sydyn drwy ei meddwl o Nansi yn yr Ysgol Sul. Gwirion, a hithau wedi rhoi heibio mynd i'r capel ers chwe mis. Ond mor gryf oedd arferion plentyndod. Yr oedd yr euogrwydd yn dal yno, fel yr oedd pan âi weithiau i'r *Lamb* gyda Robert ar y Sul. Yr oedd yn hen bryd iddi dyfu i fyny.

'Iawn, felly?'

'Iawn.'

Byddai Hanna bob amser yn rhyfeddu at Gymraeg da Robert. Yng Nghaerdydd yr oedd wedi treulio'r rhan fwyaf o'i oes, er mai pobl o Lŷn oedd ei rieni. Aethai ei dad i Gaerdydd yn brifathro pan oedd Robert yn wyth oed. Bedyddwyr oeddynt fel teulu, ond oherwydd bod gwasanaethau'r Tabernacl i gyd yn Gymraeg, dechreuodd ei dad fynd i'r Eglwys. Nid oedd hyn wrth fodd y fam, a chymerai hyn yn esgus i beidio â mynd i unman. Daliai i siarad Cymraeg â'i mab a mynnu ei fod yn darllen *Hunangofiant Tomi* a *Chymru'r Plant* yn ogystal â *Dan Dare* a *Biggles*. Ymhen blynyddoedd, synhwyrai Robert nad brwdfrydedd o blaid y Gymraeg oedd hyn yn gymaint â rhywbeth symbolaidd yn erbyn trahauster ei gŵr.

Gwrthryfel yn erbyn syniadau ei dad a barodd iddo yntau fynd ati o ddifri, yn bymtheg oed, i geisio dysgu'r iaith yn iawn. Ond nid oedd am fynd dros ben llestri, chwaith. Ymhyfrydai yn ei allu i weld y ddwy ochr i bob cwestiwn, ac yr oedd yn amheus o bob tuedd at frwdfrydedd dros neu yn erbyn unrhyw achos. Gwyddoniaeth oedd pwnc ei dad, ac yr oedd yntau wedi etifeddu ei ddawn resymegol wrthrychol. Gallai fod wedi dilyn gyrfa wyddonol ei hun, ond Saesneg oedd ei ddewis.

Ni hiraethai lawer ar ôl ei dad pan fu farw. Bu'n achos gormod o ofid i'w fam, a flodeuodd ar ôl claddu ei gŵr. Yn wraig ddarllengar erioed, yr oedd hi wedi ymuno â Ffabiaid Caerdydd, a llenwid y tŷ â sosialwyr ac agnosticiaid mewn ffordd a fyddai wedi codi gwrychyn yr hen ddyn. Y tro cyntaf i Hanna ymweld â hi ar ôl iddi ddechrau byw gyda Robert, yr oedd hi, Hanna, wedi ceisio celu natur y berthynas rhyngddynt, ond er syndod iddi—ac eto, pam syndod?—yr oedd Robert eisoes wedi dweud wrth ei fam, a hithau'n ei dderbyn fel y peth mwyaf naturiol yn y byd.

'Celu'r peth?' gofynnodd Robert ar ôl iddi fynegi ei syndod. 'Byddai'n anonest. A ph'un bynnag, 'dydi e'n fusnes i neb arall ond ni'n dau.'

Ond ni fedrai ddweud wrth ei thad a'i mam ei hun, anonest neu beidio. Ni allai wynebu'r fath ofid y byddai hyn yn ei olygu iddynt. Yr oedd safonau Llundain ym mhumdegau'r ganrif yn dra gwahanol i safonau Pengele. A rhyddhad mawr oedd clywed Robert yn dweud, ryw ddiwrnod, fod yr arbrawf yn llwyddiannus ac y dylent briodi. Os oedd amheuaeth fach yn ei phigo mai rhesymau materol oedd y tu ôl i'w benderfyniad, gwthiodd y syniad o'r golwg. Yn 1956 yr oedd gwraig yn dal i fod yn bwysicach na gordderch i ddyn oedd â'i lygaid ar ddyrchafiad. Ei lle hi oedd derbyn yn ddiolchgar ei fod am ei phriodi. Fe'i codwyd hi i gredu na fyddai hynny byth yn digwydd unwaith y byddai merch wedi ei 'rhoi ei hun' i ddyn.

Daliai i deimlo'n ddig ynghylch ei ymadawiad ddydd Llun, nid yn gymaint am ei fod yn ei gadael hi mor fuan ar ôl eu priodas, ond am na welodd yn dda i ymgynghori â hi cyn cytuno i fynd. 'Dydw i ddim am fod yn glwt llawr i neb, meddyliai, ddim hyd yn oed i Robert. Byddai'n gwrthod mynd gydag ef i'r stesion ddydd Llun. P'un bynnag, byddai Gwion yn cyrraedd ar y trên i Paddington yn y pnawn, a 'doedd hi ddim am ruthro o un orsaf i'r llall, a blino.

Nid ar hyd rhostir Sussex yr aethant y Sul hwnnw, ond i Barc Richmond. 'O leiaf,' ebe Robert, 'mae'n ddigon mawr i ni allu dianc am rai munudau o sŵn yr *hoi polloi*. Fe awn ni i Sussex rywbryd eto pan fydd llai o ofn blino arnat ti.'

Yr oedd hi'n ddiolchgar iddo am fod mor ystyriol. Ofnai y byddai wedi cael ei gorfodi i ymlwybro drwy'r gwres am ryw chwe milltir, oherwydd i Robert, hyn oedd ystyr mynd am dro. Gofidiai na fu iddi wisgo het, gan mor danbaid oedd yr haul yn yr awyr las, ddigwmwl. Ni ddymunai ymddangos nos Fawrth yn edrych fel rhyw Aîda dywyll. Gofynnodd i Robert eistedd am ychydig o dan gysgod llwyfen. Cytunodd, gydag ochenaid.

Gorweddai'n ôl yn ddiolchgar i syllu ar y brigau llwythog uwchben. Ar unwaith yr oedd llaw Robert yn ei hanwesu. Ymestynnodd hithau fel cath a gwenodd arno.

Mor werthfawr oedd y peth yma rhyngddynt, yr ymateb i'w gilydd ym mhob cell o'u cyrff. Am ei fod ef yn caru ei chorff, yr oedd hithau hefyd yn ymhyfrydu yn ei lendid ac am wneud pob defnydd ohono i'w blesio.

O'r diwedd trodd yntau ar ei gefn a gorweddodd y ddau yno yn mwynhau'r distawrwydd clòs. Ymhen ychydig, meddai Hanna yn ddioglyd:

''Dwi'n clywed sŵn clychau eglwys.'

Chwarddodd Robert. 'Sŵn gwenyn.'

''Does dim gwenyn yma.'

''Does dim clychau eglwys, chwaith. Dy isymwybod di sydd ar waith.'

'Be' wyt ti'n feddwl?'

'Oes angen i mi ddweud wrthyt ti? Yn dy blentyndod 'roedd dydd Sul yn gyfystyr ag eglwys—olreit, *capel.* Y symbol sy'n bwysig. Fe gymer amser i ti ymddihatru oddi wrtho fe. Dyna dy glychau di.'

'Mae gen ti eglurhad i bopeth,' ebe hi braidd yn flin.

'Nag oes. Ond 'dwi *yn* credu *bod* yna eglurhad ar bopeth.'

'Hyd yn oed ar Dduw?'

'Duw?' Torrodd ddarn o welltyn a'i roi yn ei geg. ''Dydw i ddim yn gwadu'r posibilrwydd. Ond mae'n gwbl amherthnasol i fywyd.'

'Ond os oes 'na Dduw, mae'n rhaid iddo fod yn Dduw personol. Dyna oedd Crist yn ei ddysgu, beth bynnag.'

Gwenodd Robert yn boenus. 'Wyt ti wedi gweld plentyn yn marw o ddŵr ar yr ymennydd neu leukaemia? Os yw Duw yn Dduw personol, be' sy ganddo i'w ddweud am hynny?'

Aeth Hanna yn ddistaw, drwblus. Nid oedd ganddi ateb i hyn, mwy nag oedd gan y doethion ar hyd y canrifoedd. Cofiodd am Gwenno'r Siop yn yr ysgol a'i llygaid bach pinc a'i glafoerio diddiwedd. Cawsai rhai plant ddifyrrwch o'i phlagio, ond 'roedd y rhelyw wedi ei derbyn fel un ohonynt hwy, un llai ffodus, yn sicr, ond heb fod ar wahân. Byddai Gwenno ei hun yn ymddangos yn ddigon hapus, pethau bychan bach yn gwneud iddi rowlio chwerthin, fel rhedeg o gwmpas yn ceisio dal blodyn ymenyn o dan enau'r plant eraill. Onid oedd ganddi hithau ei lle yn y Drefn? Ond 'doedd ganddi hi, Hanna, ddim ateb i ddŵr ar yr ymennydd.

Teimlai'n ddig wrth Robert am ddarfu ar y perffeithrwydd yn gynharach. Yr oedd mor sicr o bopeth, mor ddilornus o'r hyn a ystyriai'n ddaliadau naïf. Yr oedd hi am ei frifo.

'Robert . . .'

'Ie?'

'Be' ddigwyddodd i Elise?'

Daeth y crych cyfarwydd i'w dalcen. 'Be' wyt ti'n feddwl—be' ddigwyddodd i Elise?'

'Pam y bu hi farw?'

' 'Rwyt ti'n gwybod yn iawn. Fe ddywedais i wrthyt ti.'

'O, mi wn ei bod hi'n alcoholig. Ond *pam*?'

Trodd ei wyneb i ffwrdd yn ddiamynedd, a theimlodd hithau ennyd o fuddugoliaeth ddialgar. Robert y Sicr, ond yr oedd hi wedi dysgu mai'r un peth a fyddai'n siŵr o'i daro oddi ar ei echel fyddai ei holi ynghylch ei wraig gyntaf.

'Pam, Robert?'

'Sut y gall rhywun ddweud pam? Rho'r bai ar y rhyfel.' Yna, edrychodd ar ei wats. 'Deng munud i bump. Amser i ni gychwyn yn ôl.'

Cododd ar ei draed yn ei ffordd sydyn, a chododd hithau yn araf. Gwyddai nad oedd diben holi rhagor heddiw.

2

Yr oedd hi wedi dechrau ofni nad oedd o ar y trên hwnnw. Lleoedd anodd i gyfarfod teithwyr yw gorsafoedd Llundain, yn enwedig teithwyr o'r wlad, sy'n anghyfarwydd â chyflymder, obsesiwn Llundeinwyr. Yr oedd y dorf a lifai allan o'r trên wedi teneuo a gwasgaru cyn iddi weld Gwion yn y pellter yn helpu hen wraig i chwilio am borter. Daeth y cynhesrwydd arferol drosti o weld ei wallt crych yn syrthio'n gudynnau dros ei dalcen, ei gerddediad araf, pendant, mor debyg i gerddediad eu tad ar hyd y caeau: cadarn, solet a dibynadwy. Faint o ddynion ifanc o'u cwmpas a fyddai wedi oedi i helpu hen wraig ddieithr? 'O, Gwion, 'roeddwn i'n dechra ofni nad oeddet ti ddim wedi dŵad,' chwarddodd mewn rhyddhad, a'i gusanu. Rhyfedd, meddyliai, 'dydw i ddim yn arfer ei gusanu. Ond heddiw ni fu hi erioed mor falch o weld ei gefaill. Gwenodd yntau, ond yr oedd rhywbeth trwblus yn ei wên. Synhwyrodd hithau hynny ar unwaith, ond nid oedd yn barod eto i glywed pam.

'Mae golwg dda arnat ti. Lliw haul mynyddoedd Meirion yn gwneud i bawb arall edrych yn drybeilig o sâl.'

Ac yn y trên-tan-ddaear, wedi iddynt lwyddo i gael sedd bob un, aeth ymlaen yn barablus i guddio rhyw nerfusrwydd newydd.

'Gest ti a Dad help efo'r gwair? Now Coed-yr-Odyn, ia? Mi fues i'n gweddïo y bydde popeth yn iawn i ti ddod. Wyddost ti fod Alberto Vanelli am fod yno nos fory—ti'n gwbod, mae o'n arwain yn y Metropolitan. 'Dwi mor nerfus â chath, Gwion, 'dwi'n siŵr y bydda' i'n canu fel brân.'

Yna newidiodd ei thôn yn sydyn.

'Sut mae Mami a Dada?'

'Olreit.' Yna: 'Y bore 'ma y daeth dy lythyr di.'

Ar ôl ennyd, meddai: ''Roeddwn i'n *gobeithio* y bydda fo'n cyrraedd cyn i ti gychwyn.'

'Cael a chael. 'Roeddwn i ar gychwyn i'r stesion.'

'Ond mi gest ti amser i'w ddarllen?'

'Do.'

Arhosodd Hanna am longyfarchion neu ryw ymateb arall, ond ni ddaeth.

'Gwion—'

'*Pam* na fasat ti wedi rhoi gwybod iddyn nhw ymlaen llaw? Maen nhw wedi cael 'u brifo'n arw, 'sti.'

Yr oedd y trên wedi aros yn Oxford Circus a llwyth o bobl wedi dylifo i mewn. Safai gwraig feichiog yn eu hymyl

24

yn ceisio gafael yn y strap. Cododd Gwion ar unwaith a rhoi ei le iddi, felly nid oedd raid i Hanna ateb y munud hwnnw. Cafodd amser i chwilio am ei geiriau. Yr oeddynt yn y fflat ac wedi siarad am bethau ystrydebol cyn iddi ailagor y pwnc.

''Doeddan ni ddim isio ffys.'

Ond gwyddai ar unwaith mor wirion y swniai hynny. Am y tro cyntaf yr oedd Gwion, heb yngan gair, yn ei gorfodi i edrych ar y peth o safbwynt ei rhieni. Yma, yn Llundain, yng nghyffro ei chariad, mor hawdd oedd anghofio am deimladau pobl eraill. Yr oedd ei geiriau nesaf yn fwy gonest.

'Wnes i ddim meddwl, 'sti. Ches i fawr o amser i feddwl. 'Roeddwn i mewn breuddwyd.'

Gwelodd fod Gwion yn medru derbyn hyn. Llaciodd y tyndra o gwmpas ei ên.

'Gwneud cyn meddwl, dyna ti i'r dim.'

Yr oedd ei breichiau amdano unwaith eto, fel pe bai hi am wasgu unrhyw ddieithrwch allan ohono.

'O, Gwi, paid â gweld bai arna' i. Mae petha fel hyn yn digwydd.'

Ymryddhaodd a'i dal hi o hyd braich, gan edrych ym myw ei llygaid.

'Wyt ti'n hapus?'

'O, yndw, yndw, yndw!' Chwiliai am eiriau i gyfleu ei theimladau dyfnaf i'w brawd. 'Mae bywyd efo Robert mor—o 'dwn i ddim. Be 'di'r gair? Deinamig!'

Chwarddodd yntau dros y lle am y tro cyntaf.

'Ia, 'dwi'n gweld be' sy gen ti.' Yna ychwanegodd yn fwy difrifol: 'Ond i ti gofio fod deinamo'n gallu chwythu'i blwc.'

Hi oedd y drydedd eitem, yn union ar ôl Sonata Feiolin a Phiano César Franck. Yr oedd hi'n falch o hynny. Dim gormod o amser i'w thyndra mewnol ei amlygu ei hun yn allanol, ond hefyd, yn bwysicach, am fod y *finale* nwyfus yn

25

arwain yn briodol o wrthgyferbyniol at ei gosodiad hi o *Emyn Atgyfodiad* Henry Vaughan.

Mary Bennett, ei thiwtor canu, oedd wedi ei chymell i ganu'r gân hon, ac yr oedd hyn wedi rhoi hyder iddi ar y dechrau. Ond yn awr yr oedd hi'n dechrau teimlo'n gyfoglyd. Clywai furmur nerfus lleisiau'r myfyrwyr eraill o'i chwmpas fel pe bai wadin yn ei chlustiau. Nid oedd hi'n adnabod yr un ohonynt, ac yr oeddynt hwythau, fel hi, wedi eu lapio yn eu hofnau eu hunain.

Daeth llencyn o negesydd i mewn gyda thusw o flodau, a llamodd ei chalon. Robert . . .? Ond na, i Amanda, y feiolinydd ar y llwyfan yr oedd y rhain. Wedyn, hwyrach, ar ôl iddi ganu . . .? Teimlai'n oer ac yn ofnadwy o unig.

O Dduw, pam y cytunais i i ganu heno? Beth ydw i'n ei wneud yma? Pam 'rwyt ti wedi rhoi llais i mi, llais sy'n achos y fath artaith? Mi fydden i'n hapusach hebddo. 'Wna' i byth, byth eto gytuno i ymddangos ar lwyfan . . .

Dyna'i chyfeilydd yn croesi ati. Edrychai'n llwyd. Gobeithiai na fyddai yn llewygu. Un fel'na oedd o, braidd. Tybed ai camgymeriad fu gofyn iddo? Oni allai hi ei hun wneud gwell cyfiawnder â'r gân? Ond Robert oedd wedi dweud ei bod hi'n llawer anos dal cynulleidfa wrth gyfeilio eich hun. 'Rhaid i ti sefyll o'u blaen, a *mynnu* cael eu sylw,' meddai.

'Roedd James yn chwaraewr da, ac yr oedd yn ei haddoli. Bu ei ddiléit pan ofynnodd iddo bron yn embaras iddi. Wrth wenu arno'n awr, dechreuodd ei nerfusrwydd gilio.

'Y *finale*,' sibrydodd James. 'Ni sy nesaf.'

Gwasgodd ei law ac aeth i edrych arni'i hun yn y drych. Ffrog las tywyll, lliw'r nos, yn disgyn mewn plygiadau Groegaidd, gwallt wedi'i bentyrru ar ei chorun a'i ddal gan grib amryliw a ddisgleiriai wrth iddi symud. Teimlai'n ddigon bodlon ar yr hyn a welai, rhywbeth morwynol, fel un o'r gwyryfon yn gwarchod y fflam yn y deml. Daeth awydd drosti i chwerthin dros bob man—mor wahanol yr edrychai i'r wraig synhwyrus-gariadus yr oedd Robert yn ei hadnabod.

Cliriodd ei gwddf, ond yr oedd blas yr wy amrwd a lyncodd cyn cychwyn o'r fflat yn dal yno o hyd. Gosododd dda-da gwyn yn ei cheg, ond tynnodd ef allan ar unwaith wrth glywed y bonllefau a ddilynodd y perfformiad o'r César Franck. Daeth y ddwy oddi ar y llwyfan, ac yn ôl â nhw drachefn i dderbyn rhagor o gymeradwyaeth.

Rywle yn y canol y byddai Gwion yn eistedd. Dywedodd wrthi'i hun yn ofergoelus y byddai popeth yn iawn ond iddi gael un cip arno yng nghanol y môr o ddieithrwch.

Yr oedd y myfyrwyr eraill wedi ymgasglu y tu ôl iddi, gan sibrwd eu dymuniadau da. Yr eiliad nesaf yr oedd hi allan o dan y goleuadau llachar, a James yn croesi at y piano. Gwion, lle 'roedd Gwion? Yr unig rai y gallai hi eu gweld oedd Martin Dunn, ei thiwtor cyfansoddi, Mary Bennett a'r gemau'n crynu ar ei mynwes, a'r Prifathro yn sibrwd rhywbeth wrth ddyn main, esgyrnog yn ei ymyl. Signor Vanelli, mae'n debyg.

Dechreuodd James. Ymlaciodd hithau wrth wrando. Nid oedd raid iddi ofni. Swniai'r cordiau cyfarwydd yn hudolus o newydd yn ei chlustiau. Caeodd ei llygaid ac ymgolli yn y barau agoriadol. Yna dechreuodd ganu:

> *They are all gone into the world of light:*
> *And I alone sit ling'ring here . . .*

Clywai ddistawrwydd y gynulleidfa fel hugan cynnes amdani, ond yn araf, anghofiodd amdanynt. Yr oedd y gân wedi'i chynllunio ganddi fel ei bod yn dechrau'n isel ar y raddfa, ac yn esgyn i binacl uchel ar y diwedd. Ni ddeallai Hanna y geiriau i gyd, ac nid oedd hi wedi cynnwys pob pennill, ond heno, teimlai'r ystyr yn dod yn glir, ac mai'r gadwyn rhyngddi hi a'r gynulleidfa a wnâi hyn yn bosibl. Daeth y gân i ben fel ehedydd yn entrych nen.

> *O Father of eternal life, and all*
> *Created glories under Thee:*
> *Resume thy spirit from this world of thrall*
> *Into true liberty.*

Bu eiliad o ddistawrwydd ar ôl iddi orffen, ac yna llanwyd y lle â chymeradwyaeth. Trwy'r môr o wynebau gwelodd Signor Vanelli yn curo dwylo a Mary Bennett yn wên o glust i glust. Ac yna, am y tro cyntaf, gwelodd Gwion, yn clapio nerth ei ddwylo, ei lygaid yn disgleirio, yn anfon ei falchder ati ar draws y neuadd. Gyda gwên, trodd at ei chyfeilydd a pheri iddo yntau dderbyn ei ran o'r gymeradwyaeth. Ac yna gadawodd y llwyfan, ond yn ôl ac yn ôl y galwyd arni nes iddi arwyddo ei bod hi'n barod i ganu eto. Y tro hwn, canodd *Y Deryn Pur.*

Yn ystafell y perfformwyr yr oedd y myfyrwyr eraill yn hael eu canmoliaeth. Nid cantorion oeddynt, ac nid cyfansoddwyr chwaith, ond unawdwyr offerynnol bob un, felly nid oedd hi'n fygythiad iddynt.

'O, Hanna, 'roedd dagrau yn fy llygaid wrth chwarae,' ebe James yn isel. ''Roeddet ti . . .' chwiliodd am y geiriau. ''Roeddet ti fel ffynnon arian.'

Chwarddodd hithau a'i gusanu. Daeth y negesydd drwy'r drws, a cheisiodd guddio ei siom pan welodd nad oedd yn cario blodau.

'Hanna Edwards?' Yr oedd yr enw'n ddigon anghyfarwydd i beri iddi oedi cyn ateb.

'Ie?'

'Teligram.'

Cipiodd yr amlen felen o'i law a'i hagor yn ofnus. Yna dechreuodd chwerthin, bron yn histeraidd.

'Beth sy'n bod?' gofynnodd James yn bryderus.

'Dim, dim. Fy ngŵr yn dymuno'n dda i mi. Gwell hwyr na hwyrach, yntê?'

Rhwygodd y teligram yn ddarnau mân a'u gwthio i mewn i bot blodau.

'Faint fedri di aros?'

Yn ôl yn y fflat, eisteddai yn ei gŵn gwisgo o flaen y tân nwy, yn yfed siocled poeth. Nid oedd ei nerfau wedi tawelu eto, ond yr oedd hi'n dioddef y gwacter sy'n dilyn cyffro mawr. Yr oedd Gwion yn anarferol o siaradus yn adrodd rhai o'r sylwadau a glywsai gan y bobl o'i gwmpas am ei chân ac am ei chanu, canmoliaethus i gyd. Syllai arno yn eistedd yn ôl yng nghadair freichiau Robert, a meddwl mor gysurlon oedd ei gwmni.

'Rhaid i mi ei throi hi fory. Pryd ca' i drên?'

'Fory? O, na, 'fedri di mo 'ngadael i mor fuan. Arhosa tan ddy' Sadwrn o leia, i ti gael gweld Robert.'

''Alla' i ddim. 'Dydi Dad ddim yn dda iawn, 'sti.'

Ar unwaith yr oedd hi wedi dychmygu'r gwaethaf.

'Be' sy? Wyt ti'n cuddio rhywbeth oddi wrtha' i?'

'Paid â chynhyrfu. Crydcymala sy'n 'i boeni o. Ond mae ei adael o am dridiau yn hen ddigon, a rhaid i mi fod yn y sêl ddy' Gwener.'

'Ia, wrth gwrs.' Syllodd i waelod ei chwpan wag. ''Wnei di ddeud wrthyn nhw . . .?'

Ond beth oedd o i fod i'w ddweud? Nad oedd ei gŵr newydd wedi gofalu bod yn rhydd noson ei chyngerdd pwysig? Nad oedd o ddim hyd yn oed wedi anfon blodau, dim ond teligram a gyrhaeddodd yn rhy hwyr? Ac oni bai amdano ef, Gwion, na fyddai ganddi neb i gyd-lawenhau yn ei llwyddiant?

Canodd y ffôn, ac ar unwaith rhoddodd ei chalon y naid gyfarwydd. Rhuthrodd i'w ateb a'i llygaid yn disgleirio. Ond llais Nansi oedd yr ochr arall.

'Mi fethais i ddŵad. 'Roeddwn i mor siomedig. Sut aeth petha?'

'Iawn.' Yr oedd yr ateb yn swrth gan siom.

'Wyt ti'n olreit?'

'Wrth gwrs 'mod i. Wedi blino dipyn bach, yn naturiol.'

'Debyg iawn. Ydi Gwion efo chdi?'

'Ydi.'

Saib.

'Mi ga' i'r hanes yn iawn pan fyddi di'n llai blinedig.'

'Iawn.' Ac yna, gydag ymdrech: 'Diolch i ti am ffonio.'

Rhoddodd y teclyn i lawr, yn ymwybodol fod llygaid Gwion arni.

'Nansi,' eglurodd. 'Ti'n gwbod—Nansi Llwyn.'

Nodiodd ei ben. 'Sut mae hi?'

'O, fel arfar. Yn agos i'w lle. Mae Llundan wedi'i gwastraffu ar hogan fel Nansi.'

Nid atebodd. Edrychodd ar ei wats. Cymerodd Hanna arni beidio â sylwi.

'Sut mae'r awen y dyddie yma?'

Byddai hyn yn siŵr o'i gadw ar ei draed. Edrychai Gwion yn swil, ond yn falch o'r cwestiwn.

'Dim llawer o siâp, ar hyn o bryd.'

Rhyw fardd dirgel fu Gwion erioed, yn gyndyn iawn o anfon ei bethau i gystadleuaeth fel pawb arall. Ni châi hyd yn oed Hanna weld ond rhyw hanner dwsin o'i gerddi, ac o'r herwydd, yr oedd hi'n dueddol o anghofio mor dda oeddynt.

'Wyt ti'n cofio'r griafolen ar ben Bryn Cŵn?' mentrodd Gwion yn betrus.

'Lle bydden ni'n arfer chwara ysgol fach?'

'Dyna ti. 'Dwi wedi dechra pwt o rywbeth ar honno.'

'Gwych.'

Ond yr oedd rhywbeth arall ar feddwl Hanna.

'Oeddat ti'n gwybod fod Robert wedi priodi o'r blaen?'

Llonyddodd Gwion. 'Nag oeddwn i. Pryd?'

'Tua diwedd y rhyfel. Yn '44 neu '45. Pump ar hugain oedd o, beth bynnag.'

'*Dyna*'i oed o, felly. Dipyn hŷn na ni.'

'Dyna ti, gwna dy syms. Tair blynedd ar ddeg.' Ar ôl saib, ychwanegodd: 'Mae'n well gen i ddynion hŷn.'

'Pwy oedd hi?'

'Elise. O wlad Belg. 'Roedd o yno gyda'r Fyddin Rydd- hau pan ddaru nhw gwarfod.'

'Be' ddigwyddodd iddi?'

'Marw. 'Roedd hi'n alcoholig.'

Arhosodd Gwion iddi ymhelaethu. Ond dyna'r cwbl a wyddai hi.

' 'Dydi Robert ddim yn hoffi sôn amdani. Mae'n stafell waharddedig. Weithia mi fydda' i'n teimlo fel gwraig y Barf Glas.'

Edrychai Gwion yn fyfyrgar. 'Rhaid bod y bobl hynny wedi gweld petha digon erchyll. Dim rhyfadd iddyn nhw fynd yn dipia.'

Yna edrychodd ar ei wats unwaith eto a'r tro hwn cododd ar ei draed. Sylwodd hithau am y tro cyntaf mor flinedig yr edrychai.

Meddai, bron yn ymddiheurol: 'Well i ni fynd i glwydo, dywed? Bore fory ddaw.'

Gydag ochenaid fach dawel, cododd Hanna, hithau. Yr oedd hi wedi meddwl cael trafod Elise gyda Gwion, ond yr oedd hi'n rhy hwyr heno. A beth oedd yna i'w ddweud, p'run bynnag?

Pan ddeffrôdd drannoeth, yr oedd Gwion yn sefyll wrth y gwely, yn gwenu ac yn chwifio papur newydd.

'Cwyd, hogan, iti gael gweld be' maen nhw'n ddeud amdanat ti!'

Cododd ar ei heistedd ac edrych arno'n ofnus.

'Be' maen nhw'n ddeud? Ydyn nhw'n fy lladd i?'

'Ga' i 'i ddarllen o i ti?'

Eisteddodd Gwion ar y gwely ac agorodd y papur.

'"Fel rheol nid oes fawr o wahaniaeth rhwng y naill gyngerdd myfyrwyr â'r llall, fel mai anodd dewis unrhyw nodweddion amlwg. Ond neithiwr mewn cyngerdd a gyflwynwyd gan fyfyrwyr cerdd yn Neuadd Wigmore, yr oedd un gwaith arbennig o ddiddorol. Cyfansoddwr ifanc yw Hanna Thomas, a'i gosodiad hi o'r *Emyn Atgyfodiad* gan Henry Vaughan oedd uchafbwynt y noson. Yr oedd yn cyfleu cyffyrddiad ysbrydol aeddfed iawn, yn rhyfeddol o rydd oddi wrth unrhyw duedd i ddynwared. Y cyfansoddwr ei hun a ganodd y gwaith, a hynny'n eithriadol o dda."'

Rhoddodd y papur iddi. 'Be' am hwnna, 'ta? Ail Forfydd Owen. Dyna oedd dy ddymuniad di, 'nte? Hei, 'di hyn ddim yn achos crio!'

Ond ni allai beidio. Yr oedd tyndra'r wythnos wedi llacio, a dyna lle'r oedd hi'n crio ac yn chwerthin bob yn ail.

'O, Gwi, Gwi, Gwi!' llefodd. ''Dwi mor hapus.'

3

Prin bod Robert yn ôl o Ffrainc nad oedd o'n paratoi i ruthro i ffwrdd i'r Almaen.

'Mae'n rhaid i mi,' eglurodd. 'Rhaid gorffen y ffilmio i gyd erbyn diwedd Medi, ac mae mwy o waith nag oeddwn i wedi'i ddychmygu.'

'Ga' i ddod efo chdi? Mae'n gas gen i fod yn Llundan ar 'y mhen yn hun, yn enwedig yn yr ha'.'

'Sori, 'mach i. 'Fydde hynny ddim yn broffesiynol iawn. Wn i. Pam na ofynni di i Nansi ddod i aros am ychydig?'

'Mae hi'n wyliau ar athrawon. Mae hi wedi mynd adra.'

'Wrth gwrs.'

'O wel, 'fyddi di ddim i ffwrdd mor hir â hynny, siawns?'

'Wel—mi fydd y daith i America—'

'O, damia America!'

Rhoddodd Hanna gic fach i goes y bwrdd. 'Mi a' i adra, 'ta.'

Gwenodd arni. ''Roeddwn i'n meddwl tybed pa bryd y byddet ti'n dweud hynny. 'Doeddwn i ddim yn licio'i awgrymu i ti.'

Y gwir oedd iddi ohirio mynd. Ar ôl ymweliad Gwion bu ei heuogrwydd yn waeth, ac yr oedd arni ofn wynebu'r dolur ar wynebau ei thad a'i mam. Cawsai ei llythyr wythnosol rheolaidd gan ei mam, fel arfer, a hwyrach mai dychymyg oedd y ffurfioldeb newydd a ddarllenai ynddynt. Yn sydyn, sylweddolodd mai'r peth mwyaf dymunol yn y byd y munud hwnnw fyddai gweld ei rhieni a chymodi'n iawn â nhw.

Adre, byddai bywyd heb gymhlethdod. Hwyrach yr hoffai ei mam fynd am wyliau at ei chwaer. Câi hi, Hanna, ofalu am ei thad a Gwion er mwyn iddi gael mynd. Mi fuo hi'n hunanol yn peidio â meddwl am hynny ynghynt.

'Mi a' i adra ddydd Llun.'

'Hanna, rhaid i ti ddysgu peidio â dweud ''adre'' am Bengele. Yma mae dy gartre di nawr.'

Ond chwerthin yr oedd Robert a synhwyrai hithau fod ei phenderfyniad yn rhyddhad iddo.

'Mae'n hen bryd i ni gael parti. Fe gawn ni un cyn iti fynd—rhag ofn i bobl feddwl ein bod ni wedi gwahanu'n barod. Bydde dydd Sul yn ddiwrnod da.'

Yr oedd arni awydd anghytuno am y rheswm syml mai ef unwaith eto oedd yn trefnu, heb ofyn ei barn hi. Ond wrth weld y brwdfrydedd yn ei lygaid a'i egni byrlymus, ymataliodd. Gŵr felly yr oedd hi wedi'i briodi, a gŵr felly yr oedd hi'n ei garu. Rhaid ei dderbyn fel yr oedd.

'Pwy gawn ni wahodd?' Yr oedd Robert wedi nôl papur i wneud rhestr. 'Paul a Jenny, wrth gwrs. Well i mi ofyn i Douglas o'r Adran. Oes gyda fe wraig, tybed? Leon—'

'Pwy ydi Leon?'

'Fy nghynhyrchydd, f'anwylyd. Gwell cadw i mewn â hwnnw. A'i ysgrifenyddes, beth-yw-ei-henw-hi. 'Ddaw o ddim hebddi hi. Wyt ti am ofyn i Nansi?'

'Mae hi—' dechreuodd yn ddiamynedd.

'Wrth gwrs,' ebe Robert, 'wedi mynd adre. Pwy o dy ffrindie di, 'te?'

Ie, pwy oedd ei ffrindie? Heblaw Nansi, ffrindie Robert oedd eu 'cylch' hwy. Yna cofiodd am Judith.

'A phwy ydi hi?'

''Rydan ni yn yr un dosbarth harmoni. Mae hi'n canu'r fiola.'

Sgrifennodd Robert yr enw. 'Judith . . . Rhywun arall?'

Ysgydwodd Hanna ei phen. Yr oedd ei meddwl yn fwy ar y tyddyn yng nghesail y mynydd a'i phenderfyniad i wneud iawn am ei hesgeulustod.

Rhyw bartïon ffwrdd-â-hi dewch-â-photel fyddai Hanna a Robert yn arfer ei gael, ond ers tro bu Robert yn ymwybodol ei fod braidd yn hen i hyn. Yr oedd ei safle fel uwch-ddarlithydd yn gofyn am rywbeth mwy soffistigedig, mwy gwaraidd, ac yr oedd priodi wedi dyfnhau'r teimlad hwnnw.

'Ond 'dydw i fawr o giamstar yn y gegin,' llefodd Hanna pan awgrymodd ei gŵr iddynt gael cinio wrth y bwrdd a chanhwyllau a lliain bwrdd las Nottingham ei fam a'r llestri gorau.

'Nag wyt, mi wn. Fe ofala' i am y bwyd.'

'Ond mi fyddwn ni'n ugain, a 'does dim lle i ugain rownd ein bwrdd ni.' Cywilydd fyddai gorfod cyfaddef wrth eu ffrindiau mai'r gŵr ac nid y wraig a fu'n gyfrifol am y bwyd.

Yn y diwedd, bu cyfaddawd. Yr oedd Hanna yn ddigon bodlon paratoi petheuach ar gyfer *buffet,* er bod Robert yn dal i fynnu y byddai hyn yn golygu llawer mwy o waith. Am unwaith, Hanna a orfu.

Wrth iddynt sefyll yn yr ystafell yn disgwyl eu gwestei-on, bu raid i Robert gyfaddef fod popeth yn edrych yn ddeniadol dros ben. Ar fwrdd hir yr oedd hi wedi gosod rhosynnau melyn mewn cawg arian, a'r bwydydd wedi'u trefnu o'u cwmpas. Yr oedd rhagor o rosynnau ar y Bech-stein a deyrnasai yn yr ystafell. Yr oedd hi wedi mynd i gryn drafferth gyda'r bwyd, hwyrach er mwyn dangos iddo ei bod hi'n gallu. Melys oedd cael ei ganmoliaeth, ac ar yr un pryd gwylltiai ynddi ei hun am deimlo mor blês.

'Robert, 'rwyt ti'n fwy confensiynol nag oeddwn i wedi'i freuddwydio.'

'Mynd yn hen 'dwi, hwyrach. Bydd dyn yn diflasu maes o law ar barti cwrw a chreision a bag cysgu ar lawr.'

Ond yr oedd Hanna yn dal i hoffi hwyl yr hen ffordd anffurfiol. Dyna'r gwahaniaeth y mae tair blynedd ar ddeg rhyngom ni yn ei wneud, meddyliai. Ac eto prin fis oedd ers eu priodas syml, ddi-frecwast, a Robert ei hun oedd wedi mynnu hynny. Byddai rhywun yn disgwyl i'r bywyd teledu ddyfnhau ei fohemiaeth, ond yn lle hynny clywai ei gŵr am y tro cyntaf yn defnyddio geiriau fel *gracious living.*

Pan gwrddodd â Leon Greenbaum, deallodd pam. Deallodd ystyr y gair 'dandi'. Gŵr tua hanner cant, hytrach yn fyr, ei wallt tonnog mor ddu a disglair â glo. Yr oedd pob blewyn yn ei le, a daeth i feddwl Hanna hwyrach mai gwallt gosod ydoedd. Gwisgai siaced Edwardaidd wedi'i brodio'n gain. Clymwyd rhyw fath o sgarff am ei wddf ac ynddo bin diemwnt, a gwisgai ddwy fodrwy ar bob llaw. Yr oedd ganddo'r mymryn lleiaf o acen Almaenaidd, ac yr oedd yn drewi o *after-shave.*

Cyflwynwyd hi iddo gan Robert gyda pheth rhodres, yr hyn a barodd syndod iddi, ac yna i'r ferch a safai y tu ôl iddo—Debbie, yr ysgrifenyddes. 'Chafodd Hanna byth wybod ei chyfenw, na fawr mwy amdani, o ran hynny. 'Doedd ganddi ddim oll i'w ddweud, dim ond gwenu â gwefusau ceirios nad oeddynt i'w gweld byth yn cau. Ond hwyrach nad oedd dynion yn disgwyl i ferch â siâp fel yna ddweud dim.

Teimlai Hanna yn annifyr yng nghwmni'r ddau hyn, ond yr oedd hi'n amlwg eu bod nhw'n bwysig yng ngolwg Robert. Trodd i ffwrdd â rhyddhad i gyfarch Paul a'i gariad, Jenny. Ei phobl hi oedd y ddau hyn, Jenny dawel a Paul, y cyfaill deallgar, cydymdeimladol. Am unwaith yr oedd hi'n falch hefyd o weld Douglas a'i wraig o'r Adran yn y Brifysgol. Tybed beth a fyddai ei farn fursennaidd ef am y Leon rhyfedd hwn? O ran hynny, beth fyddai barn y gwesteion eraill o'r Brifysgol, a oedd wedi dechrau dadlau am ryw bwnc esoterig bron cyn dod dros y trothwy.

Wrth glywed curo mawr ar y drws fe wyddai fod Myrddin wedi cyrraedd. Actor oedd hwn, yn gobeithio am bethau mawr heno o gael cwrdd â Leon. Yr oedd eisoes wedi cael peth llwyddiant ar y teledu yn chwarae rhannau dyn ifanc gwrthryfelgar, ymosodol. Pe na bai'r llwyddiant wedi digwydd, go brin y câi wahoddiad yma. Nid oedd Robert yn hoffi methiant. Yr oedd Siân ei wraig gydag ef, un fach gall a gadwai'r ffrwynau'n dynn arno.

Safai'r gwahoddedigion yn sgwrsio'n isel ac yn foesgar fel y bydd pobl ar gychwyn parti. Un oedd ar ôl. Judith. Yr oedd Robert yn mynd o gwmpas yn ail-lenwi gwydrau pawb. Cofiodd Hanna am ei dyletswyddau fel gwesteiwraig.

'Paul, 'dwyt ti ddim wedi cyfarfod â Myrddin a Siân. Maen nhw'n dod o Aberdâr, ac mae Myrddin yn mynd i fod yn actor byd-enwog. Bydd yn ofalus beth wyt ti'n 'i ddeud, Myrddin. Seiciatrydd ydi Paul, ac mae gynno fo ffordd annynol o godi'r caead ar dy gymhellion mwyaf dirgel.'

Chwarddodd pawb, ac ar hyn dyma ganiad arall ar y gloch. Rhuthrodd Hanna yn ddiolchgar i agor i Judith, a Robert wrth ei sodlau. Cyfarchodd y ddwy ei gilydd drwy gofleidio a chusanu'n serchus. Cododd Robert ei aeliau. Nid oedd wedi sylweddoli cymaint o ffrindiau oedd y ddwy.

'Mae'n ddrwg gen i,' ymddiheurodd Judith. ''Rown i wedi dechrau ymarfer a sylwais i ddim ar y cloc.'

Merch dywyll oedd hi a chanddi wallt hir a llygaid mawr du y tu ôl i sbectol go drwchus. Ar wahân i'r sbectol, hawdd iawn ei dychmygu'n tynnu dŵr o ffynnon yng Ngwlad Canaan. Yr oedd ei theulu wedi dod i Lundain yn union cyn y rhyfel, ymhlith yr ychydig a lwyddodd i osgoi'r gwaethaf o'r lladdfa. Merch dawel, fewnblyg, yn wahanol i Hanna, ond hwyrach mai dyna oedd wedi tynnu'r ddwy at ei gilydd. Nid oedd Hanna wedi hoffi'r fiola gymaint â hynny nes iddi glywed Judith yn ei chanu. Yn awr, ei huchelgais oedd cyfansoddi sonata iddi.

Erbyn hyn yr oedd y gwin wedi dechrau llacio'r tafodau. Moesymgrymodd Myrddin yn rhwysgfawr wrth gael ei gyflwyno i Judith, fel paun yn arddangos ei blu gerbron peunes newydd, ddeniadol.

Ond yr oedd Judith â'i llygaid ar Leon, llygaid hanner eiddgar, hanner drwgdybus Iddewes yn adnabod un arall o'r llwyth. Yr oedd cyfarchiad Leon yntau yn ofalus. Wynebent ei gilydd fel ci a gast yn arogleuo'i gilydd, meddyliai Hanna, a daeth awydd chwerthin drosti.

'Judith Cassirer,' murmurodd Robert wrth roi glasied o win iddi. 'Enw pert.'

'Enw Almaenaidd?' ebe Leon, gan rythu'n galed arni.

'Enw Iddewig.' Yr oedd ei chywiro yn isel ond ei llygaid yn gadarn. Yn sydyn yr oedd pob man yn ddistaw, yn gwrando ac aros i weld beth fyddai ymateb Leon. Ni allai'n hawdd wadu ei dras. Yr oedd ei holl ymarweddiad yn ei gyhoeddi'n uchel, ond nid oedd neb chwaith wedi'i glywed yn arddel ei Iddewiaeth yn agored. Ar ôl y mymryn lleiaf o oedi, fe chwarddodd. ''Rydan ni'n union 'r un fath â'r Cymry, Robert. Ar chwâl dros y byd i gyd.'

'Y gwahaniaeth yw,' ebe Robert, 'fod gennych chi asgwrn cefn o ddur. Un o rwber sy gennym ni.'

'Hwyrach nad ydych chi ddim wedi dioddef digon,' meddai Judith yn ei llais isel, gan graffu'n galed ar Robert â'i llygaid meiopig.

'Naddo?' Fflachiai llygaid Myrddin fel rhyw Henry Irving newydd. 'Beth am dlodi a diweithdra'r tridegau? Beth am y diboblogi? Ŷch chi'n gwybod fod Cymru wedi'i gwaedu bron i farwolaeth rhwng y ddau ryfel—colli pum can mil o'i phoblogaeth?'

Yr oedd ei freichiau'n dechrau chwifio fel melin wynt. Chwarddodd Siân, ei wraig, braidd yn anghysurus.

'Clywch arno'n dechra siarad fel un o bamffledi'r Blaid!'

Gallai ei sylw fod wedi ysgafnhau'r sgwrs yn llwyr ond ni fynnai Robert hyn.

''All neb gymharu hyn â beth a wnaeth yr Almaenwyr—i'r Iddewon a'r sipsiwn i ddechrau, ac yna i'r cenhedloedd yn Ewrop a ddaeth yn ysglyfaeth iddyn nhw. Rhyfyg ydi siarad am y peth yn yr un gwynt. 'Does gynnoch chi ddim syniad, Myrddin. Glywsoch chi ddim am Belsen ac Auschwitz?'

Yr oedd cymaint o gynddaredd yn ei lais, fel yr edrychodd Hanna arno mewn syndod. Ond yr oedd Myrddin ar gefn ei geffyl yn awr, ac heb sylwi.

'Mae 'na wahanol fathau o hil-laddiad. Un yw'r un dramatig, creulon, cyflym fel y cyflawnodd y Natsïaid. Ond mae 'na fath arall—araf, anamlwg, ond llawn mor ddidostur, gyda holl rym llywodraeth imperialaidd yn gwasgu, gwasgu, o, mor boleit, ond yn gwasgu'r un fath nes bod dim ar ôl.'

Yr oedd yr actor yng nghanol ei lwyfan, ei lais cyfoethog yn godro pob mymryn o ddrama o'i eiriau. Yna gostyngodd ei lais ac meddai gyda thaerineb tawel, 'Ond ryw ddydd, cyn bo hir, bydd y ddraig goch yn dechrau chwythu tân!'

Gwrandawai'r academyddion Seisnig yn ddistaw, foesgar, ond yr oedd cysgod o wên ar wefusau'r Athro Robinson wrth glywed y rhethreg Geltaidd.

Yr oedd Robert ar fin torri i mewn yn ymfflamychol unwaith eto, pan sylwodd ar y difyrrwch ar wyneb ei bennaeth, ac ymataliodd. 'Doedd Saeson ddim yn hoff o ormod o emosiwn. Newidiodd ei feddwl.

'Fel un sy'n perthyn i'r llwyth heibrid hwnnw, y Cymry di-Gymraeg,' sylwodd Paul, 'mi fentra' i ddweud mai'r hyn sy'n poeni Cymru yw argyfwng hunaniaeth. Fel yr Iddewon mae gennym ein hen, hen hanes. Fe ŵyr y Saeson hanes yr Iddewon yn burion. 'Wyddan nhw ddim oll am hanes Cymru. O ran hynny, ychydig iawn a ŵyr y Cymry eu hunain, yn cnwcdig y garfan 'rwyf fi'n perthyn iddi. 'Rŷn ni wedi gweld ein hunain yn cael ein llyncu gan beiriant sy'n malu ein harbenigrwydd a'n harwahanrwydd. 'Dŷn ni ddim yn Saeson, 'dŷn ni ond hanner Cymry. Pwy ŷn ni?'

Chwarddodd Robert, ei hunan-feddiant wedi'i adfer. 'Os na all seiciatrydd ateb y cwestiwn, 'all neb.'

Yn nes ymlaen cafodd Robert ei hun gyda Judith. Ni wyddai beth i'w wneud o'r ferch dywyll hon a graffai arno'n dreiddgar drwy ei sbectol. Hwyrach fod pobl a gâi drafferth â'u llygaid yn rhythu heb sylweddoli eu bod nhw'n gwneud. Cynigiodd y ddesgl greision iddi.

'Maen nhw'n dweud mai dyma'r pethau gorau i chi ddodi pwysau ymlaen.'

Ar unwaith, ofnai iddo roi ei droed ynddi. 'Roedd hi'n denau fel corsen hefyd, a hwyrach fod y sylw ysgafn yn rhy agos at yr asgwrn.

Ond ymddangosai nad oedd pethau felly'n poeni Judith. Cymerodd greision ganddo, a gwenu ychydig. Chwiliai Robert am rywbeth arall i'w ddweud.

'Ydach chi'n mwynhau'r Ysgol Gerdd?'

'Ydw. Yn fawr iawn.'

Clywai Robert dinc acen Almaenig yn ei llais. Yna goleuwyd ei hwyneb gan wên. 'Ac yn falch arbennig o gwmni Hanna yno. Mae hi'n ddisglair iawn, wyddoch chi.'

Llifodd anniddigrwydd drosto. Hon yn dweud hyn wrtho, fel pe na bai ef, ei gŵr, yn gwybod hynny. Newidiodd y sgwrs yn frysiog.

''Rŷch chi yn Llundain ers tro?'

'Yn Hertford 'rydan ni'n byw. Daeth fy nheulu i Loegr ryw wythnos cyn i'r rhyfel dorri allan.'

'O ble'n union?'

'O Bafaria. Augsburg.'

Daeth eiliad o gysgod dros wyneb Robert. Crwydrai ei lygaid o amgylch yr ystafell fel pe'n chwilio am ddihangfa. Ond ar unwaith, bron, yr oedd yn westeiwr moesgar unwaith eto.

'Dewch draw i siarad â'r Athro Robinson,' meddai a chydio yn ei phenelin i'w harwain at ei Bennaeth Adran. Yr oedd bod gyda hi'n dwyn gormod o atgofion—ystum osgeiddig ei garddyrnau wrth iddi siarad, y wên sydyn yn trawsnewid gwacter y rhythu. Pe na bai ganddi sbectol . . .

O, Dduw mawr, griddfanai ynddo'i hun. Ydw i wedi fy nhynghedu hyd dragwyddoldeb i weld Elise ym mhob menyw?

4

Blodau'r fagwyr a gold Mair yn tyfu'n gymen yn y borderi. Falerian yn neidio'n afradus o'r waliau cerrig. Llythrennau bras enw'r dref yn ei ffurf Seisnigedig hen ffasiwn. Nid oedd dim wedi newid. Yn araf y chwyrnai'r trên i mewn i'r orsaf, heibio i'r bobl a rythai gan aros eu tro i gael eu llyncu ganddo. Dyna hen Beni'r porter, ei wyneb coch a'i lygaid croes y tu ôl i'w dryc sigledig. Dyna Ifans y

Giard a'i faner a'i chwibanogl, a Mr. Jencyn, y gorsaf-feistr yn rhuthro'n ôl ac ymlaen a neb yn gwybod pam. Teimlai ymchwydd o gariad atynt i gyd.

A dyna lle 'roedd Gwion wrth y fynedfa yn codi ei law arni ac yn ymwau drwy'r dorf fechan o ymwelwyr ar y stesion. Nid oedd cusanu y tro hwn, ond yr oedd gwenau cyfarch yr efeilliaid yn huawdl.

'Hwda! Cymer di'r cês mawr, ac mi garia i'r mân beth-euach 'ma. Gobeithio na wnes i ddim gadael dim ar ôl yn y trên.'

'Rhy hwyr, p'run bynnag. Mae hi ar gychwyn. Sut wyt ti?'

'Siort ora. Titha?'

'Iawn, 'sti.'

Ond yr oedd golwg flinedig arno, ac o ddyn ifanc, yr oedd ei war braidd yn grwm. Sylwodd ar hyn, ac yna ei wthio o'i meddwl. Naturiol i ffermwr deimlo'n flinedig yr adeg yma o'r flwyddyn.

'Hylô, Hanna. Croeso'n ôl. Priodas dda i ti, 'nte? Misus be' wyt ti rŵan?'

'Edwards . . . Lle mae'r car, Gwion?'

Ceisiodd gadw'r dicter o'i hwyneb a gwenodd ei gwefus-au ar Ned Bryn Coch. Un powld fu hwnnw erioed a'i gred fod ganddo dragwyddol hawl i'w chyfarch yn or-gyf-arwydd am iddo fod yn yr un safon â hi yn yr ysgol gynradd, gynt. Yna, wrth weld Gwion yn gwneud ati i siarad â Ned i wneud iawn am iddi fod mor gwta, teimlai'n euog am fod mor drwynsur.

'Sut mae'r teulu, Ned?'

Dechreuodd Ned ymhelaethu wrth ateb, ac fe'i rhybudd-iodd Hanna ei hun i fod yn amyneddgar. O'r diwedd, fe gawsant fynd a dringodd yn ddiolchgar i'r Ffordyn.

Gorweddodd yn ôl a syllu'n ddioglyd ar y ffordd gyfar-wydd allan o'r dref ac i fyny'r tair milltir o allt i Dyddyn Alarch. Nid oedd y coed mor drwchus â'r tro diwethaf y bu hi'r ffordd hyn, a'r ychydig oedd ar ôl yn edrych fel defaid unig newydd eu cneifio. 'Doedd popeth ddim yr un fath, wedi'r cwbl. Ond pa hawl oedd ganddi hi i ddisgwyl i bawb a phopeth arall aros yn eu hunfan, a hithau ei hun yn newid o hyd!

'Gobeithio nad wyt ti ddim yn treio colli pwysau neu rywbath. Mae Mam wedi g'neud te croeso i ti na fuo 'rioed rotsiwn beth.'

Gwenodd y ddau ar ei gilydd, ac ochneidiodd Hanna yn fodlon.

'Mae hi wedi maddau, felly?'

'Dyna'i ffordd hi o ddangos hynny.'

Dechreuodd Glen yr ast gyfarth wrth i'r car droi i mewn i fuarth Tyddyn Alarch. Yr oedd hi wedi codi brigyn yn ei safn a rhuthrodd ag ef i'r ymwelydd, ffordd Glen o ddangos ei phleser.

'Gleni! Wyt ti'n 'y nabod i?'

Wrth gwrs ei bod hi. Neidiodd Glen ati yn ffwdan i gyd, gan lyfu ei dwylo. A dyna lle 'roedd Mam, wedi clywed y stŵr croesawgar, yn sefyll wrth y giât, yn wên o glust i glust.

Oedd, yr oedd popeth yr un fath wedi'r cwbl, y gacen gri a'r bara ceirch, yr eog tun a'r eirin gwlanog tun a'r hufen tun—moethau teulu gwledig a fu unwaith yn dlawd iawn. Pan ddaeth ei thad i mewn wedi godro yr oedd y darlun cyfarwydd yn gyflawn. Y cyfarchiad tawel: 'Sut mae, 'rhen hogan?' a'r gusan fud o gymodi.

Y noson honno, wrth orwedd yn ei hen wely yn y cefn sylweddolodd nad oedd hi wedi meddwl o ddifri am Robert ers iddi gyrraedd Cymru. Mewn atebiad i gwestiwn gofalus—'Pam na fasat ti wedi dŵad â Robert efo chdi?' yr oedd hi wedi egluro fod ei waith wedi mynd ag ef i'r America, ac wedi cael hynny o'r ffordd, bu'r sgwrsio am bethau Pengele ac am ei cherddoriaeth, yn union fel pe bai hi'n dal yn ferch sengl, ac yn byw gartre.

Mae'r peth yn wirion, meddyliai. Ai nhw, ei rhieni, oedd yn gwrthod cydnabod ei bod hi'n berson gwahanol i'r Hanna a aethai o Bengele yn llances ddibrofiad ansoffistigedig? Ynteu ai hi ei hun oedd yn hiraethu'n ddirgel am gael mynd yn ôl i'r hyn oedd hi gynt? Beth bynnag y rheswm, ar ôl y cwestiwn moesgar cyntaf, ni bu cyfeiriad at ei gŵr drwy'r min nos.

Ond rŵan, wrth geisio a cheisio mynd i gysgu, a methu, ni allai gadw Robert o'i meddwl. Yr oedd yno yn gorwedd yn ei hymyl, yn anwylo ei bron a'i chluniau, ei fysedd yn chwilio am y cyfrin leoedd. Teimlai esmwythder ei gefn o dan ei dwylo cyffrous ei hun. Gwthiodd y dillad o'r neilltu a dyhead ei chorff bron yn peri iddi weiddi dros bob man. Yr oedd hi'n gwbl effro, rŵan. Tair wythnos o fod hebddo o'i blaen. Damia! Damia! griddfanai i'r glustog. Pam 'roedd bywyd mor gymhleth?

Y noson ddilynol yr oedd ei thad i arwain Cyfarfod Bach mewn pentre cyfagos. Gobeithiai Hanna gael cyfle am sgwrs go iawn efo Gwion, a oedd i aros gartre i warchod y fferm. Ond synhwyrai'n fuan fod ei thad a'i mam am iddi fynd gyda nhw. Mor awyddus oedd hi i'r awyrgylch cymodlon barhau, fel y llyncodd ei siom a bodloni i fynd, er bod meddwl am ryw chwe awr o wrando ar gystadlaeth-au di-ri, di-fflach yn peri iddi riddfan oddi mewn. Dyna beth arall oedd wedi newid. Bu amser pan mai'r Cyfarfod Bach oedd un o uchelfannau'r flwyddyn. Gwyddai y gallai ddisgleirio ym mhob cystadleuaeth gerddorol, a bu wrth ei bodd yn clywed: 'Cyntaf, Hanna Thomas.' Un tro yn unig y'i curwyd hi, ac fe fu hynny yn gryn sioc iddi. Mawr fu'r strancio ar y ffordd adre. Ond deallai ymhen blynyddoedd fod y beirniad yn perthyn i blaid wahanol i'w thad ar y Cyngor Sir, ac nad oedd dim Cymraeg rhyngddynt.

Heno yr oedd ei thad ar ei orau, yn ffraeth, yn gwrtais, yn ddoeth. Gloywai ei llygaid wrth edrych arno o'r ail res lle'r eisteddai gyda'i mam. Yr oedd ei wallt brith yn dal i fod yn drwchus ac yn afreolus, y rhychau a adawyd ar ei wyneb gan y blynyddoedd o wynt a glaw yn fwy niferus. Gwisgai ei siwt dydd Sul a brynwyd yn Wrecsam ryw saith neu wyth mlynedd ynghynt, siwt a ddangosai ei hoed erbyn hyn, ond yr oedd i'w thad ryw urddas cynhenid yn ei osgo a'i lais. Yr oedd hi'n falch ohono.

O'r gorau, 'doedd o ddim yn berffaith. Gwyddai fod rhai yn dweud ei fod yn ariangar ac yn gybyddlyd. Ond effaith ei fagwraeth dlawd oedd hynny, yn ddi-os. Nid oedd dianc rhag y creithiau. Ni chawsai hi ei hun le i amau ei haelioni.

Yr oedd merch dew yn adrodd 'Seimon Fab Jona'. Fel y byddai Robert wedi cael hwyl am ei phen—y llefaru gor-ofalus, y llais gyddfol, yr ystumiau diangen. Gallai ei glywed yn awr yn bwrw ei sen ar y ffug deimladrwydd.

Ond Robert oedd hwnnw. Gyda syndod, fe'i teimlai ei hun yn ymateb i'r darn ei hun er gwaethaf ffuantrwydd yr adroddreg. Clywai eiriau I. D. Hooson yn syml, yn ddi-ffuant, ac yn codi rhyw hiraeth annisgrifiadwy arni. Hwyrach, ryw ddydd, y byddai hi'n ceisio gosod hon i fiwsig ... 'Beth? Un arall o'th ganeuon sentimental crefyddol di?' Dyna fyddai adwaith ei gŵr. Rhyfedd fel y byddai bob amser yn awr yn edrych ar bob sefyllfa drwy ei lygaid ef. Ond pa wahaniaeth? *Hi* oedd y cerddor. *Hi* oedd piau dewis ei geiriau.

'Mwynhau dy hun?'

Gallai ateb ei mam gydag arddeliad yn awr.

'O, *yndw!* Mae 'na ryw awyrgylch yma ... 'roeddwn i wedi anghofio ...'

Gwenodd ei mam a gwasgu ei llaw. Erbyn hyn yr oedd Hanna yn barod i dderbyn llongyfarchion y cymdogion heb ddiflasu'n ormodol, a hyd yn oed wenu'n ysgafn wrth ateb: 'Pryd 'dan ni'n cael ei weld *O*?'

Daeth y cyfan i ben erbyn deng munud wedi hanner nos—cael a chael cyn cyrraedd y Saboth, meddai ei thad o'r llwyfan. O ie, y Saboth. Byddai disgwyl iddi fynd i Bethel. Cyn dod adre yr oedd hi wedi penderfynu bod yn gadarn a gwrthod mynd. Nid oedd hyn yn rhan o'i bywyd hi bellach a rhagrith ar ei rhan fyddai cogio fel arall.

Ond heno yr oedd hi'n ôl yn yr hen hualau, ac nid oedd ganddi'r ewyllys i wneud safiad yn erbyn yr hen arferion teuluol.

Wrth gerdded yr hanner milltir i'r capel fore trannoeth gyda'r teulu, yr oedd bodlonrwydd y noson cynt yn dal yn ei flas. Un o'r boreau llonydd ddiwedd Medi oedd hi, y mymryn lleiaf o farrug wedi cilio erbyn deg, a'r heulwen denau yn tanlinellu godidowgrwydd y coed a oedd ar droi eu lliw. Gallasent fod wedi mynd â'r car ar hyd y lôn fawr, ond yr oedd hi'n hen arferiad gan y teulu ddilyn y llwybr ar draws y caeau, gan fod y capel yn gorwedd ar gyrion eu tir hwy. Ni fynnai hithau i ddim fod yn wahanol i'r arfer, hyd yn oed y perygl o wlychu traed wrth droedio'n annisgwyl ar dir corsiog. Rhan o'r gorffennol cyfarwydd oedd hyn ac fe'i lapiwyd hi gan y teimlad mai yma yr oedd diogelwch.

Gwelodd fod ei thad yn hercio'n waeth nag erioed oherwydd ei grydcymalau. Ni siaradai ei rhieni ryw lawer ar y ffordd. O ran hynny, un go dawedog fu ei mam erioed a byddai ei thad bob amser yn dewis ei eiriau'n ofalus ac yn ddiwastraff. Dyn pwyllog, meddai pobl amdano. Bu Hanna bob amser yn chwannog i frolio wrth ei ffrindiau na chlywsai hi erioed air croes rhwng ei rhieni. Fe'i trawyd yn sydyn yn awr gan gwestiynau dieithr. Faint mor iach yw hynny mewn gwirionedd? A yw hi'n bosibl cyd-fyw â rhywun heb gael ambell ffrae i glirio'r awyr? Oni fyddai'n rhaid i'r naill neu'r llall fygu teimladau cas a thrwy hynny greu rhwystredigaeth seicolegol?

Yna chwarddodd yn ddistaw ynddi ei hun. Cwestiynau a roddwyd yn ei phen yn sgîl byw gyda Robert oedd y rhain, yn ddiamau. Cyn ei gyfarfod ef ni fyddai wedi meddwl am y fath beth. Cerddai'r ddau hyn, ei thad a'i mam, o'i blaen heb unrhyw arwydd o rwystredigaeth seicolegol.

Yna plymiodd awyren fechan yn isel uwch eu pennau, mor isel fel eu bod yn gallu gweld y ddau ddyn oedd ynddi.

'Pwy aflwydd ydi'r rheina?' holodd Hanna. 'Nid yr R.A.F.?'

'Na, maen nhw wedi bod o gwmpas dipyn yn ddiweddar. Tynnu llunia, 'dwi'n meddwl.'

Yr oeddynt o fewn cyrraedd i'r capel pan dynnwyd ei sylw gan rywbeth dieithr arall, y tro hwn ar Fryn Cŵn.

'Be 'di'r polyn acw, Gwion?'

44

Crychodd ei brawd ei lygaid a daeth gwg ddiamynedd i'w wyneb. 'O, rheina? 'Does neb yn gwybod yn iawn. Rhai'n deud mai rhyw Weinyddiaeth neu'i gilydd sydd wrthi, rhai'n deud mai rhyw gwmni'n chwilio am aur.'

Chwarddodd y ddau ar ei gilydd. Byddai hyn yn digwydd o dro i dro yn yr ardal; pobl yn clywed am yr aur ym mynyddoedd Meirionnydd, ac yn breuddwydio am droi'r lle yn Glondeic newydd. Digwydd a darfod fu eu hanes bob un.

Edrychai Bethel yn llai nag y cofiai, ond yr un mor dreiddgar ansoniarus oedd llais Dafydd Jones y Stablau wrth godi canu, a'r un mor wichlyd oedd yr harmoniwm, neu'r 'offeryn' fel y gelwid hi gan yr hen Ddafydd. Fe ddylai hwn fod wedi rhoi ei le fel codwr canu i'w thad ers talwm iawn, ac yntau ymhell dros ei bedwar ugain, ond ni feiddiai neb awgrymu'r fath beth. Heddiw, a hithau'n teimlo'n annwyl at bopeth yn yr hen gapel, gallai ei hiwmor oresgyn ei hanniddigrwydd wrth wrando arno.

Eisteddai pump o ddynion yn y Sêt Fawr, a thri llanc yn seti'r capel, yn cynnwys Gwion. Merched oedd y gweddill o'r gynulleidfa, gwragedd fferm yn eu dillad parch ynghyd â phlentyn neu ddau. Gweinidog newydd un o gapeli'r dref oedd y pregethwr y bore hwn. Syllai Hanna â diddordeb ar yr wyneb llwyd a'r sbectol ymyl ddu. Dim llawer o bersonoliaeth ganddo, penderfynodd, ond pwy fyddai am fynd yn weinidog heddiw? Pan ddechreuodd bregethu, rhybuddiai'i hun i beidio â bod mor feirniadol o allanolion, i wrando beth oedd ganddo i'w ddweud. Ond yn ei byw, ni fedrai rwystro ei meddyliau rhag crwydro. Yr oedd hi fel petai wedi'i witsio. Dyheai â'i holl galon am fedru ailfeddiannu symlrwydd ei phlentyndod pan oedd Duw mor sicr â Mynydd Moel. Yr oedd ei thad a'i mam a Gwion wedi cadw'r symlrwydd hwnnw, ond yr oedd Robert wedi'i llygru hi.

Ar unwaith, cywilyddiodd oherwydd y fath syniad annheyrngar. Llanwyd hi â sioc ei bod hi wedi gadael i'r gair 'llygru' ddod i'w meddwl. Chwiliwr am y gwirionedd oedd Robert, fel y dywedodd wrthi lawer tro. 'Doedd ganddo ddim amynedd â hunan-dwyll, hyd yn oed os oedd y gwirionedd yn brifo ac yn chwalu sicrwydd. Amhosibl yn awr oedd canolbwyntio ar y bregeth. Teimlai ei bod hi'n cael ei rhwygo'n ddau ddarn.

''Dwyt ti ddim yn 'y ngweld i wedi newid yn ormodol, nag wyt ti?'

Bu Hanna yn symud ei bysedd yn fyfyrgar dros y piano, ond yn sydyn yn awr yr oedd hi wedi troi ar y stôl swifel i wynebu ei brawd. Edrychodd Gwion i fyny o'r gwaith papur y bu'n gweithio arno ers rhyw awr, a golwg ddigon pell arno.

'Sut?'

'Wyt ti'n meddwl 'mod i wedi newid?'

Ar ôl saib, daeth yr ateb gofalus. ''Rwyt ti'n wahanol i'r hyn oeddat ti wsnos yn ôl.'

'Be' mae hynny'n 'i feddwl?'

'Pan ddoist ti adra, Hanna Edwards oeddat ti. Erbyn hyn Hanna Thomas wyt ti.'

''Doeddat ti ddim yn licio Hanna Edwards?'

''Dwi'n fwy cysurus efo'r hen Hanna.'

'Pam?'

''Dwn 'im. Rhywbath i'w 'neud efo colli diniweidrwydd, am wn i.'

Syllodd arno mewn syndod. Yna chwarddodd i guddio'r ffaith fod y geiriau yn brifo.

''All neb aros yng Ngardd Eden am byth.'

Nid atebodd ef hyn, ac ar ôl ennyd fe aeth hi ymlaen.

''Rwyt ti'n iawn, wrth gwrs. Yn y capel ddoe . . . 'roedd fy nhu mewn i yn crio. Yn hiraethu am yr hen sicrwydd, yr hen wefr. Ac 'roedd o'n 'cau dŵad.'

'Ond 'rwyt ti'n dal i gredu?'

'O, *yndw*!' Yr oedd yr ateb yn ffyrnig, fel petai hi'n ei herio'i hun i ddweud yn amgenach. 'Ond mae 'na gymint o gwestiynau . . . pethau nad o'wn i ddim wedi meddwl amdanyn nhw o'r blaen. 'Dwyt *ti* erioed wedi amau, yn naddo?'

'Mae pawb yn cael plycia, decini. Ond na, 'dwi 'rioed wedi amau o ddifri. Mae'n rhan ohona' i. Hebddo mi fyddwn i'n berson arall. Ond 'sdim rhaid i ti boeni, 'sti. Mae ffydd yn gorwedd mewn wynebu cwestiynau, nid eu hosgoi nhw.'

''Rwyt ti a Dada . . . rywsut 'rydw i'n medru sugno peth o'ch sicrwydd chi i mewn i ngwythienna i fy hun pan fydda' i adra. Ydi hynna'n swnio'n wirion, dywed?'

Gwenodd Gwion. 'Nag 'di. Ond twt, paid â bod gymaint o ddifri. 'Dydan ni ddim yn berffaith, chwaith. Meidrolion ydan ni. 'Rwyt ti'n dueddol o ddelfrydu petha, yn dwyt, 'rhen Hanna?'

Trodd hithau'n ôl at y piano. Chwaraeodd rai nodau yn ddiog gyda'i llaw dde, yna oedodd i ofyn cwestiwn arall.

'Capel Bethel ydi bywyd Dada, yntê?'

'Wel ia,' atebodd Gwion. 'Ond 'dydi hynny ddim yn beth i ryfeddu ato, nag 'di, ac ystyriad 'i gysylltiad agos o â'r teulu.'

Yr oedd hyn yn wir. Fe godwyd Bethel yng nghanol helynt y Degwm. Eu taid, er yn ddigon tlawd, oedd un o'r ychydig oedd yn berchen ar ei dir ei hun. Ef, allan o'i dlodi, oedd wedi rhoi'r tir i godi capel arno. 'Capel Richard Tomos' fu o o'r cychwyn cyntaf.

Yn sydyn daeth ton o falchder drosti. Faint bynnag a ddylanwadai arni, ni fyddai byth yn gollwng gafael yn yr angor hon.

Aeth y tair wythnos olaf o'i gwyliau yn gynt o lawer na'r wythnos gyntaf. Yn un peth, yr oedd Nansi gartre, ac yr oedd Hanna yn falch o'i chwmni i grwydro'r mynyddoedd o amgylch Pengele. Rhyfedd. Yr oedd Nansi'n berson gwahanol hefyd, yn ôl yn ei chynefin, yn llai cysetlyd, yn llai beirniadol. Ond hwyrach mai'r un oedd hi ar hyd yr amser, ond ei bod hi, Hanna, wedi newid yn ôl i'r hyn oedd hi, ac yn fwy derbyniol, felly, gan ei ffrind.

Hoffai'r ddwy rodianna o amgylch Llyn Criafol a gyflenwai ddŵr i dai'r dref, hen lyn yn llawn chwedlau a rhamant. Yn ferched ysgol, bu'n hoff gan y ddwy ddod yma ar noson olau pan grynai pelydrau'r lleuad ar y dŵr, a'u hudo i gyfnewid cyfrinachau dyfnaf merched yn dechrau ymagor i brofiadau newydd. Yn y dyddiau hynny, Nansi fu'r un i sôn am y dyn delfrydol y byddai hi'n ei briodi, tra breuddwydiai Hanna am gerddorfa fawr yn chwarae symffoni o'i heiddo. Un o'i hoff chwedlau oedd yr un am Morgan a gafodd ffidil yn anrheg gan y tylwyth teg, yn dâl am gymwynas, ynghyd â'r gallu i'w chanu mor lledrithiol nes gorfodi pawb o fewn cyrraedd i ddawnsio. Ond aeth ei allu'n rhemp a dechreuodd ymhyfrydu mewn peri i bobl ddawnsio yn erbyn eu hewyllys, yn hen ac ifanc, a hyd yn oed ddyn a chanddo goes bren, nes eu bod nhw'n gweiddi am drugaredd ac yn erfyn arno i beidio. A'r diwedd fu i'r tylwyth teg ddigio a mynd â'r ffidil oddi arno.

Hwyrach, ryw ddydd, y byddai hi'n ysgrifennu opera am Morgan. Tybed a fyddai'r tylwyth teg—neu Dduw— yn ei chosbi hi pe bai hithau'n camddefnyddio'r dalent oedd ganddi?

Nid oedd ond deuddydd ganddi cyn cychwyn yn ôl i Lundain. Yn heulwen lonydd ddechrau Hydref, cerddai Nansi a hithau ar hyd glan y llyn am y tro olaf. Yr oedd hi am dreulio'r diwrnod olaf gyda Gwion. Llenwid eu ffroenau gan leithder rhedyn a dail ar ôl niwl y bore, a dim ond llyfiad diog y dŵr yn erbyn y lan yn tarfu ar y distawrwydd.

Toddai porffor y grug ar y mynyddoedd i gochni gwinau y rhedyn a'r rhyferthwy o ddail gwern a deri oddi tanynt yn amgylchynu'r llyn. Dringai hen waliau cerrig i fyny'r ffriddoedd fel pe baent wedi tyfu allan o'r tir. Chwyddai rhyw addoli cyfrin y tu mewn iddi a oedd yn ddwysach peth na phrofiadau capel, ac eto'n rhan ohonynt. Ei gwaed sipsi, hwyrach, yn ei huniaethu â hen goed, hen greigiau, hen feini, cynfyd yr ellyllon a'r cewri. Cododd deimlad rhyfedd ynddi: pe byddai hi'n gwadu'r rhan hon o'i natur, y byddai ysbryd y mynydd ac ysbryd y llyn yn dial arni.

Yr oedd y ddwy wedi rowndio'r llyn ac ar eu ffordd yn ôl, pan safodd Hanna yn ei hunfan. O'u blaenau, ychydig

48

i fyny'r ffridd, ar lain o dir gwastad rhwng y llyn a Thyddyn Alarch yr oedd tri neu bedwar o ddynion wrthi'n codi rig deirtroed anferth yn ymyl cwt pren. Rhedai pibellau i lawr o'r tu ôl i'r cwt i mewn i'r llyn.

'Be' sy'n mynd ymlaen yn fan'na?'

Edrychodd Nansi i gyfeiriad ei bys. 'O, y syrfeiars 'na eto, mae'n debyg.'

'Pa syrfeiars?'

'Fe fuon nhw draw acw'n gofyn caniatâd 'nhad i dyllu ar ein tir ni. Wrth gwrs, fe wrthododd o'n bendant.'

'Tyllu am be'? Aur eto?'

'Na, ddim y tro yma. Iwraniwm neu rywbeth.'

'Bobol! 'Roeddwn i'n gwybod fod 'na sinc a chopr ac ychydig o aur ffor' ma, ond chlywis i ddim am iwraniwm. I be' mae hwnnw'n dda?'

''Dwn i ddim. I 'neud bomia, medda 'nhad.'

'Wel, gobeithio na ffeindian nhw ddim yma. Meddylia am y llanast!'

Drannoeth, soniodd am y peth wrth Gwion pan oeddynt yn hel y fuches i'r beudy.

'Do, mi glywais sôn,' meddai hwnnw, 'ond 'ddaw dim ohono, gei di weld. Ti'n gwbod fel y buo hi efo'r aur. Saeson yn dŵad yma a'u llygid ar wneud ffortiwn. Cyffro mawr, wedyn dim sôn amdanyn nhw.'

'Ia, ond be' os mai'r Llywodrath sydd y tu ôl i'r peth y tro yma? Dyna be' mae Nansi'n 'i ddeud.'

Cododd Gwion ei ysgwyddau. ''Dwi'n dal i ddeud na ddaw dim byd ohono fo. 'N enwedig os mai gneud bomia ydi'r diben. Mae gormod o heddychwyr ymhlith ein pobl ni i ganiatáu'r fath beth.'

Anghofiwyd y cwbl wrth iddi geisio paratoi ar gyfer ei dychweliad i Lundain. Ond cymerai bob esgus i oedi, a dilynai Gwion wrth ei waith, yn ôl ac ymlaen, yn gwarafun colli munud o'i gwmni. Yn araf iawn, heliai ei phethau at ei gilydd a llenwi ei chês. Ni fyddai Robert yn ôl tan yr wythnos ddilynol, ond yr oedd yn rhaid iddi fynd oherwydd bod y tymor newydd ar agor. Dywedai wrthi'i hun nad oedd hi'n edrych ymlaen at fynd i fflat wag, ond fe wyddai fod yna fwy o reswm na hynny am ei ham-harodrwydd.

Yr oedd y ddau wrthi'n cnoi afal bob un pan ddech-reuodd Gwion dagu. Ar y dechrau, chwerthin am ei ben a wnaeth hi, ond fel yr aeth y tagu ymlaen a'i wyneb a'i wegil yn troi'n biws, daeth dychryn mawr drosti. Ceisiodd guro ei gefn ond clywai ei hymdrechion yn wantan ac yn ddi-fudd. O'r diwedd, llwyddodd ei brawd i roi ei fys i lawr ei gorn gwddf a symud y dernyn ei hun drwy gyfogi. Yna eisteddodd i lawr ar focs pren a chuddio ei ben yn ei freichiau.

'Ti'n well rŵan?' sibrydodd ei chwaer.

Nodiodd ei ben heb fedru ateb. Aeth i nôl dŵr iddo a thoc gallai ei lyncu'n ddiolchgar. Ymlaciodd hithau.

'Dyna'r drwg efo fala.'

'Ia 'nte?' Yna cododd. ''Dwi'n iawn rŵan,' meddai, ond yr oedd ei lais yn gryg. 'Hei, be' am i ti orffen y pacio 'na?'

'Doedd o ddim eisiau ffwdan. Gwyddai hynny'n iawn, ond yr oedd hi'n rhy agos ato i beidio â synhwyro rhyw an-nifyrrwch ynddo. Nid tagu cyffredin ar ddernyn o afal oedd hyn. Cofiodd yr olwg gyntaf a gafodd arno, ddechrau ei gwyliau, ei war yn fwy crwm nag arfer, a'r blinder yn ei lygaid. 'Doedd hi ddim wedi sylwi ar y peth wedyn. Ond yn awr llifodd ei phryderon yn ôl.

Pan gafodd ei mam ar ei phen ei hun, lleisiodd y pryderon hynny.

'Oes 'na rywbath yn bod ar Gwion?'

'Nag oes, am wn i. Pam?'

'Mi dagodd yn ddrwg iawn bora 'ma.'

'O, mae o'n gneud hynny o hyd.'

Saethodd ofn i lawr ei meingefn unwaith eto.

'Ydi o wedi gweld doctor?'

'Naddo. Ti'n gwbod fel bydd o hefo doctoriaid. Paid â phoeni. Gwddw bach sy gynno fo, wedi bod fel'na erioed. Sbïa arno fo rŵan. Mae o'n iawn, 'sti.'

Syllodd y ddwy drwy'r ffenestr, ac yn wir yr oedd golwg digon heini arno, yn cario llwyth o goed i lawr y buarth i

50

drwsio'r ffens. Yr oedd hi'n wirion i boeni. Ond fel yna y buont erioed, y naill a'r llall bob amser yn cario gofidiau ei gilydd, a'r naill yn teimlo'r gofid yn waeth na'r llall.

5

Yr oedd y fflat yn oer ac eto'n glòs. Camodd dros y pentwr o lythyrau ar y llawr, ac aeth ar unwaith i agor pob ffenestr led y pen. Pwysodd allan ac anadlu'n drwm, ond arogleuon dieithr a ddôi i'w ffroenau. Ymgysurai y byddai bob amser yn cymryd diwrnod cyfan iddi ymgynefino ar ôl y daith o Gymru. Byddai'n rhaid i Robert ymgynefino ar ôl taith lawer pellach yr wythnos nesaf. Clywsai straeon am deithwyr yn colli eu synhwyrau am ddyddiau ar ôl teithio mewn awyren o'r America. Rhaid iddi gofio hynny pan ddychwelai.

Trodd ei chefn ar y ffenestr ac aeth at y piano. Agorodd y caead llychlyd a dechreuodd chwarae ail symudiad y *Pathétique,* a oedd rywsut yn mynegi'r cwbl y munud hwnnw. Wrth i'r nodau hiraethus cyfarwydd godi o dan ei bysedd, daeth heddwch iddi. Rywsut yr oedd Beethoven yn gallu uno ei dwy natur, ei dau fywyd. Heb ollwng gafael yn Nhyddyn Alarch a'i thad a'i mam a Gwion, deuai Robert yn agos, agos, hefyd, a phob rhan o'i bywyd cythryblus yn ffurfio patrwm cymen. Gweddïai'n daer y byddai'r unoliaeth yn parhau.

Yn sydyn, teimlodd eisiau bwyd a dechreuodd ddadbacio'r fasged llawn nwyddau fferm a ddarparwyd iddi yn ofalus gan ei mam. Yr oedd gweld y dernyn o gig moch a'r menyn a'r bastai afalau ar y bwrdd yn atgyfnerthu'r teimlad o unoliaeth rhwng ei deufyd. 'Châi Gwion byth ddweud eto ei fod yn anghysurus efo Hanna Edwards.

Drannoeth yr oedd hi'n ôl yn yr Ysgol Gerdd, a thymor cyntaf ei blwyddyn olaf ar gychwyn. Wrth gerdded ar hyd y coridorau tywyll deuai i'w chlyw o'r gwahanol ystafelloedd gymysgedd o leisiau canu, piano, ffidil ac offerynnau

51

chwyth y myfyrwyr yn ymarfer yn galeidoscop aflafar o
sŵn. Cafodd deimlad cynnes o gynefindra. Curodd ar
ddrws ystafell Mary Bennett, ei thiwtor canu, ac fe'i
galwyd i mewn. Yr oedd croeso yr hen gantores yn rhwysg-
fawr. Nid oedd wedi gweld ei disgybl ers noson cyngerdd y
myfyrwyr. Teimlodd Hanna ddwy fraich dew amdani, yn
ei chofleidio yn erbyn bronnau mawr, urddasol y gantores.
Yr oedd cof am ei gorchest y noson honno wedi cilio peth
yn ystod yr wythnosau diwethaf, ond yn awr wrth glywed
Mary'n ail-fyw gwefr y noson, chwyddai ei chalon â
balchder.

'Nid eich llais oedd y peth pwysig,' ebe'r gantores, 'er,
'chlywais i mohono mor soniarus (*resonant* oedd ei gair) o'r
blaen. Mi fyddech chi'n barod i gydnabod bod lleisiau
mwy cyfoethog gan amryw o'r myfyrwyr eraill yn y coleg
yma. Ond yr oedd yna ryw ysbrydolrwydd unigryw yn
eich canu. 'Roedd y gynulleidfa i gyd yn ymwybodol
ohono. Mae'n rhodd Duw, Hanna. Daliwch afael ynddo
a'i feithrin.'

Byddai pawb yn cymryd gormodiaith Mary Bennett
gyda phinsiad o halen, ond clywodd Hanna y dagrau'n
dod i'w llygaid. Ond yn sydyn yr oedd ei thiwtor wedi
mynd at y piano, wedi taro cord.

'A-a-a-a . . .' canodd. 'Dewch. Gwaith.'

Daeth y wers i ben am un ar ddeg, ac aeth i'r cantîn i
chwilio am goffi gyda Judith Cassirer. Nid oedd wedi ei
gweld ers noson y parti. Yma yn y cantîn y byddent yn
arfer cyfarfod, ond heddiw nid oedd golwg ohoni. Heb
ddod yn ôl o'r Almaen efallai. Ond ni pharhaodd ei siom
yn hir oherwydd yn fuan iawn yr oedd mwy a mwy o fyfyr-
wyr wedi croesi at ei bwrdd, yn llawn llongyfarchion ar y
cyngerdd ac ar ei phriodas. Yn eu plith yr oedd James, ei
chyfeilydd, a eisteddai yno'n syllu arni â llygaid llo bach.

'Sut mae R—Robert?'

Allech chi ddim dweud fod eiddigedd yn ei lais wrth ofyn
y cwestiwn, ac eto gwyddai Hanna ei fod yn ei arteithio'i
hun wrth hyd yn oed ynganu'r enw. Gwenodd arno, a
meddwl yn annwyl y fath blentyn ydoedd.

52

''Does gen i ddim syniad.'

Aeth ei lygaid yn fawr wrth glywed hyn.

'P—pam? Ydach chi—?'

'Yndan. 'Rydan ni wedi gwahanu.'

Yr oedd hi wrth ei bodd yn ei blagio, a gweld y pelydryn o obaith na allai gadw allan o'i lygaid.

'O, mae'n ddrwg gen i. Mor fuan?'

Yn sydyn yr oedd y jôc yn troi arni. Beth petai'n wir? Aeth saeth o ofergoel drwyddi.

'Na'r gwirion! Tynnu dy goes di 'rydw i. Mae Robert yn America. Mae'n dod yn ei ôl wsnos nesa.'

'O.' Diflannodd y goleuni. Chwiliodd am rywbeth gwahanol i'w ddweud. 'Mae Jeremy am i mi chwarae yn y Pumawd.'

Ond nid oedd Hanna'n gwrando.

'Mae Judith yn hir yn dod am goffi.'

Yr oedd hi'n edrych ymlaen at weld ei ffrind i ddweud wrthi am y sonata i fiola a phiano 'roedd hi wedi dechrau ei chyfansoddi. Edrychai James yn siomedig. Yr oedd pawb arall yn bwysicach nag ef. Cymerodd Hanna drugaredd arno.

'Oes gen ti amser i fynd dros un neu ddwy o ganeuon 'dwi newydd eu gorffen?'

Nid oedd angen hynny mewn gwirionedd. Yr oedd hi'n ddigon abl i gyfeilio iddi'i hun. Ond hoffai weld yr ymateb eiddgar ar ei wyneb. Hoffai roi pleser i'w hedmygwyr.

Aeth y ddau allan i gyfeiriad y stiwdios. Ar y ffordd, daethant wyneb yn wyneb â Judith.

'O'r diwedd!' ebychodd Hanna. 'Mi *rwyt* ti'n ôl, felly.'

Cusanodd y ddwy ei gilydd, a rhyfeddai Hanna at yr agosrwydd a deimlai at y ferch hon. Mynnodd fod Judith yn dod gyda nhw i wrando ar y caneuon newydd, er peth siom i James.

Syllai Judith yn ei ffordd feiopig dros ysgwydd James ar y llawysgrif gerdd ar y piano. Dechreuodd hwnnw chwarae barau agoriadol un o'i chaneuon newydd, cân ysgafn am y gwanwyn. Ar ôl iddi orffen canu, edrychodd yn eiddgar ar y ddau arall.

'O, Hanna, mae hi'n hyfryd,' anadlodd James yn addolgar.

Yr oedd Judith yn gwenu. 'Cân merch hapus,' meddai.

Ar unwaith amheuodd Hanna iddi glywed nodyn chwithig yn hyn. 'Wyt ti'n meddwl ei bod hi'n rhy arwynebol?' gofynnodd yn betrus.

'Na, na,' ebe Judith yn bendant, yn rhy bendant, efallai. 'Mae'n ffres ac yn ifanc. Mae gofyn i ti sgrifennu pethau ysgafnach, weithiau.'

'Ond—?' mynnodd Hanna, yn sensitif i feirniadaeth.

'Dim ond nad yw'r geiriau 'rwyt ti wedi'u dewis yn deilwng o'r gân.'

Ar unwaith gwyddai Hanna bod ei ffrind yn iawn. Yr oedd Robert dro ar ôl tro wedi bwrw amheuaeth ar ei gallu i ddewis geiriau addas. A dyma Judith yn ategu'r peth.

'Nid y geiriau sy'n bwysig,' ebe James, mor sensitif i feirniadaeth â Hanna ei hun. ' 'Fedri di ddim gweld bai ar y gerddoriaeth.'

Pe bai rhywun arall heblaw Judith wedi lleisio beirniadaeth byddai Hanna wedi ffromi, ond yr oedd ganddi barch aruthrol i farn y ferch arall. Yr oedd hi'n gorfod cydnabod nad oedd y gân yn taro deuddeg. Yr oedd llwyddiant y cyngerdd ac *Emyn yr Atgyfodiad* wedi mynd i'w phen. Mor hawdd oedd pwyso ar rwyfau llwyddiant a mynd yn esgeulus. Mor ffodus yr oedd hi i gael rhywun fel Judith— a Robert—i gadw ei thraed ar y ddaear.

Yn ystod yr wythnos cyn i Robert ddod yn ôl ceisiodd roi tipyn o drefn ar y fflat. Gallai gau llygaid ar annibendod a hyd yn oed fudreddi am amser maith, ond yn sydyn yr oedd hi'n gweld y llwch ar y piano ac ar y cadeiriau, a'r briwsion bara o dan y bwrdd. Sgwriodd y sinc a'r corneli o'i gwmpas gyda phowdwr glanhau cras nes bod ei dwylo wedi cracio. Ond y tro hwn yr oedd hi'n benderfynol y câi Robert weld fflat cyn laned a disglair â'r un gorau yn America, cyn laned â thŷ ei fam, os oedd hynny'n bosibl. Canai wrth weithio, a lawer gwaith aeth i gusanu ei lun yn ei ffrâm uwchben y piano. O, fel yr oedd hi'n dyheu amdano! O hyn allan, mi fyddai hi'n ceisio rheoli ei thafod a chadw ffrwyn ar ei thymer afreolus. Mewn dadl, fo oedd yn iawn bron bob tro, a dyna hwyrach pam yr oedd hi mor chwannog i golli ei limpyn, fel plentyn bach.

Galwodd Nansi heibio un diwrnod, ac yr oedd Hanna yn falch o'i gweld, fel dolen gysylltiol bellach rhwng y ddeufyd a oedd o'r diwedd wedi dechrau ymblethu i'w gilydd. Rhaid iddi fod yn fwy ystyriol o Nansi hefyd, o hyn allan.

'Ddoi di efo fi i'r capal ddy' Sul? 'Dwi wedi bod yn sôn wrth Mr. Davies amdanat ti.'

'Ond Nansi, mae Robert yn dŵad yn ôl ddydd Iau! 'Alla' i ddim!'

'O . . . Robert. Mi anghofiais i.'

Yr *oedd* hi wedi penderfynu ailddechrau mynd i'r capel hefyd. Os mynd, wel, dechrau ar unwaith, yntê? Wedi'r cwbl, pam lai? Byddai Robert wedi cael deuddydd i ddod ato'i hun. A byddai Gwion yn falch.

'Olreit, 'ta. Ond dim ond yn y nos.'

'Iawn. Mi fyddi di'n licio Mr. Davies. Syniada modern gynno fo.'

'Welast ti Gwion cyn iti adael?'

'Naddo. Pam?'

'O, dim byd.'

Yr oedd arni eisiau dweud ei bod hi'n poeni am ei iechyd, ond tagodd y geiriau yn ei gwddf cyn dechrau, yn union fel pe bai lleisio'i gofid yn gwireddu'r achos. Hyn fu'r unig gwmwl ar y gorwel yn ystod yr wythnos o ddisgwyl am Robert.

Ac o'r diwedd yr oedd yn ôl, a'i lais dwfn yn atsain drwy'r fflat. Yr oedd hi braidd yn swil ar y dechrau gyda'r dieithryn hwn a oedd yn ŵr iddi. Yr oedd ei wallt yn oleuach nag erioed, ei groen yn frowniach. Ychydig mwy o linellau o dan ei lygaid, efallai, ond blinder ar ôl y daith oedd i gyfrif am hynny, mae'n siŵr.

Yr oedd wedi cyrraedd yn gynt nag oedd hi wedi disgwyl. Pan yrrodd rhyw reddf hi at y ffenestr a gweld y tacsi y tu allan, yr oedd hi newydd ddod o'r bath ac wrthi'n gwisgo ei dillad isaf amdani, heb goluro ei hwyneb na chribo'i gwallt. Prin y cafodd amser i daflu ffrog amdani nad oedd o wedi rhedeg i fyny'r grisiau ac agor y drws â'i allwedd. Chwarddodd pan welodd hi yn droednoeth, heb sanau, botymau'r ffrog hanner ar agor a golwg wyllt arni.

'Hylô, sipsi!'

'O, 'rwyt ti'n gynnar!'

'Wel, dyna groeso—"O, 'rwyt ti'n gynnar!"'

Ond chwerthin yr oedd a thoc ymunodd hithau fel y cydiodd ynddi a'i chofleidio'n angerddol.

'Rhy hir o lawer hebot ti,' murmurodd a chusanu ei gwefusau a'i gwddf.

'Paid â mynd eto, 'ta.'

Ond chwarddodd drachefn a'i rhyddhau.

'Oes 'na olwg am fwyd? 'Dwi ar lwgu.'

O leiaf yr oedd hynny'n barod iddo. Cyw iâr oer a salad.

''Doedd dim diben gwneud pryd poeth a finnau heb fod yn gwybod pryd y byddet ti'n cyrraedd,' eglurodd yn hanner ymddiheurol.

Yr oedd hi'n siomedig nad oedd o wedi canmol y fflat gymen a'i dodrefn wedi eu cwyro'n anarferol o ddisglair. Nodweddiadol ohono mai annibendod ei gwisg hi oedd wedi tynnu ei sylw, ond ceisiai weld hynny yn ddigri.

Oherwydd ei flinder ar ôl y daith aeth i'w wely'n gynnar, ac erbyn iddi fynd ato, yr oedd yn cysgu'n drwm. Pwysodd Hanna ar ei phenelin am rai munudau yn syllu arno, ar yr ên gadarn a'r gwefusau llawn. Gwelodd am y tro cyntaf linellau newydd bob ochr i'w geg, a sylwodd fod ei wallt yn fwy gwyn na melyn a hwnnw'n teneuo ar ei dalcen. Yr oedd yn heneiddio, meddyliodd gyda braw. Sut olwg oedd arno pan orweddai yn y gwely gydag Elise? Oedd hithau hefyd wedi hoffi symud ei bys dros ei aeliau a chusanu'r pant ar waelod ei wddf? Nid oedd wedi meiddio gofyn.

Gydag ochenaid, diffoddodd y golau a throdd oddi wrtho i orwedd. Ar unwaith dechreuodd ef ystwyrian a theimlodd ei fraich yn ymestyn drosti. Trodd ato'n gariadus, ond yr oedd yn dal i gysgu.

Yn y bore yr oedd yn barotach i siarad am ei brofiadau yn America. Yr oedd wedi ceisio gweld Arthur Miller, ond yr oedd y dramodydd yn y carchar, wedi'i ddedfrydu i ddeng niwrnod ar hugain am wrthod bradychu enwau'r Comiwnyddion ymhlith ei gydsgrifenwyr. 'Roeddynt hefyd wedi gwrthod pasport i Paul Robeson, a phawb o'r farn mai oherwydd iddo dderbyn Gwobr Lenin, er y gwedid hynny. Ond yr oedd wedi llwyddo i gael cyfweliadau byr â Nabokov a Tennessee Williams a Henry Miller.

Unwaith iddo ddechrau, nid oedd taw arno. Deuai'r hanesion fel llifeiriant am bobl na wyddai hi ddim amdanynt. Ceisiai edrych yn ddeallus, ond yr oedd ei llygaid ar y cloc, oherwydd yr oedd ganddi ddarlith am un ar ddeg.

'Mae Eisenhower wedi dweud nad oes dim perygl i iechyd neb oddi wrth y profion niwcliar, ond 'dyw pobl mwya deallus America ddim yn credu hynny, ac mae'r pryder yn cynyddu. Ydi'r *Manchester Guardian* wedi cyrraedd?'

''Dydw i ddim wedi bod lawr staer heddiw. A' i i edrych.'

'Na, fe af i.'

'Mae America'n pryderu yn arw ynghylch y ncwyddion am Gamlas Suez,' meddai pan ddaeth yn ôl a'i bapur yn ei law. 'Be' 'di'r diweddaraf, tybed? Mae Lloegr a Ffrainc yn bihafio'n ynfyd.'

'Rhaid i mi fynd, Robert.'

'O . . .' Cododd ei ben o'r papur.

'Darlith,' eglurodd Hanna.

'Wrth gwrs. Pryd byddi di'n ôl?'

'Tua thri, mae'n debyg.'

Gwenodd arni. 'Dim munud wedi 'ny, cofia.'

Cusanodd ef yn ysgafn ar ei dalcen, gan geisio boddi'r dicter oedd yn cronni ynddi. 'Doedd o ddim unwaith wedi holi ei hanes *hi* yn ystod y mis diwethaf.

Erbyn iddi ddod yn ôl yn y prynhawn yr oedd hi'n amlwg iddo yntau sylweddoli hyn. Ar unwaith, aeth ati i holi am ei theulu ac am ei hanes ym Mhengele. Yr oedd hithau wedi cael amser i ddod dros ei dicter, a chydag afiaith, dechreuodd sôn am y troeon ar hyd y llyn ac i fyny'r mynydd, am y Cyfarfod Bach ac am y sgandal ynghylch gwraig y twrne yn y dref yn rhedeg i ffwrdd gyda myfyriwr.

Ond ar ôl tipyn yr oedd golwg bŵl wedi dod i'w lygaid, ac wrth weld hyn, fe dorrodd hithau ei stori'n fyr. Mor bitw y swniai clecs bach plwyfol cefn gwlad Cymru o'u cymharu â'i fywyd cyffrous a soffistigedig ef dros yr Iwerydd. Trodd ei sgwrs i sôn am yr Ysgol Gerdd ac am ganmoliaeth ei thiwtor cyfansoddi i'w dwy gân newydd. Daeth y diddordeb yn ôl i'w lygaid.

'Pryd ydw i'n mynd i gael eu clywed nhw?'

'Rŵan, os lici di.'

Neidiodd i fyny a chroesi at y piano. 'Paid â chymryd gormod o sylw o'r geiriau—dim ond y gân,' rhybuddiodd ef braidd yn ofnus. ' 'Doedd Judith ddim yn hoffi'r geiriau.'

Dechreuodd chwarae a daeth ei hapusrwydd o gael Robert yn ôl i'r amlwg yn ei llais. Edrychai arno wrth ganu ac yr oedd yntau'n ymateb gyda gwên o bleser ar ei wyneb.

' 'Dwi'n hoffi honna,' meddai ar ôl iddi orffen. 'Mae hi'n dod o waelod natur fy sipsi. Beth bynnag mae dy ffrind yn ei ddweud.'

Ar unwaith yr oedd hi'n gweld rhagoriaethau'r gân. Ac eto, ar yr un pryd yr oedd rhan ohoni'n gwylltio wrthi'i hun am ddibynnu cymaint ar farn pobl eraill am ei gwaith, yn barod i gytuno ar unwaith â Judith nad oedd y gân o'r radd flaenaf, yn ymhyfrydu wedyn yng nghanmoliaeth Martin Dunn, ei thiwtor, a Robert. Oedd ganddi hi ddim barn artistig ei hun?

'Dyma'r ail. Elfed bia'r geiriau.'

Yr oedd hi bron yn siŵr y tro hwn y byddai Robert yn ei beirniadu. Canai bron yn heriol:

Ar lan y môr bu Iesu gynt
Yn sôn am Deyrnas Nef;
Ac erys y darluniau byth
O'r Deyrnas dynnodd Ef . . .

Bu'n sôn am heuwr yr aeth peth
O'i had ar goll i'r brain
A pheth ar greigiog dir heb wraidd
A pheth ymhlith y drain. . . .

Ond ar y diwedd yr oedd Robert yn dal i wenu, gwên dadol, llawn difyrrwch.

''Rwyt ti'n dal i gael hwyl ar yr hen eiriau Ysgol Sul 'co, on'd wyt? Ond mae'r gân yn dda. 'Dwi'n hoffi honna hefyd.'

Yr oedd ei rhyddhad bron yn feddwol. Cododd oddi ar y stôl biano a rhedeg ato gan daflu ei breichiau amdano.

'Wir? Wyt ti'n 'i licio hi?'

'Ydw.'

Yr oedd arno eisiau ei phlagio ynghylch y geiriau cref-yddol, nad oeddynt yn golygu dim iddo, ond ymataliodd. Nid oedd yntau am darfu ar eu hagosrwydd y munud hwnnw.

'Ydw. Yn fawr iawn,' meddai eto.

Dechreuodd ei hanwesu a datododd ei blows.

''Rwyt ti'n gariad i gyd, sipsi,' sibrydodd. Yna, â'i fraich amdani, fe'i harweiniodd i'r gwely yn yr ystafell nesaf. Wrth orwedd yno, a'r haul yn pelydru'n denau ar eu cyrff noeth, meddyliai'n hapus na allai dim byth eto fynd o'i le ar eu hagosrwydd.

Dros swper y noson honno, mentrodd Hanna sôn am ei hymweliad â'r capel ym Mhengele. Cafodd hwyl yn dis-grifio rhai o'r cymeriadau yn y gynulleidfa.

'Mae gynnyn nhw godwr canu sy mewn stad o ryfel efo'r organydd. 'Dydyn nhw byth hefo'i gilydd. Mae'n anodd deud p'run sy waetha allan o diwn—Dafydd Stablau ynteu'r harmoniwm!'

Yna dechreuodd ddynwared llais mursennaidd y

pregethwr ac amenio hen ffasiwn un o'r pum blaenor yn y Sêt Fawr. Chwarddai Robert yn uchel.

'Mae'n dda dy fod ti wedi dechrau gweld mor ddigri yw'r holl beth.'

Ar unwaith, cywilyddiodd Hanna. Mor hawdd, mor siêp oedd ennyn ei gymeradwyaeth drwy watwar pobl syml. Beth petai Gwion yn ei chlywed?

Dechreuodd sôn yn annwyl am y capel ac am gysylltiad arbennig ei theulu ei hun ag ef. Yna, fel pe i wneud iawn am ei throsedd, meddai:

'Robert, 'dwi am fynd i'r capel hefo Nansi nos Sul.'

Yr oedd ei wyneb wedi newid. Gallai oddef iddi siarad yn ysgafn, neu hyd yn oed yn sentimental, am y capel ddau can milltir i ffwrdd. Yr oedd hynny yn rhan o'i phlentyn-dod. Yn wir, yr oedd rhywbeth yn rhyfeddol o apelgar ddiniwed yn ei hoffter o'r lle. Ond mater arall oedd iddi ailgydio yn y peth yn Llundain. Os oedd rhywbeth yr oedd yn ffieiddio ato, capelyddiaeth Gymreig oedd hynny, yr hyn oedd, yn ei dyb ef, ar ei waethaf anachronistaidd ymhlith Cymry Llundain.

''Roeddwn i'n meddwl ein bod ni'n mynd i'r Festival Hall.'

'Oedden ni? Dyna'r tro cyntaf i *mi* glywed.'

'Mae Serkin yn chwarae Beethoven.'

'O . . .'

Serkin, ei hoff bianydd. Siglodd ei phenderfyniad. Ond gwnaeth Robert gamgymeriad drwy ychwanegu:

'Os yw'n well gen ti wastraffu d'amser efo'r hen ddyn yn yr awyr . . .'

Yn ei siom o aberthu Serkin, gwylltiodd Hanna yn gacwn.

'O, 'rwyt ti'n amhosibl! Mor blydi gwawdlyd o ddaliad-au dyfnaf pobl eraill.'

Nid oedd yn arfer rhegi a gwenodd Robert ychydig. Atebodd yn ei lais gwastad:

''Dydw i ddim yn hoffi gweld pobl yn cau eu llygaid ar y gwirionedd. Mae'n bryd i ti dy holi dy hun yn fanwl, Hanna. Pwy yw'r Duw 'ma 'rwyt ti'n ei addoli? Beth yn gwmws wyt ti'n ei gredu? Y geni gwyrthiol? Yr atgyf-odiad? Athrawiaeth yr Iawn? Sut yn y byd mawr y gelli di gredu fod Duw mor ddialgar â mynnu bod ei fab yn cael ei groeshoelio er mwyn achub pechaduriaid oddi wrth danau uffern? Fuo 'na 'rioed athrawiaeth mwy erchyll.'

''Dydw i ddim yn siŵr 'mod i *yn* credu hynny,' ebe Hanna yn anhapus.

'Ond dyna 'rwyt ti i *fod* i'w gredu.'

Bu hi'n dawel am sbel. 'Ydi hi o bwys? Y cwbl wn i ydi nad ydw i fy hun ddim yn ddigonol. Mae gwybod fod Duw yno yn angenrheidiol i mi.' Ac yna: 'Sut mae rhywun yn ceisio disgrifio rhyfeddod Bach neu Beethoven? Mae'n amhosibl, ond mae'r Nawfed Symffoni yno, ac mae Dioddefaint Sant Mathew yno.'

Ysgydwodd ei ben gan wenu.

'Mi ddysgi di rywbryd mai dyn yw'r realiti eithaf, nid Duw.'

Yna cododd i fynd at ei ddesg a oedd wedi ei gorchuddio gan sgriptiau teledu.

'Sôn am Beethoven—beth am Serkin?'

Rhythodd Hanna arno a golwg fulaidd ar ei hwyneb. ''Rydw i eisoes wedi gaddo mynd efo Nansi.'

Heb ateb, gwisgodd Robert ei sbectol, a phlygodd dros ei bapurau.

6

Y noson ddilynol dywedodd Hanna wrth Robert ei bod hi wedi gwahodd Judith i swper nos Wener. Crychodd yntau ei dalcen.

'Ond 'dwi wedi gwadd Leon yma. Mae gynnon ni fater-ion di-ri i'w trafod.'

Syllodd hithau arno mewn syndod. 'Ond Robert, 'rwyt ti'n cwrdd â Leon yn y Clwb. Dyna ddwedaist ti.'

Ysgydwodd ei ben yn ddiamynedd. 'Wedi newid ein meddyliau. Mi fydd hi'n rhy swnllyd yno.'

Yn anfodlon iawn, meddai: 'Fe awn ni allan i'r Sorrento, felly.' Edrychodd arno'n rhyfedd. 'Wyt ti ddim yn licio Judith neu rywbeth?'

'Dim ond unwaith y cwrddon ni. 'Wnes i sylwi fawr arni.'

Wel, nid oedd hynny'n wir. Yr oedd hon wedi dwyn Elise yn boenus o fyw i'w ddychymyg. Amhosibl peidio â'i chofio. Llifai'r darluniau cyfarwydd o flaen ei lygaid: Elise ac ef yn dawnsio ar y stryd a thanciau'r fyddin ryddhau yn rowlio heibio, y milwyr yn cael eu boddi gan flodau pobl gwlad Belg a oedd bron yn wallgof o orfoledd a diolchgarwch; Elise yn ei freichiau oherwydd nad oedd amser nac angen i'r camau rhagarweiniol arferol.

Ond y darluniau hapusaf oedd y rhain. Cyrhaeddodd llais Hanna ato o bell.

'Mae fy ffrindie i mor bwysig i mi ag ydi dy ffrindie di i chditha.'

''Does gan Leon ddim llawer o olwg arni.'

Gwyddai ar unwaith iddo wneud pethau'n waeth. Agorodd Hanna ei llygaid yn fawr mewn ffug syndod. 'Ac ers pryd mae Leon yn rheoli'r tŷ yma?'

Yn sydyn teimlai Robert yn flinedig. 'O, o'r gore. Tyrd â Judith yma.'

O feddwl yn ystyriol, nid oedd hi'n debyg i Elise o gwbl. Rhaid mai'r acen fu'n chware castiau â'i ddychymyg. 'Mi gadwa' i at y trefniadau gwreiddiol. Fe awn ni i'r Clwb.'

Rywsut, ni theimlai Hanna iddi gael buddugoliaeth. Yr oedd hi'n rhy ddig fod gan Leon y fath ddylanwad ar ei gŵr cadarn. Ond yng nghwmni Judith y nos Wener honno a'r ddwy'n ymarfer y symudiad cyntaf o'r sonata, anghofiodd ei dicter yn llwyr.

Ymadawodd Judith am ddeg. Yn agos i hanner nos daeth Robert a Leon yn ôl i'r fflat, yn siaradus o lawen, wedi bod yn yfed am oriau dros eu trefniadau. Yn awr yr oedd chwant bwyd arnynt.

''Rown i'n meddwl y byddech chi'n bwyta allan. 'Does gen i ddim i'w gynnig ond bara a chaws.'

'Dyna wraig ddarbodus,' chwarddai Robert yn ysgafn. 'Wedi gofalu bod bwyd angylion, o leiaf, ar gael i'w gŵr a'i gyfaill.'

Yr oedd Leon yn rhythu arni, ei lygaid heb fedru canoli'n iawn. Yr oedd popeth yn ei gylch yn disgleirio, y modrwyau am ei fysedd, y pin tei a'r rhuddem ynddo, y gwallt seimlyd a'r gwefusau llaith, coch.

'Hanna . . .' mwmiodd. ''Roedd gen i fodryb Hanna. Ond 'doedd hi ddim mor brydferth â hon. Ti'n ddyn lwcus, Robert, i fod yn berchen ar y fath drysor.'

Nid ei eiriau, ond yr ensyniadau yn ei lais a'i edrychiad a gododd groen gŵydd drosti. Yr oedd hi am ddweud yn finiog nad oedd neb yn berchen arni, ond chwarddodd Robert.

'Beth am goffi?'

Aeth Hanna i'r gegin heb ddweud gair. Dywedodd wrthi'i hun fod yn rhaid iddi geisio bod yn siriol, fod Leon yn bwysig i'w gŵr, ac mai rhan y wraig bob amser oedd ceisio plesio ei noddwyr. Ond crynhôdd yn ei bron yr holl deimladau cudd gwrth-Semitaidd na wyddai eu bod yno o'r blaen. Ar unwaith, teimlodd gywilydd. Iddewes oedd Judith hefyd, ac yr oedd hi mor wahanol i Leon ag yr oedd yn bosibl i ddau berson fod. Pam yr oedd tuedd ym mhawb i feio cenedl, os teimlid casineb at unigolyn! Fe ddylai hi, fel Cymraes, ymgroesi rhag y fath gyffredinoli.

Cariodd y coffi i mewn.

'Dyma chi, Mr. Greenbaum,' meddai yn foesgar ond yn ffurfiol. 'Siwgwr?'

Ysgydwodd Leon ei ben gan wenu a gosod ei law ar ei fol fel eglurhad.

'Sut mae'r miwsig?' gofynnodd toc.

Cyn iddi fedru ateb yr oedd Robert wedi achub y blaen arni. 'Mae ganddi ddwy gân newydd benigamp, Leon.'

'O, dewch i ni 'u clywed nhw!'

'Mae hi'n rhy hwyr. Mae hi wedi hanner nos. Bydd y cymdogion yn cysgu,' protestiodd Hanna.

'Dim ots, am unwaith,' ebe Robert. 'Tyrd! 'Rydw i am i Leon gael eu clywed nhw.'

Cydiodd ynddi a'i gwthio at y piano. Yn anfodlon iawn dechreuodd ar ei chân i'r gwanwyn, ond yr oedd rhyw grygni yn ei llais, a chwarae nodau yn unig a wnâi ar y piano, heb unrhyw nwyfusrwydd. Deallodd Robert iddo wneud camgymeriad.

''Rwyt ti wedi blino,' mwmiodd pan ddaeth y gân i ben. Ond yr oedd Leon yn gorwedd yn ôl a'i wyneb fel pe bai wedi'i rewi mewn gwên fodlon.

'Tlws iawn,' meddai, gan chwifio ei fraich yn ddiymadferth. 'Y llall, nawr.'

Edrychai Robert yn ansicr y tro hwn. Ond yr oedd Hanna wedi codi o'i stôl.

'Na, mae Robert yn iawn. 'Rydw i *wedi* blino. P'run bynnag, 'dydi o ddim yn hoffi geiriau'r ail gân.'

'Rois i ddim barn o gwbl ar y geiriau,' protestiodd Robert. 'Dweud wnes i mod i'n hoffi'r *gân*.'

'Beth yw'r geiriau, felly?' holodd Leon.

'O,' ebe Robert yn ysgafn. 'Rhywbeth crefyddol Cymraeg. Mae pethe fel'ny'n apelio at Hanna.'

'Mae ganddi gynseiliau da,' chwarddai Leon. 'Bach, Mozart, Verdi. Hyd yn oed Ben Britten.'

'Ond y gerddoriaeth sy'n rhoi mawredd i'r rheiny yn hytrach na'r geiriau. Dyna'n union beth ddywedais i. Mae *cerddoriaeth* Hanna'n apelgar iawn. Ei dewis hi o eiriau sy'n anffodus o sentimental, weithiau. Ond 'dŷch chi ddim wedi'i chlywed hi ar ei gore heno.'

Trodd at ei wraig a safai yno'n fud yn gwrando ar y ddau ddyn yn ei thrafod. 'Os wyt ti am fynd i'r gwely, cariad,' meddai yn garedig, 'cer di. Fe gawn ni, Leon, barhau ein sgwrs gyda chap nos o Glenfiddich.'

Yn union fel plentyn yn cael ei gyrru i'r gwely am fod yn anufudd, meddyliodd Hanna, ond yr oedd hi'n rhy flinedig i ddadlau.

'Nos da, Mr. Greenbaum,' meddai, a throi am y stafell gysgu.

'Nos da, Mrs. Edwards,' atebodd hwnnw'n goeglyd.

Yn ei gwely gallai glywed y ddau ddyn yn siarad ac yn chwerthin heb unrhyw ymdrech i gadw eu lleisiau i lawr.

Rhyfeddai at agwedd Robert tuag at Leon. Bron na allech ei alw'n wasaidd. Ac yr oedd hyn mor enbyd o wahanol i'w agwedd at ei ffrindiau eraill, boed ŵr neu wraig. Yr oedd rhywbeth yn wrthun iddi yn y ffordd y plygai i Leon. Rhyw Robert dieithr oedd hwn, un nad oedd hi yn ei adnabod nac yn ei hoffi.

Wedi iddi fod yn y Gwasanaeth gyda Nansi y Sul cynt, yr oedd hi'n benderfynol o barhau i fynd. Y tro hwn, ni chododd Robert unrhyw wrthwynebiad, er mawr syndod iddi. Hwyrach ei fod yn dygymod, o'r diwedd, â gadael iddi fyw ei bywyd ei hun.

Yr oedd llythyr gan Gwion wedi codi ei chalon. Hanesion am fywyd cymuned fach glòs oedd ganddo, nid myfyrdodau ar stad ei enaid. Geni plentyn o'r diwedd i John a Mari Penclawdd; llwyddiant Gethin Parry yn yr Ŵyl Gerdd Dant; galar yr hen Ddic Jones y Wern ar ôl ei wraig; ffraethineb diweddaraf y ffarier. Disgleiriai hiwmor caredig a chydymdeimlad Gwion â'i gyd-ddyn yn ei lythyrau drwyddynt draw. Plwyfol a chleclyd fyddai rhai yn eu galw, yn ddiamau, ond yr oedd yma gonsyrn am bobl nad oedd i'w gael ond mewn cymuned fechan.

Teimlai Hanna fel rhywun ar fin boddi yn ymestyn allan am angor sylwedd nad oedd ar gael yn ei bywyd yma. Weithiau byddai hi'n teimlo mai un person oedd Gwion a hi, wedi'i rannu'n ddau yn anfoddog, yr Yin a'r Yang y byddai Paul yn sôn amdano. Cydbwysid ei synhwyrusrwydd a'i chnawdolrwydd hi gan ei natur gyfriniol ef. Ac eto yr oedd iddi hithau ei hochr gyfriniol. Os mai hi oedd yr Yin, personoliaeth annigonol oedd hi heb yr Yang.

Yr oedd Nansi wrth ei bodd, wrth gwrs, er iddi edrych yn amheus y ddau Sul ar goesau di-sanau Hanna a'i phen di-het. Ond ni ddywedodd air, a chwarddodd Hanna ynddi'i hun at y fath hunan-reolaeth ar ran ei ffrind gonfensiynol. Y gwir oedd fod ganddi ofn i Robert wneud sbort am ei phen pe gwelai hi'n gwisgo'n wahanol i'w harfer i fynd i'r capel. Ond wrth edrych o'i chwmpas ar rai o'i chyd-addolwyr, yr oedd hi'n falch o gael brolio ei hang-honfensiwn. Llifai drosti unwaith eto hiraeth am Gapel Bethel, ei mam yn ei het ffelt, ei thad yn ei hen siwt frown. Yn y capel syml hwnnw yr oedd yr hen werthoedd mor gadarn â'r mynydd mawr y tu ôl iddo.

Ar y ffordd at y bws, gofynnodd Nansi: 'Wyt ti wedi clywad oddi wrthyn nhw adra'n ddiweddar?'

'Do, mi ges i lythyr gan Gwion ddoe.'

'O.'

Ciledrychodd Hanna arni â chwilfrydedd. Yr oedd rhywbeth od yn yr 'O' yna, fel pe bai ganddi rywbeth i'w ychwanegu, ond ni ddywedodd ddim.

''Roedd o'n deud fod babi Mari Tynclawdd wedi cyrradd,' ebe Hanna. 'Glywaist ti?'

'Do. Ges inna lythyr gan Mam ddoe.'

Sylwodd Hanna eto ar y ffordd ofalus y dywedodd Nansi hyn. 'Mae'n debyg mai'r un newydd sydd yn y ddau lythyr,' meddai, yn ei phrocio i ddweud rhagor.

Y cwbl a ddywedodd Nansi oedd: 'Ia, mae'n debyg.' A'r munud hwnnw daeth y bws i roi terfyn am y tro ar eu sgwrs.

Ond yr oedd Hanna'n dal i synhwyro fod yna ragor i'w ddweud. Bu Nansi'n anarferol o dawel. Gwion, meddyliai Hanna, a phoen sydyn yn gwasgu ei bron. Mae hi'n gwybod rhywbeth am Gwion. Wrth i'r bws droi i lawr Sgwâr Trafalgar i gyfeiriad Fictoria, gofynnodd, gan geisio cadw'i llais yn wastad: 'Be' arall oedd gan dy fam i'w ddweud?'

Ciledrychodd ar y ferch arall, a gwelodd fod honno wedi cochi.

'Nansi . . . *mae* 'na rywbeth, yn 'does?'

Nid atebodd Nansi am rai eiliadau, yna tywalltodd y geiriau allan.

'Hanna, mae'n rhaid i mi ddeud wrthat ti . . . fel mae pobl yn siarad. Mae'n siŵr nad ydi o ddim yn wir.'

Aeth Hanna yn oer drosti. 'Be'?'

Daeth geiriau Nansi allan â chwerthiniad anghrediniol.

'Bod dy dad wedi gwerthu tir i'r cwmni iwraniwm 'ma.'

Nid Gwion felly. Dyna fu ei hadwaith cyntaf. Anadlodd yn rhydd, a chwarddodd.

'Pwy aflwydd sy'n deud?'

'Mae'r stori'n dew drwy'r ardal.'

'Celwydd i gyd! Mi fasa Gwion wedi deud wrtha' i.'

Edrychai Nansi yn anhapus. 'Gobeithio, wir. Ond—'

'Ond be'?'

'Maen nhw'n deud fod y tir yn ymylu ar Gapal Bethel.'

I lawr y Neuadd Wen yr oedd y twristiaid yn rhythu ar y Senotaff a swyddfeydd y Llywodraeth. Rhythai hithau arnynt hefyd, heb eu gweld. Daeth llais Nansi ati o bell.

'Os 'di hyn yn wir, mi fydda'n anodd iawn i'r capel gario ymlaen ynghanol tylla' a thomennydd.'

Cliriodd y niwl o flaen ei llygaid. ''Chlywas i 'rioed y fath nonsens! Elli di feddwl am aelod o'n teulu ni yn gneud y fath beth?'

Ond ar hyd y ffordd adre yr oedd yr amheuaeth fel tân ar ei chroen, yn ei llosgi'n ddidrugaredd. *Oedd* y peth yn bosibl? Nac oedd, gwaeddai'r holl ddelfrydiaeth oedd ynddi. Ond yr oedd llais bach i'w glywed hefyd yn sibrwd mor hawdd yn y gorffennol y temtid ei thad gan gyfle i wneud ychydig bach mwy o elw na'r dyn nesaf, hyd yn oed pe golygai hynny elwa ar gorn y dyn arall. Ac onid oedd hi wedi sylwi fwy nag unwaith ar ei allu i gloi ei fusnes mewn bocs ar wahân i'w grefydd a'i ddiwylliant? Ac nid ychydig bach o elw fyddai yn y fantol o werthu tir i'r cwmni, ond arian mawr.

Sylwodd Robert ar unwaith fod rhywbeth o'i le.

'Y pregethwr ddim yn dy siwtio di heddiw?'

Nid oedd wedi bwriadu sôn gair wrtho oherwydd ni theimlai y gallai hi wynebu ei wên sarrug. Ond er ei gwaethaf dechreuodd y geiriau lifo allan.

Gwrandawai Robert yn dawel, heb na gwên na gwamalrwydd ar ei wyneb. Yr oedd ei phryder yn rhy amlwg. Wedi iddi arllwys y cwbl, meddai:

'Paid â gofidio cyn bod rhaid. Pobl yn siarad ar eu cyfer, mae'n siŵr.'

Ond hawdd ganddo gredu fod y stori'n wir er na fu iddo gyfarfod â thad Hanna erioed. Byddai'r demtasiwn yn ormod i ffermwr a brofodd gyni yn y gorffennol.

'Be' wnei di?'

Mewn atebiad yr oedd hi wedi mynd at y ffôn a dechrau deialu'r gyfnewidfa. Yn dawel bach, ystyriai Robert ei hymateb i'r newydd braidd yn or-ddifrifol. Lle byddai merch arall wedi ochneidio ychydig, efallai, ac yna wedi rhesymoli o blaid ei thad, ac yn wir, dechrau meddwl am y cyfoeth a ddeuai i'r teulu, yr oedd holl natur Hanna'n glwyfedig o siom. Maes o law mi fyddai hi'n dysgu peidio â delfrydu pobl gymaint. Ac eto, meddyliai'n dyner, yr oedd rhywbeth apelgar iawn yn nwyster emosiwn merch synhwyrus, sensitif, tair ar hugain oed.

Yr oedd ei llais yn crynu. Clywai acenion myglyd o'r ochr arall yn dweud fod ei thad heb ddod yn ôl o'r capel eto.

'O'r capel?'

Daeth llychyn o ryddhad i'w meddwl. 'Fydde fo byth wedi meiddio mynd i'r capel pe bai'r stori'n wir.

'Oeddat ti'n gwybod am y straeon ofnadwy sy'n mynd o gwmpas?'

Mudandod llwyr yr ochr arall. 'Gwion! Wyt ti'n 'y nghlywed i?'

O'r diwedd daeth yr 'Yndw', ond swniai'n ddieithr, ac yn gryglyd. 'Be' wyt ti wedi'i glywad?'

'Fod Dada wedi gwerthu tir i'r cwmni gwneud bomia 'na—tir yn ymyl y capel. Gwion . . . 'dydi o ddim yn wir, nag ydi?'

Clywodd ei gefaill yn carthu'i wddf cyn dweud: 'Mae arna' i ofn 'i fod o, 'sti.'

Bu bron iddi weiddi i lawr y ffôn. 'Ond mae o wedi mynd i'r capel heno? Sut mae gynno fo'r wyneb?'

'Cael ei alw ger bron i egluro gafodd o.'

Aeth Hanna'n chwys o gywilydd. Ei thad, pen blaenor, arweinydd urddasol y capel, yn cael ei alw i gyfri gerbron dynion fel Dafydd Jones y Stablau a Wil Chwarter i Dri!

'Yn eno'r annwyl, Gwion, pam na fasat ti wedi'i rwystro fo?'

''Down i'n gwybod dim byd amdano nes bod pob peth wedi'i gytuno. 'Rwyt ti'n gwybod mor glòs mae 'nhad yn gallu bod ar faterion ariannol.'

'Ond 'dwyt ti 'rioed yn ei gymeradwyo?'

Ar ôl saib hir daeth yr ateb sychlyd: ''Dwi'n synnu dy fod ti hyd yn oed yn gofyn y fath gwestiwn.'

Ar unwaith, yr oedd yn edifar ganddi.

'Mae'n ddrwg gen i, Gwion.'

'Y jôc chwerw ydi mai fi 'di ysgrifennydd y pwyllgor amddiffyn. Wel, fi *oedd*.'

'O, na! Fe fuo'n rhaid i ti ymddiswyddo?'

''Doedd gen i ddim dewis, yn nag oedd?'

'Be' am Mam? Sut mae hi'n teimlo?'

''Dydi hi'n deud fawr ddim. Ti'n gwbod 'dydi hi byth, byth, yn mynd yn groes i 'nhad. Ond mae 'i llygid hi . . . maen nhw'n glwyfus.'

'O, Gwion . . .'

Yr oedd Hanna'n crio erbyn hyn, ac yn methu mynd yn ei blaen. O'r diwedd sibrydodd: 'Mi ffonia'i di eto.'

'Hanna . . .' Yr oedd ei lais yn gryfach rŵan. ''Rwyt ti am ddod adre 'Dolig, yn 'dwyt?'

Gwyddai ei fod yn ymwybodol ei bod hi'n llefain, ond ni allai roi'r cysur hwnnw iddo.

''Dwn i ddim, Gwi . . . 'dwn i ddim.'

Dyheai un rhan ohoni am gael bod yno, yn rhodio'r Foel a min Llyn Criafol, rhodio yno cyn i bopeth ddiflannu i mewn i dwll enfawr y cloddiwr. Beth ddigwyddai i'r hen greigiau a'r coedydd? Byddai'r holl dirwedd yn newid. Sut gallai'r hen chwedlau oroesi yn sŵn peiriannau? Nid arni hi y byddai ysbryd y mynydd yn dial, ond ar ei thad. Teimlai y munud hwnnw mai hyn a ddymunai yn fwy na dim. Sut y gallai fradychu ei deulu a'i ardal fel hyn? A Gwion, druan o Gwion! Byddai ei loes ef hyd yn oed yn fwy na'i loes hi. Nid oedd ganddo ddewis ond dal i fyw gartre a chau ei geg.

Ond yr *oedd* dewis ganddi hi. Hwyrach ymhen amser y gallai ddysgu derbyn y gwarth, ond nid yn awr. Ni allai eu hwynebu. Os mai hyn oedd gwerth crefydd ei thad, yna yr oedd Robert yn llygad ei le. Ffug oedd y cwbl dan yr wyneb. Ymlyniad sentimental oedd yr ymlyniad a fu wrth y capel bach. Dim ond un sigliad o wynt trachwant, ac wele'r gangen yn syrthio'n farw.

Trodd at Robert a theimlodd ei freichiau amdani. Yma 'roedd ei lle. Pe bai pawb mor uniawn â hwn, meddyliai, byddai bywyd yn llawer llai cymhleth. Robert oedd yn iawn. Sentimentaleiddiwch oedd y cyfan. Mi fyddai yntau'n ddigon balch o gael treulio'r Nadolig yn Llundain yn lle gorfod ymlusgo ar ei hôl hi i Bengele.

Barnodd Robert mai gwell fyddai peidio ag yngan gair yn erbyn ei thad ar hyn o bryd, eithr gadael iddi hi arllwys ei dig yn ei erbyn heb unrhyw ategiad ganddo ef. Ni allai lai na theimlo mymryn o falchder fod y cen yn dechrau syrthio oddi ar ei llygaid. Bu ef yn gweithio'n gynnil i'r cyfeiriad hwnnw ers tro byd. Fu'r misoedd diwethaf, felly, ddim yn ofer. Yr oedd yn ei charu gymaint, ei ddymuniad oedd i'r ddau ohonynt fod yn un ym mhob peth, yn gorfforol yn sicr, ond hefyd yn syniadol. Gofid iddo fu'r ofergoelion simplistaidd o dan yr enw crefydd a goleddid ganddi. Yr oedd yn argyhoeddedig y byddai ei gwaith fel artist yn ymgyfoethogi ond iddi ymddihatru oddi wrth y credoau hen ffasiwn hynny.

Ond wrth ei charu y noson honno, cadwodd y meddyliau hyn iddo ef ei hun. O'r diwedd, wrth ei hanwesu, teimlai ei chorff yn ymlacio, a throi ato fel cath fach. Gwenai wrtho'i hun yn y tywyllwch. Yr oedd hi'n nes ato nag erioed o'r blaen.

Aeth wythnos heibio cyn i lythyr arferol ei mam gyrraedd.

'Rydan ni i gyd yn edrych ymlaen at gael cyfarfod Robert. Rho wybod pa drên y byddwch chi'n ei ddal fel y gall Dada ddod i'ch cyfarfod. Nid yw Gwion yn rhy dda, ac mae'r doctor wedi deud wrtho fo am beidio â gyrru'r car am sbel. Ond 'does dim achos pryderu . . .

Dim gair gan ei mam am y gwerthu tir. Dim gair am ei gofid. Ffieiddiai Hanna at y fath deyrngarwch a fedrai fygu daliadau personol fel hyn. Ond Gwion, beth oedd yn bod ar Gwion? Os gallai unrhyw beth ddisodli ei dicter am ei thad, gofid am ei gefaill fyddai hynny.

Fel yr oedd hi wedi disgwyl, 'roedd Robert wrth ei fodd ei bod hi wedi penderfynu aros yn Llundain dros y Nadolig. Ond yn awr, dyma hi'n simsanu unwaith eto. Os oedd Gwion yn sâl, yr oedd yn rhaid iddi fynd adre i weld drosti ei hun faint mor ddrwg oedd o.

Ond y tro hwn, yr oedd Robert yn reit bendant.

'Na, 'fedri di ddim newid dy feddwl eto. Mae gen i docynnau i *Look Back in Anger*. A ph'run bynnag, mi 'rydw i wedi gofyn i Mam ddod yma am gwpwl o ddyddie. Yn sicr 'dydw i ddim am ei siomi hi. Hyd yn oed os yw Gwion yn dost, be' elli di 'i wneud na fedr dy fam 'i wneud lawn cystal os nad gwell? Cer ar y ffôn heno. 'Dwi'n siŵr y cei di weld dy fod ti'n mynd o flaen gofidie.'

Gwion ei hun atebodd pan ffoniodd y noson honno. Er mawr ryddhad iddi, swniai ei lais yn gryfach. Mynnodd nad oedd fawr ddim o'i le arno, pan holodd yn betrus sut yr oedd.

'Dim ond rhyw hen gatâr neu rywbeth ar y frest sy'n cau aros i lawr,' meddai. 'Pryd wyt ti'n dŵad adra?'

'Dyna un o'r rhesymau pam o'wn i'n ffonio, Gwi. 'Fyddwn ni ddim yna dros y Gwylia wedi'r cwbwl.'

'O, Hanna!'

Bu bron i'r siom yn ei lais ei llorio. Ond yr oedd Robert yno yn gwrando ar bob gair.

'Mae mam Robert am ddod i aros hefo ni yma. Mae'n unig arni adeg 'Dolig.'

Ar unwaith teimlodd gywilydd am iddi afael ar hynny fel esgus. Nid dyna oedd y rheswm, ac fe wyddai Gwion hynny'n iawn.

'Wyt ti'n dal i deimlo'n ddig wrth 'nhad?'

Ffrwydrodd hithau. 'Wrth gwrs 'mod i. Wyt *ti* ddim?'

Yr oedd saib cyn iddo ateb. 'Be' 'di'r iws, Hanna? Dada ydi o. 'Dwi'n trio dallt.'

'O, Gwi, 'rwyt ti'n amhosib o Gristnogol!'

'Nag 'dw i. Ond 'does dim iws dal dig.'

Gwendid, meddyliai Hanna yn sgornllyd. Ond yr oedd sefyllfa Gwion yn anodd, rhaid cydnabod. Ni allai mab yn byw gartre ar y fferm fforddio'r moethusrwydd o sefyll dros ei ddaliadau ei hun. Ond sut oedd egluro wrtho mor amhosibl iddi hi fyddai mynd adre a cheisio ymddwyn fel pe na bai dim wedi digwydd, cymryd rhan yn y rhagrith crefyddol gan wybod fod pobl yn siarad ac yn barnu?

Tynnodd y sgwrs i ben drwy ddweud: 'Mae'n ddrwg gen i, Gwi. 'Fedra' i ddim dŵad, ar hyn o bryd.'

Ar ôl iddi roi'r derbynnydd i lawr, dywedodd Robert: 'Da, Hanna. 'Rwyt ti'n magu asgwrn cefn.'

Gwyddai fod yn rhaid iddo gamu'n ofalus, ond bu'n amau ers tro fod ei hymlyniad wrth ei theulu yn creu tyndra yn eu priodas. Yn ei galon, croesawai'r cyfle annisgwyl hwn i'w diddyfnu hi oddi wrthynt. Tra arhosai hanner ei theyrngarwch i'w hen fywyd ym Mhengele, ni allai deimlo ei fod wedi ei meddiannu hi fel y dymunai. Yr oedd yn sicr yn awr y gallai'r berthynas arbennig a oedd rhyngddynt flodeuo'n gryfach fel y byddent yn ymdoddi'n un. Gwyddai pam fod hyn mor bwysig iddo. Byddai'n gwneud iawn am holl fethiant anhapus ei briodas gyntaf.

Nid un i goleddu ei dicter yn ddirgel oedd Hanna. Fel yr âi'r dyddiau heibio tyfai ynddi'r rheidrwydd i gael mynegi ei theimladau'n agored wrth ei thad. Yn groes i gyngor Robert, sgrifennodd lythyr ato.

44 St. George's Square, S.W.1
18.12.56

Annwyl Dada,

Mae'n debyg fod y weithred wedi'i gwneud a'i bod hi'n rhy hwyr i grefu arnoch i dynnu'n ôl. P'run bynnag, fuoch chi erioed yn un am wrando arnom ni, blant, nac ar Mam, o ran hynny. Ond Dada, yr oedd gen i barch mawr yn ogystal â chariad atoch. Gobeithio, ryw ddydd, y daw'r cariad yn ôl. Mae'r parch

wedi mynd. Bydd ein henw ni fel teulu bellach ymhlith y bradwyr
a'r ariangarwyr a fu'n felltith erioed yn hanes Cymru.

Mae hi'n brifo gormod i mi fedru eich wynebu chi ar
hyn o bryd. Dyna pam na fydd Robert a fi'n dod i Bengele dros y
Gwyliau.

Yn siomedig,
Hanna.

7

Yr oedd Hanna bob amser yn falch o weld Paul yn galw.
Yn un peth, yr oedd yn barotach na Robert i wrando heb
farnu. Diau fod a wnelo ei hyfforddiant fel seiciatrydd
rywbeth â'r peth, y gallu i wrando yn gymhwyster arben-
nig i'r gwaith, yn sicr. Ond ar wahân i hynny, yr oedd
rhywbeth cysurlon, tawel yn ei natur yn hollol wahanol i
hyder meistrolaidd, cynhyrfus Robert.

Bu'r ddau ddyn yn gyfeillion ysgol, yn gohebu â'i gilydd
yn gyson ar hyd y blynyddoedd y buont ar wahân, nes
iddynt eu cael eu hunain ar ddechrau'r pumdegau o fewn
tafliad carreg i'w gilydd yn Llundain. Paul oedd yr unig un
a allai beri i Robert newid ei feddwl, neu gydnabod iddo
gael ei drechu mewn dadl. Paul oedd yr unig un y gallai hi,
Hanna, agor ei chalon iddo heb deimlo'n annheyrngar,
pan oedd Robert wedi bod yn arbennig o unbenaethol.
Oherwydd fe wyddai na allai unrhyw beth a ddywedai
amharu ar y cyfeillgarwch dwfn rhwng y ddau.

Wrthi'n gosod y celyn yn barod i'r Nadolig yr oedd hi
pan alwodd Paul heibio yn ddirybudd. Yr oedd Jenny wedi
mynd adre i Norfolk i weld ei mam, meddai, a chan ei fod
yn digwydd bod yn Victoria, daethai awydd drosto i bicio
i'r fflat yn Pimlico.

''Dwi'n falch ofnadwy o dy weld ti,' ebe Hanna, 'ond
mae Robert wedi mynd i'r B.M. 'Fydd o ddim yn ôl tan
heno.'

'Mae gweld *Mrs.* Robert lawn cystal gen i,' gwenai Paul. Gan edrych ar y celyn, meddai, ''Rown i'n meddwl eich bod chi'ch dau am fynd i Gymru dros y Nadolig.'

Dringodd Hanna yn ôl i ben y gadair i roi'r darn olaf o gelyn uwchben atgynhyrchiad o waith Picasso.

'Nag ydan.' Ceisiodd gadw ei llais yn ysgafn. 'Ydi'r darlun yn gam?'

'Na, mae'n berffaith. Yma y byddwch chi felly?'

'Ie. Dyna 'dan ni wedi'i benderfynu.'

Chwarddodd Paul. 'Penderfyniad Robert, ynta dy benderfyniad di?'

'Ein penderfyniad ni'n dau. Mae mam Robert yn dod yma.'

'O. Da iawn.'

Ni holodd Paul ragor, ond gwelai Hanna ei fod wedi synnu braidd. Y tro diwethaf y bu yno, bu hithau'n sôn yn delynegol am ragoriaeth y Nadolig ym Mhengele.

'Paned o goffi?' Yr oedd hi am droi ei feddwl at bethau eraill.

'Hyfryd!'

Dilynodd hi i'r gegin ac aeth i eistedd ar un o'r stolion mawr. Syllai arni'n hel y cwpanau o'r cwpwrdd a rhoi gormod o lawer o goffi yn y ddau. Synhwyrodd nad oedd ei meddwl ar y gwaith. Tywalltodd y dŵr berw am ei ben gan ei dasgu i'r soser. Ymddiheurodd ar unwaith, ond bu raid iddo ofyn am laeth a siwgwr.

'Mae rhywbeth ar dy feddwl di,' ebe Paul toc.

'Oes.' Yr oedd hi'n troi a throi ei llwy yn ei choffi, yn ystyried sut i roi'r cwestiwn.

'Paul . . . 'roeddet ti'n nabod Elise, yn 'doeddet?'

Daeth golwg ochelgar i'w wyneb. 'Ddim yn dda iawn.'

'Be' oedd ei hanes hi?'

'Hanes?'

Yr oedd yn chwarae am amser. Gwyddai'r ddau hyn yn burion.

'Ie. Pam mae Robert mor gyndyn o siarad amdani?'

'Hanna, 'nghariad i . . .'

Cymerodd Paul lwnc hir o goffi nes bron â sgaldio'i dafod.

'Os nad ydi Robert am siarad amdani, 'does gen i ddim hawl yn sicr.'

'Ond seiciatrydd wyt ti. 'Roeddet ti'n gwybod am ei halcoholiaeth hi. Ti fuo'n ei thrin hi?'

'Na, Hanna. 'Doeddwn i ddim yn Llundain yr adeg honno. Mi ddois i yma ychydig wythnosau cyn iddi farw.'

'Ond mi fydda' Robert yn deud y cwbl wrthat *ti*.'

'Dyna reswm arall pam na alla' i siarad amdani. Ond 'rwyt ti'n rong. 'Ddwedodd o mo'r cyfan.'

Treiodd Hanna rywbeth arall.

'Paul . . . pwy oedd Gerhard Eisner?'

Rhythodd y llall arni mewn syndod. 'Gerhard Eisner?'

'Ie. Mi ddigwyddais weld llythyr,' dechreuodd Hanna, yna meddai yn fwy gonest: 'O, olreit nid *digwydd.* Mi es i i chwilio'i bapurau. Na, paid ag edrych arna' i fel'na. Os nad oedd Robert am ddweud, 'roedd gen i hawl i wneud. 'Roedd o wedi cadw'r llythyr yma, llythyr i Elise oddi wrth ryw Gerhard Eisner. Ond 'dydw i ddim yn gallu darllen Ffrangeg.'

Edrychai Paul arni braidd yn amheus. Nid hawdd siocio seiciatrydd, meddyliai'n fingam, ond pan oedd a wnelo'r peth â'i ffrindiau pennaf . . . Anodd ganddo dderbyn y chwilmenta busneslyd yn ddifeirniadaeth. Ond nid oedd Hanna fel pe'n ymwybodol o anfadrwydd ei chyfaddefiad. Yr oedd hi wedi meddwl, meddai hi, cymryd benthyg y llythyr a mynd ag ef i Judith i honno ei gyfieithu, ond 'roedd arni ofn i Robert ei golli. Oedd Paul yn medru Ffrangeg?

Nid oedd Paul erioed wedi teimlo mor anghysurus. Penderfynodd anwybyddu'r cyfeiriad at y llythyr.

'Rhaid i ti roi amser i Robert. Mae'n anodd ar y gorau trafod y wraig gynta gyda'r ail wraig. Ac yn achos Robert yr oedd yr holl hanes . . . ei gwendid ac yn y blaen . . . yn eithriadol o boenus.'

'Ond beth amdana' *i*! Oes gen *i* ddim hawliau? Mae gŵr a gwraig i fod i wybod popeth am ei gilydd, cael ymddiriedaeth gyflawn. Gwranda, Paul, pe na bawn i'n caru Robert gymaint 'fyddai affliw o bwys gen i, yn na fydda?'

'Weithiau mae'n well gadael i'r gorffennol farw.'

'Ond wyt ti ddim yn gweld? Am ei fod o mor ddirgelaidd, 'rydw i'n dechra dychmygu pob math o betha ac mae hynny'n 'y ngwneud i'n waeth. Hyd yn oed—'

Ond yr oedd arni ofn dweud beth oedd uchaf yn ei meddwl, sef yr ofn fod Robert wedi llofruddio ei wraig gyntaf. Afresymol, wrth gwrs, ond yr oedd yno.

'Daria unwaith! Mae pobl erill wedi priodi alcoholics. 'Dydi Robert ddim yn unigryw. Pam mae'r peth yn cael effaith mor niwrotig arno fo?' Edrychodd yn graff arno. 'Mae 'na lot rhagor i'w ddweud, on'd oes?'

Yr oedd arno eisio dod â'r sgwrs i ben. Nid ef oedd y dyn i foddhau chwilfrydedd gwraig am orffennol ei gŵr. Daeth tinc anarferol o finiog i'w lais wrth ateb.

'Mae'n debyg iawn bod. Ond 'fedra' i mo dy helpu di, Hanna.'

Cynyddwyd ei chwilfrydedd gan y sgwrs, ond gwelai mai di-fudd fyddai mynnu rhagor ganddo. Syrthiodd distawrwydd braidd yn anghysurus rhyngddynt, ac er mwyn torri ar hwnnw'n fwy na dim arall y dywedodd:

'Mae *priodi* dyn yn fwy anodd o lawer na byw hefo fo.'

Nid oedd wedi rhoi'r peth mewn geiriau o'r blaen, hyd yn oed wrthi hi'i hun. Yn sydyn, sylweddolodd ei bod hi'n dyheu am wefrau annisgwyl y misoedd cyntaf o adnabod Robert; y galwadau ffôn, y cwrdd yn y siop goffi yn Knightsbridge, yr hwyl ddiofal wrth grwydro ar lan Tafwys, y pŵer meddwol a oedd hefyd yn wylaidd, o wybod fod y gŵr golygus, deniadol o drahaus hwn yn ei chwennych. Sylweddolodd â pheth sioc fel yr oedd pethau wedi newid ers eu priodas yn yr haf. Ganddo ef yr oedd y pŵer yn awr. Ef fyddai'n gosod i lawr amodau eu bywyd. Ei ddymuniadau ef fyddai'n cario'r dydd bob tro. Ac yr oedd rhan ohoni'n ymfalchïo yn hyn. Hyn oedd y sioc fwyaf, bod yna ryw reddf gyntefig ynddi o hyd a gâi wefr o blygu i'w gŵr.

Yr oedd ffawd hyd yn oed o'i blaid. Ni bu awydd arno fynd i Gymru dros y Gwyliau, a dyma hyn yn digwydd i sicrhau ei fod yn cael ei ddymuniad i aros yn Llundain. Oedd rhaid iddo gael ei ffordd ei hun bob tro? On'd oedd hi wedi chwarae i'w ddwylo drwy ddewis peidio â mynd adre? Chwyddai holl gymhlethdod ei pherthynas ag ef yn ei mynwes.

'Paul, wyt ti am wybod yn union pam nad aethom ni i Gymru dros y Gwyliau?'

Amneidiodd hwnnw ei ben yn ofalus. 'Os wyt ti awydd dweud.'

'Am 'y mod i wedi colli fy ffydd.' Dechreuodd chwerthin braidd yn sychlyd. 'Mae hynna'n swnio'n dryb-eilig o felodramatig, yn tydi? Ond dyna galon y gwir. 'Dwi wedi colli ffydd yn yr holl betha 'roeddwn i'n eu canmol dro'n ôl—gwerthoedd cefn gwlad, diwylliant Cymru, traddodiad, colli ffydd yn fy nhad, yn Nuw . . .'

Daeth ei geiriau'n herciog fel pe bai hi'n cael gwaith cadw ffrwyn arni ei hun. Eisteddodd ar y stôl, ei dwylo'n hongian i lawr rhwng ei chluniau, yn gwbl ddi-feind o sut yr edrychai. Yr oedd Paul yn ymwybodol iawn o'i hanhapusrwydd.

'Mae'n ddrwg gen i.' Beth arall allai ei ddweud?

Sychodd Hanna ei llygaid â chefn ei llaw. Yn union fel plentyn, meddyliai Paul.

' 'Rwyt ti'n werth y byd, Paul. 'Alla' i ddim siarad hefo neb arall. Ond 'dwn i ddim pam 'rwyt ti'n gwrando.'

'Fy ngwaith i 'di gwrando. Cofio?'

Cydiodd yn ei dwylo. 'Wyt ti am ddweud pam 'rwyt ti wedi colli dy ffydd?'

Ond dyna oedd y peth mwyaf anodd yn y byd. Gwyddai yn awr i'r amheuon fod yn crynhoi ynddi ers talwm iawn, byth oddi ar iddi gyfarfod Robert. 'Rwyf am dy ryddhau di, ddywedodd Robert. Ond y mae llong heb lyw yn rhydd ac yn llawer llai diogel nag un sydd wedi ei hangori i'r lan.

'Os galla' i, mi wnaf.'

Ond gan iddi aros yn fud ceisiodd Paul ei helpu.

'Mae dyn yn prifio, weithiau, wrth golli petha.'

'Mi fasa'n dda gen i gredu hynny. Ar hyn o bryd y cwbl alla' i ei weld ydi pwll mawr du.'

Aeth â'r cwpanau at y sinc a throi'r tap dŵr ymlaen. Nid oedd am iddo weld ei hwyneb.

'Paul, mae gen i gywilydd o 'nhad.'

Yna dechreuodd ddweud yr hanes wrtho. Erbyn hyn yr oedd ei theimladau dan reolaeth, ac yr oedd y ffordd yr adroddai'r hanes yn wrthrychol, bron yn oeraidd. Dim ond pan ddaeth hi at Gwion a'i anghysur a'i gaethiwed moesol y daeth y cryndod yn ôl i'w llais. Ond dim ond am eiliad. Yr oedd hi fel pe bai'n ei gorfodi ei hun i dderbyn rhyw realiti newydd a fyddai'n ei gwahanu oddi wrth ei pherthnasau.

''Roedd yn rhaid i rywbeth fel hyn ddigwydd i mi gael gweld mai Robert oedd yn iawn ar hyd yr amser.'

'Iawn ym mha ffordd?'

'Wel, mae o wedi bod yn deud a deud mai rhith ydi'r cyfan. 'Fedar neb aros yn blentyn am byth, yn coleddu syniada a fu'n ddefnyddiol yn eu hamsar, ond sydd erbyn hyn wedi pasio'u defnyddioldeb. Mae'n rhan o ddatblygiad dyn, medda fo, i daflu'r sbwrial.'

Pan fydd rhywun yn ailadrodd geiriau rhywun arall, air am air, mae'n swnio fel peiriant, meddyliai Paul. Ond pe bai'n ei chroes-ddweud hi'n awr fe ychwanegai at ei dryswch meddwl. Bu'n dawel a gadael iddi fynd yn ei blaen.

'Mae'n siŵr dy fod ti, hefo'th gefndir gwyddonol, yn cyd-weld â hyn. Ymestyniad o ddymuniad dwfn mewn dyn ydi'r syniad o Dduw. Dyna be' mae Robert yn 'i ddweud.'

Mentrodd Paul yn dawel: 'Ydi hynny ddim yn ddadl dros ei fodolaeth?'

'Nag ydi, yn ôl Robert. Bydd dyn wedi aeddfedu pan fydd o'n derbyn mai marw ydi diwedd pob peth.'

Ond trodd ato'n awr, a'r dagrau unwaith eto yn ei llygaid.

'O, Paul, 'roeddwn i'n hapus efo'r sbwrial!'

Daeth mam Robert dri diwrnod cyn y Nadolig, a hynny'n annisgwyl. Tipyn o sioc oedd hyn i Hanna a oedd yn ei chanol hi'n ceisio gwneud mins peis a glanhau'r cyllyll a ffyrc, y ddau beth bron ar unwaith. Am ryw reswm yr oedd hi wedi cymryd yn ganiataol mai ar Noswyl Nadolig y byddai ei mam yng nghyfraith yn cyrraedd.

Oherwydd y newid trefniadau bu ras fawr i brynu pwdin a theisen Nadolig siop, ac archebu twrci. Nid oedd erioed wedi hwylio cinio Nadolig o'r blaen. Ei mam fyddai'n gwneud bob tro, a rhaid oedd byseddu'r ychydig lyfrau coginio oedd yn y fflat i ddarganfod sut 'roedd gwneud stwffin a saws a chant a mil o bethau eraill.

' 'Fydd Mam ddim yn poeni am betha fel'ny,' ebe Robert pan gwynai hi fod y popty'n drwch o saim, a'i bod hi heb gael amser i'w lanhau, ac nad oedd y gwely sbâr yn eiri. 'Paid â ffwdanu, bach.'

' 'Fasat ti ddim yn licio i dy fam gael niwmonia yma,' grwgnachai hi. 'Rhaid i ti fynd allan i brynu poteli dŵr poeth neu rywbeth.'

Nid oedd yn teimlo ei bod hi'n adnabod Mrs. Edwards yn ddigon da i fod yn ffwrdd-â-hi ynghylch yr ymweliad. Y peth olaf yr oedd arni ei eisiau oedd rhoi'r argraff i'w mam yng nghyfraith fod ei mab wedi priodi rhyw hoeden anhrefnus, ddifanars o'r wlad. Byddai dau ddiwrnod ychwanegol i baratoi wedi gwneud y byd o wahaniaeth. Câi hithau amser i gael gwneud ei gwallt, ac ymddangos yn cŵl a soffistigedig wrth roi croeso. Ond dal i chwerthin a wnâi Robert, rhedeg ei law drwy ei gwallt a mynnu mai un fel'ny oedd hi, cerddor o ddawn—o athrylith, efallai—ond gwraig tŷ anniben a thrwsgl, ac fel yna yr oedd ef yn ei charu, a byddai ei fam yn siŵr o roi trefn ar bethau mewn dim amser.

Daeth yr amheuaeth i'w meddwl mai dyna pam yr oedd wedi gwahodd ei fam, sef am ei fod yn ofni na fedrai hi, Hanna, wneud dim yn iawn. Diflannodd hynny o hyder oedd ar ôl ganddi o dan y dŵr. Ond yr oedd Helen Edwards yn ddoethach na'i mab. Cofleidiodd Hanna yn gynnes, ac ymddiheurodd ar unwaith am ddod yn gynt na'r disgwyl ac ar y fath fyr rybudd.

'Anfaddeuol, mi wn, a chithe heb gael amser i baratoi na dim. Ond y gwir amdani oedd 'roeddwn i wedi anghofio archebu glo, a 'doedd gen i'r un llychyn ar ôl, a dim gobaith cael rhagor cyn y Nadolig. Henaint, mae'n siŵr.'

Ond nid oedd yn edrych yn hen. Er ei bod hi'n tynnu at ei thrigain yr oedd ei chorff yn dal yn siapus, ei cherddediad yn ysgafn, a mwy o ddu nac o wyn yn ei gwallt. Yr oedd chwerthiniad yn ei llygaid hyd yn oed pan ddywedai rywbeth difrifol, ac yr oedd Hanna wedi anghofio mor swynol oedd ei llais. Yr oedd hi hefyd wedi anghofio mor hoff oedd Robert ohoni.

Fe'i helpodd hi allan o'i chôt, ac ysgydwodd glustogau'r gadair cyn iddi eistedd i lawr. Daeth pigiad o ddiflastod i Hanna, ond ar unwaith teimlodd gywilydd. Bu Helen (yr oedd hi wedi mynnu ei bod hi'n cael ei galw'n Helen) mor ofalus bob amser i beidio â pheri iddi deimlo ei bod hi'n cael ei chau allan. Ac onid da oedd gweld Robert yn gwneud yn fawr o'i fam?

Edmygai Helen y piano a safai fel brenin yng nghanol yr ystafell a dechreuodd holi Hanna ynghylch ei gwaith yn yr Ysgol Gerdd. Sioncodd y wraig iau ar unwaith. Aeth i eistedd ar stôl fach yn ei hymyl ac ymollwng i siarad. Amlygai cwestiynau Helen ei bod hi'n gwybod tipyn am gerddoriaeth. Anghofiodd Hanna bopeth am ei dyletswyddau fel gwraig tŷ nes i Robert snwffian yn uchel.

'Oes 'na ogla llosgi yn y gegin?'

Neidiodd ar ei thraed a rhedeg i'r gegin. Pan agorodd y popty, chwyrlïodd mwg allan fel injan drên. Rhythodd mewn dychryn ar weddillion du y mins peis. Dyna ddechrau da, meddyliodd. Bu bron iddi losgi wrth eu tynnu allan.

'A beth am baned i Mam?'

Safai Robert y tu ôl iddi a hithau'n brwydro gydag un o silffoedd y ffwrn.

'Mi wyddost lle mae'r tegell,' ysgyrnygodd rhwng ei

dannedd. Pam oedd raid iddo beri iddi deimlo mor annigonol?

Llanwodd ei gŵr y tegell yn ufudd, ond yr oedd yn gwenu mewn ffordd oedd yn ddigon i godi gwrychyn neb. O leiaf, nid oedd Helen wedi codi a dod i mewn i'r gegin i gynnig help. Yr oedd hi'n ddiolchgar iddi am hynny.

Rywsut, fe ddaeth yr oriau nesaf i ben. Yr oedd Helen wedi canmol y risotto pitw o reis, wynwyn, tomato a gweddillion porc dydd Sul a heliwyd yn frysiog at ei gilydd. Erbyn wyth o'r gloch yr oedd y bwrdd wedi'i glirio, y llestri wedi eu golchi a'r tri ohonynt yn eistedd o flaen y tân yn yfed eu coffi.

Yr oedd Helen yn siarad am y mudiad newydd i wrthwynebu arbrofion gyda'r bom niwcliar. Bu pryder mawr, meddai, ynghylch y Strontium 90 a ddisgynnai gyda'r glaw dros y wlad, ac a achosai glefydau rhyfedd i blanhigion ac anifeiliaid. Pam felly nad i ddynion? Yr oedd hi wedi ffurfio cangen leol o'r mudiad ac yr oedd sôn am drefnu gorymdaith fawr o brotest i rywle o'r enw Aldermaston. Ond rhaid oedd cael nifer fawr i ymaelodi yn gyntaf, er mwyn gwneud y peth yn gredadwy. A'i thad hi, y Cristion, yn gwerthu tir i gwmni a fyddai'n gwneud bomiau mwy a mwy pwerus. Aeth Hanna yn boeth o gywilydd.

Syllai ar ei mam yng nghyfraith a rhyfeddu at ei hegni a'i brwdfrydedd dros achosion fel hyn. Ni allai lai na'i chymharu â'i mam ei hun, a gyfeiriai ei holl egni at gadw ei chartref mewn trefn, ac a edrychai ddeng mlynedd yn hŷn na mam Robert. Gwthiodd yr hiraeth sydyn amdani o'i meddwl, a dywedodd wrthi ei hun ei bod hi'n falch o'r cyfle hwn i ddod i adnabod Helen yn well.

Gwrandawai Robert yn edmygus ar ei fam, ac yn wir, ni allai Hanna weld bai arno. Tyfai ei hedmygedd hithau wrth wrando. Disgleiriai ei chonsyrn cymdeithasol drwy bopeth a ddywedai. Ac anffyddreg oedd hon. Dyna oedd y syndod mawr. Yr oedd Hanna wedi'i chyflyru i feddwl mai pobl hunanol, materol oedd pob anffyddiwr. Gofynnodd iddi'n sydyn:

'Fuoch chi'n grefyddol erioed, Helen?'

81

Gwenodd y wraig arall, ond cymerodd amser i ateb.

'Yn grefyddol iawn ar un adeg yn fy mywyd. Mae'n un o'r grisiau angenrheidiol wrth dyfu, wedi'r cwbl. Mi fydda' i'n hoff o ddyfynnu Feuerbach. ''Duw oedd f'ystyriaeth gyntaf, rheswm yr ail, dyn y trydydd a'r olaf.'' Ac mi ddois inne i gredu fod yn rhaid i ddynoliaeth ganolbwyntio'n gyfan gwbl arni'i hun.'

Ac eto, nid oedd hynny'n swnio'n iawn. Oedd hi, Hanna, yn ddigon iddi'i hun? Ai arwydd arall o anaeddfedrwydd oedd ei hawydd i deimlo rhywbeth y tu allan iddi hi ei hun? Fel pe bai'n synhwyro ei meddyliau, meddai Robert:

'Hiraeth am dad sydd wrth wraidd anghenion crefyddol. Profiadau plentyn a'i agwedd at ei dad ei hun yn cael eu trosglwyddo i Dduw.' Dechreuodd chwerthin. 'Hwyrach fod yna fantais, wedi'r cwbl, o beidio â dod ymlaen yn rhy dda â'ch tad. 'Rŷch chi'n dysgu annibyniaeth meddwl yn gynnar.'

Teimlodd Hanna ysgytwad. Ai dyna oedd wedi digwydd iddi hi? Siom yn ei thad yn cael ei throsglwyddo i siom yn Nuw? Sylweddolodd o'r newydd mor frau fu seiliau ei chrefydd. Y tŷ diarhebol ar y tywod. Y drwg oedd 'doedd yna'r un graig yn y golwg erbyn hyn, chwaith.

Ond yr oedd Helen wedi troi'r sgwrs yn ôl at gerddoriaeth. Oedd hi'n hoff o Mahler? Mi fyddai hi'n cael pleser di-ben-draw o wrando ar y record oedd ganddi o Kathleen Ferrier yn canu *Das Lied von der Erde*.

'Dewis rhyfedd i un sydd newydd bwysleisio'i hiwmanistiaeth,' sylwodd Robert dan wenu. 'Yr enaid yn lledu'i adenydd ac yn ffarwelio â gofid a llawenydd y bywyd daearol.'

'Dim o gwbl,' atebodd ei fam. 'Mae'r holl ddarn yn salm o gariad i'r ddaear. P'run bynnag, bydd pawb yn cymryd yr hyn a allant o waith creadigol rhywun arall.'

Yr oedd Hanna yn teimlo'n gysglyd, ac ni allai ddal gafael yn iawn ar rediad y sgwrs. Syrthiodd ei hamrannau, a phellhaodd y lleisiau eraill. Ni allai haeru wedyn ei bod hi wedi breuddwydio, ond yr oedd fel pe bai hi'n gweld

Gwion yn y cae mawr ger Capel Bethel. Yr oedd yn ceisio â'i holl nerth dynnu ar ffrwyn ceffyl mawr du oedd wedi codi ar ei goesau ôl ac yn gweryru'n ddychrynllyd. Y ceffyl oedd yn ennill a Gwion yn gweiddi mewn poen fel y sathrai carn yr anifail arno. Dim ond am ychydig eiliadau y parhaodd y peth, ond fe'i clywai Hanna ei hun yn foddfa o chwys ac yn gweiddi 'Gwion!' Teimlai'n wirion iawn pan welodd Robert a'i fam yn rhythu arni mewn syndod.

'Ddrwg gen i,' mwmiodd. 'Rhaid 'mod i wedi pendwmpian.'

'Amser gwely, felly.' Cododd Robert ar unwaith, a chan droi at ei fam, meddai: 'Er, mae golwg ji-binc arnoch *chi*, Mam.'

Yr oedd hi'n rhy flinedig i gysgu ar ôl mynd i'r gwely. Troai y ffordd hyn a'r ffordd arall, ond ni allai gael digon o gysur i'w haelodau i beri iddi ymlacio. Pan ddaeth Robert ymhen rhyw awr wedyn, fe'i gwelai hi'n gorwedd yno, ei llygaid yn llydan agored. Dringodd i mewn wrth ei hochr a'i chymryd yn ei freichiau.

'Paid â hel meddyliau, cariad,' murmurodd. ' 'Waeth i ti heb â gofidio amdanyn nhw ym Mhengele. *Yma* 'rwyt ti, ac mae Mam yn dy garu di gymaint ag ydw inne.'

Cusanodd hi. 'Bron—' ychwanegodd gan ddechrau ei hanwesu. Ond am unwaith yr oedd hi wedi blino gormod i ymateb.

At ei gilydd, yr oedd pethau'n mynd yn dda. Erbyn Noswyl Nadolig yr oedd y twrci wedi'i stwffio'n barod i'r ffwrn, y llysiau wedi'u plicio, a hyd yn oed saws y pwdin yn barod i'w aildwymo drannoeth. Nid oedd Helen wedi ymyrryd dim, ond derbyniodd Hanna ei chynnig cynnil i wneud rhagor o fins peis, a dyna lle 'roeddynt ar y bwrdd, yn dyrau cymen, blasus. Agorodd Robert botel o win a mynnu eu bod nhw'n yfed i Sadwrn, Duw'r Nadolig.

'Llawer mwy o hawl gynno fo ar y Nadolig nag sy gan y Cristnogion.'

Am hanner awr wedi naw, canodd y teleffon. Fel pe bai hi wedi aros am hyn, rhuthrodd Hanna i'w ateb. Llais Gwion oedd yr ochr arall.

'Meddwl y byswn i'n rhoi caniad i ti cyn cychwyn am y Plygain yn yr Eglwys,' meddai. 'Nadolig hapus, Han.'

'Nadolig hapus, Gwi.'

Yr oedd ei llygaid yn llenwi, a mymryn o gryndod yn ei llais. Dyma'r tro cyntaf erioed iddynt fod ar wahân dros yr Ŵyl. A dyma'r tro cyntaf ers blynyddoedd iddi golli'r Plygain.

'Wyt ti'n canu heno?'

'Yndw. Triawd, wsti.'

'Be' 'dach chi'n ganu?'

'O . . . *Wel Dyma'r Borau Gorau i Gyd*. A hwyrach *Yn Dyrfa Weddus*.'

Byddai hi wedi hoffi i Robert ddod i'r Plygain yn yr eglwys a chlywed yr hen garolau hudolus a genid yno ar hyd y canrifoedd.

'Cofia fi at Now a Thomas John. Nhw sy efo chdi, 'nte?'

'Ia. Mi wna' i.'

Bu distawrwydd am ychydig. Yna:

'Wyt *ti*'n well?'

'Siort ora.'

'Siŵr?'

'Paid â phoeni.'

'Mam yn iawn?'

'Yndi.' Ac ar ôl saib: 'A Dada.'

'O, ie?'

'Ond bod ni i gyd yn gweld d'isio di.'

'Gafodd o'n llythyr i?'

'Do.'

'Be' ddeudodd o, Gwi?'

'Dim byd.'

Llyncodd ei phoer yn galed. 'Mae Robert yn anfon ei gofion. A mam Robert.'

Nid oedd dim arall i'w ddweud. Mae saib mewn sgwrs teleffon fel oes. Ni all y llygaid siarad. Gwasgai'r derbynnydd yn erbyn ei chlust a chrefu'n ddistaw am iddo

84

ddweud rhywbeth. Yr oedd hi ei hun yn ymwybodol iawn o'r clustiau eraill yn gwrando. Nid am y tro cyntaf, edifarhaodd iddi fynnu bod y teleffon yn cael ei osod yn yr ystafell fyw. Dyheai â'i holl galon fedru dweud wrtho: 'Yna, hefo chdi a Mam, ia, a Dada, yr hoffwn i fod y munud yma.' Ond ni allai.

'Tyrd adra cyn i ti fynd yn ôl i'r coleg.'

'Hwyrach. Hwyl i ti, Gwi.'

Bu distawrwydd ar ôl iddi roi'r ffôn i lawr. Synhwyrodd yn sydyn fod Helen yn gwybod am yr helynt yn ei chartref. Wel, yr oedd yn naturiol i Robert ddweud wrthi.

'Pawb yn iawn?' gofynnodd Robert, toc.

'Yndyn. 'Dwi'n meddwl.'

Ni allai gadw'r anhapusrwydd o'i llais. Os oedd Helen yn gwybod, nid oedd diben cuddio'i theimladau. Trodd at ei mam yng nghyfraith a dweud:

''Dwi'n cymryd fod Robert wedi deud wrthoch chi amdanyn nhw gartre.'

'Ydi, mae o.'

''Rydach chi'n dallt, felly. 'Sdim llawer o siâp wedi bod arna' i'n paratoi y dyddia diwetha 'ma. Mae'n ddrwg gen i.'

''Dwi'n meddwl i chi ymdopi'n rhagorol,' ebe Helen, a'i llais yn llawn cydymdeimlad cynnes. Rhoes hyn anogaeth i Hanna i fynd yn ei blaen. Dyheai am fedru rhoi ei theimladau cythryblus mewn geiriau.

'Helen, nid y capel, na'r hyn sy'n debyg o ddigwydd iddo sy'n 'y mhoeni i erbyn hyn. Adeilad ydi capel. Ond mae'n goblyn o anodd gen i faddau rhagrith. O, 'dwi'n gwbod ... 'Tydi'r rhan fwyaf ohonon ni'n rhagrithio o hyd ac o hyd ... Ond Dada ... Y peth gwaetha i mi ydi 'i fod o wedi bradychu'r holl beth 'roedd o'n honni i fod o'n credu ynddo. Am *arian*. Dyna sy'n brifo.'

Agorodd Robert ei geg fel pe i ddweud rhywbeth. Ond peidiodd, gan edrych ar ei fam. Chi yw'r un ddoeth, meddai'r edrychiad. Dywedwch *chi* rywbeth.

Ymsythodd Helen ychydig yn ei chadair.

'Bydd pobl ifainc fel chithe'n teimlo'r siom yn ddwys iawn,' meddai'n isel. 'Yr ifanc sy fwyaf hallt ar drachwant am arian, yn enwedig os nad ydyn nhw erioed wedi cael y profiad o fod hebddo. Ond eich tad . . . peidiwch â bod yn rhy galed arno fo. Mae hi mor hawdd i ddynion fel fo syrthio i demtasiwn y canol oed a'r hen, wedi i ddelfrydau ieuenctid bylu.'

'Be' 'dach chi'n drio'i ddeud, Helen? Fod Dada'n iawn?'

'Na, dim o gwbl. Dim ond trio deud fod yna ffordd arall o edrych arni.'

'*Pa* ffordd arall?' Rhythodd Hanna arni mewn syndod. 'Mae'r cynlluniau mwynfeydd 'ma'n mynd i ddinistrio un o ardaloedd tlysaf Cymru. A 'blaw hynny, meddyliwch be' mae pobl yn 'i ddeud amdano fo. Mae ei enw fo'n drewi drwy'r ardal.'

Edrychodd Helen yn feddylgar. 'Ydach chi'n siŵr? Fe fydd rhai pobl yn barod i ddadlau y byddai hyn yn dod â gwaith a chyfoeth i'r ardal. 'Does dim llawnder gwaith i'w gael yno, nag oes? Hwyrach fod eich tad wedi cymryd y pethau hyn i ystyriaeth.'

Chwarddodd Robert. 'Mam yn chwarae *devil's advocate*!'

Yr oedd arno ofn y byddai ei geiriau'n arwain at gymod rhy fuan rhwng Hanna â'i theulu. 'Gwneud bomie niwcliar yw diben pen draw y mwynfeydd iwraniwm, Mam. A chithe wrthi fel lladd nadredd yn eu gwrthwynebu.'

'Wrth gwrs 'mod i'n eu gwrthwynebu. Ond mae 'na ddefnydd amgenach i iwraniwm na bom atomig. Mi fyddai'n ffynhonnell egni gwerthfawr iawn. Dyna ddilema'r oes.'

Yna gwenodd yn sydyn ar Hanna. 'O, 'dwi'n hoff o ddadlau, fel y gwelwch chi, ond mae'r peth yn rhy boenus i chi i ni ei drafod yn academaidd. Na, 'dydw i ddim o blaid y peth, ond ar yr un pryd, 'dwi'n meddwl y dylech chi gymryd pwyll cyn condemnio'ch tad yn ormodol. Mae moesoli'r ifanc yn gallu bod yn greulon, wyddoch chi.'

Llifodd euogrwydd dros Hanna. Oedd hi'n iawn? Gwir nad oedd hi wedi trafferthu gofyn i'w thad esbonio'r hyn a wnaeth. Anodd ganddi gredu fod ysgogiad amgenach ganddo na gwneud arian mawr, ond hwyrach . . . Yr oedd Gwion wedi dangos llawer mwy o oddefgarwch. Ac eto, onid gwendid yw gormod o oddefgarwch? Ni wyddai beth i'w feddwl erbyn hyn.

Yr oedd Robert wedi codi ac yn clirio'r gwydrau a'r botel wag.

'Dyna ddigon o drafod am heno. Bydd Siôn Corn i lawr y simdde cyn bo hir.'

8

Wrth edrych yn ôl ar y Nadolig wedi i'w mam yng nghyfraith fynd yn ôl i Gaerdydd, penderfynodd Hanna mai'r argraff bennaf a adawyd arni oedd mai tipyn o ddirgelwch iddi oedd Helen Edwards. Newidiai ei theimladau amdani bob cynnig, o gynhesrwydd i anniddigrwydd, o edmygedd i ofn. Yr ofn a'i synnai yn bennaf, yn enwedig ar ôl iddi deimlo'r hoffter ar y dechrau.

'*Devil's advocate*,' dyna oedd y geiriau yr oedd Robert wedi eu defnyddio amdani, ac yn wir, yr oedd rhywbeth cyfreithiol, gwrthrychol, dadansoddiadol yn ei sgwrs a'i hymarweddiad. Codai hyn fraw ar Hanna.

Mae hi'n gallu dylanwadu ar fy meddwl i yn union fel y gwna Robert, meddyliodd. Robert, o'r tro cyntaf iddynt gyfarfod, oedd wedi sigo ei sicrwydd ym mhethau ei magwraeth. Gwelai yn ei fam yr un gallu i chwalu ei syniadau, i wneud iddi deimlo—teimlo beth? Yn annigonol, rywsut. O, yn y ffordd neisia'n y byd. 'Fyddai hi ddim yn beirniadu'n agored, dim ond awgrymu'n gynnil â gwên wylaidd, fel y gwnaethai wrth sôn am agwedd Hanna at ei thad.

A dyna oedd gwraidd ei hanghysur. Er y noson honno bu ansicrwydd ac euogrwydd yn ei llorio. Cyn lleied oedd ei ffydd yn ei barn ei hun erbyn hyn, yr oedd hi hanner y ffordd i gredu mai Helen oedd yn iawn, ac iddi fod yn greulon o hallt wrth ei thad.

'Rargian, mi 'rydw i'n wlanen o ferch, meddyliai'n ddiflas. Mor hawdd i'w throi â phluen yn y gwynt. 'Rwy'n emosiynol ac yn arwynebol.

Fel bob amser pan deimlai'n fethiant, aeth at y piano a dechrau byseddu'r nodau. O leiaf 'fedren nhw ddim cymryd hyn oddi arni. Ond tybed? Clywai ei bysedd yn anystwyth a chlogyrnaidd, a sylweddolodd gyda sioc nad oedd hi wedi cyflawni ei haddewid i Judith i gwblhau'r sonata erbyn dechrau'r tymor. Ym mis Chwefror yr oedd y ddwy i chwarae mewn cyngerdd myfyrwyr. Nid oedd hi ei hun yn arfer canu'r piano yn gyhoeddus ryw lawer, ac yr oedd ganddi waith ymarfer. Gallai fod wedi ymddiried rhan y piano i James, ond y tro hwn, yr oedd hi am roi cynnig arni ei hun.

Dechreuodd ar ei graddfeydd Czerny gyda phenderfyniad. Digalon oedd y cam-nodau a'r baglu herciog. Amrywiodd amseriad y raddfa fel y dangoswyd iddi gan ei thiwtor piano, ac ar ôl ychydig teimlai'r ystwythder yn dod yn ôl. Yna dechreuodd ar yr *arpeggios,* i fyny ac i lawr, i fyny ac i lawr, ac o'r diwedd dechreuodd ei mwynhau ei hun.

Ar ôl hanner awr o hyn daeth Robert allan o'r ystafell gysgu lle'r oedd wedi cilio i weithio. Ceisiai beidio â swnio'n flin.

'Fyddi di'n hir eto?'

Yr oedd hi wedi anghofio'n llwyr mai yno yr oedd, ac edrychodd arno'n hurt.

'Ydw i'n dy styrbio di?'

'Wel—wyt, braidd. Mae'n rhaid i mi orffen ailsgrifennu'r sgript yma i Leon erbyn yfory.'

'Mae'n rhaid i minne bracteisio ar gyfer cyngerdd y myfyrwyr.'

Ochneidiodd Robert. 'Bydd yn rhesymol, cariad. 'Dyw cyngerdd y myfyrwyr ddim am fis, o leia. Gei di bracteisio faint·fynni di ar ôl i mi fynd yn ôl i'r Coleg. *Yfory* sy'n fy mecso i.'

Gadawodd Hanna i gaead y piano ddisgyn yn chwap. Gwyddai ei bod yn ymddwyn fel plentyn, ond yr oedd Robert yn ei thrin hi fel plentyn, ac unwaith eto, yn dibrisio'i chelfyddyd.

''Dwi'n mynd i gael tipyn o awyr iach,' gwaeddodd dros ei hysgwydd, gan daflu ei chôt amdani'n chwyrn. 'Gyda lwc, byddi wedi gorffen erbyn y do' i'n ôl.'

Gan roi clep ar ddrws y fflat a chlep arall ar y drws allan, yr oedd hi yn y sgwâr a'r gwynt main yn chwythu yn ei hwyneb. Cerddodd â chamau breision, dig, i gyfeiriad yr afon.

Yn y parc bach preifat yr oedd dau blentyn yn mwynhau dydd olaf eu gwyliau. Arhosodd Hanna am ychydig i rythu'n anhapus arnynt drwy'r rheiliau. Golygfa dawel, normal. Chwaraeai'r bachgen â bat newydd, a'i chwaer fach â doli, anrhegion y Nadolig, yn amlwg. Safai'r fam gerllaw yn curo'i thraed i gadw'n gynnes. Ond newidiodd popeth yn sydyn. Yr oedd y bachgen wedi gafael yn y ddol a'i churo'n ddidrugaredd â'r bat. Dechreuodd y ferch fach sgrechian, gwaeddodd y fam ar y bachgen i beidio, ond 'chymerodd hwnnw ddim sylw. Rhedodd y fam ato a'i ysgwyd nes bod ei lygaid yn rhowlio yn ei ben.

Ond nid oedd ganddi hi neb i achub ei cham mewn ffrae gyda Robert, meddyliodd yn hunan-dosturiol. Doli oedd hi, i'w thrin fel y gwnâi'r bachgen â'r ddol. Ond erbyn hyn yr oedd bod yn dyst i ffrae arall wedi lleddfu rhywfaint ar ei dicter, a dechreuodd deimlo peth cywilydd. 'Rwyt ti braidd yn afresymol y tro hwn, meddai wrthi'i hun. 'Dydi pethau ddim cynddrwg â hynny. Pan fydd Robert wedi gorffen mi gei di ymarfer nes bydd dy fysedd di'n disgyn oddi ar dy ddwylo. Gydag ymdrech fawr, ceisiodd ddadansoddi a rhesymoli ei dicter, yn union fel y tybiai y byddai Helen wedi'i wneud.

Yr oedd unrhyw sarhad—neu yr hyn a gredai oedd yn sarhad—ar ei cherddoriaeth yn dân ar ei chroen y dyddiau hyn. Pam? Oedd hi'n colli hyder yn ei dawn? Oedd hi'n ofni yn ei chalon fod blaenoriaethau Robert yn iawn, a bod ei waith ef yn bwysicach na'i gwaith hi?

A Helen, ni fu Helen fawr o help yma. Er ei bod hi wedi trafod cerddoriaeth gyda Hanna, a dangos fod ganddi wybodaeth a barn ddiwylliedig, eto nid oedd wedi rhoi nemor ddim anogaeth i waith Hanna fel cyfansoddreg. Oedd ei mam yng nghyfraith yn adlewyrchu barn ddirgel Robert?

Teimlai'n sâl yn sydyn. Yn sicr yr oedd rhywbeth wedi digwydd yn ystod yr wythnosau diwethaf yma i danseilio ei hyder yn ei gwaith gymaint â hyn.

Ond hwyrach nad oedd a wnelo ei hansicrwydd ddim â na Robert na Helen, a'i fod yn deillio o'r cwmwl a fu rhyngddi hi a'i theulu. Yr oedd hi mor gaeth i'w theimladau, ni allai roi trefn ar ei meddyliau. Y cwbl a wyddai oedd ei bod hi'n awr fel corcyn ar y tonnau.

Rhan o'i diflastod oedd na allai symud ymlaen gyda symudiad olaf y sonata. Llanwyd y fasged sbwriel â thua hanner dwsin o gynigion, pob un yn farwaidd o ystrydebol. Hwyrach fod Robert a'i fam yn iawn, mai eilradd oedd yr addewid mawr, wedi'r cwbl.

Trodd goler ei chôt i fyny, rhoddodd ei dwylo yn ei phocedi ac aeth i syllu ar y badau ar yr afon.

Nid oedd gwell hwyl ar Robert, yntau. Teimlai'n ddig ac yn anghysurus, ac yn euog hefyd, wrth glywed y drws yn cael ei gau yn glep. Onid oedd wedi derbyn o'r cychwyn fod yn rhaid i fyfyrwraig cerdd wneud sŵn wrth ymarfer? Y fflat oedd y drwg. Rhy fach o lawer i'r ddau ohonynt. Ond yr oedd Pimlico mor gyfleus, ac arswydai rhag y dewis arall, sef symud i un o'r maestrefi fel Pinner neu Wembley. Hoffai fedru cerdded yn rhwydd i Oriel y Tate gerllaw, ac weithiau fynd ymhellach heibio i Dŷ'r Cyffredin ac i fyny'r Neuadd Wen i ganol bwrlwm y metropolis. Dim ond trwy fedru cerdded o amgylch ardal arbennig heb gymorth car neu fws neu drên y gallai dyn hawlio ei fod yn perthyn. Na, yr oeddynt yn ffodus iawn i gael y fflat yma. Ar hyn o bryd yr oedd yr un oddi tanynt yn wag, felly nid oedd raid i Hanna bryderu'n ormodol am aflonyddu ar gymdogion.

Ond nid oedd hynny'n rheswm dros iddi fod yn anystyr-iol ohono. Câi yntau flas eithriadol yn awr ar ei waith teledu, ond yr oedd wedi dysgu digon i wybod nad oedd teledwr ond cystal â'i berfformiad diweddaraf. Un cam gwag a gallai gyrfa ddymchwel. Sylweddolodd fod ei yrfa deledol yn tyfu'n bwysicach iddo bob dydd. Dyna pam yr oedd cymeradwyaeth Leon mor hanfodol. Nid oedd yn cyd-weld bob amser â rhai o'i syniadau, ond yr oedd yn dysgu cadw ei farn iddo ef ei hun. Y cwestiynau i'r awduron oedd y drafferth, yr oedd wedi'u paratoi gyda gofal mawr ond nid oedd Leon wedi'i blesio. 'Rhy esoterig, ddyn annwyl. Cofiwch am y *ratings*! Be' mae'ch gwyliwr cyffredin chi am ei glywed yw tameidiau bach blasus am eu bywyd personol, eu gwragedd, eu cariadon. O ie, a'u barn nhw am awduron eraill, yn enwedig os yw'r farn yn faleisus.'

Ond nid oedd Robert erioed wedi bod â diddordeb ym mywydau personol pobl, ac fe gâi hyn yn anodd tu hwnt. Gwasgodd y papur o'i flaen yn belen a'i daflu i'r fasged sbwriel. Cymerodd bapur glân a rhythu arno am sbel. Yna dechreuodd sgrifennu.

Yr oedd pethau'n dechrau dod i drefn pan ganodd y gloch. Tybiai fod Hanna wedi mynd allan heb ei hallwedd a rhuthrodd i lawr y staer i agor y drws iddi. Ond Paul a safai yno, a phentwr o lyfrau o dan ei gesail.

'Olreit, olreit,' meddai wrth weld wyneb braidd yn ddigroeso ei gyfaill. ''Rydw i'n gwybod 'mod i i fod i ffonio i weld ydi hi'n gyfleus.'

''Dyw hi ddim, fel mae'n digwydd,' ebe Robert. Ond yna, gwenodd. 'Ond gan dy fod ti yma—'

Safodd yn ôl er mwyn i Paul gael dod i mewn a'i ddilyn i fyny'r grisiau i'r fflat.

'Eisio gweld Hanna yr oeddwn i mewn gwirionedd.'

''Dyw hi ddim yma.'

Erbyn meddwl, yr oedd hi braidd yn hir yn dod yn ei hôl. Crychodd Robert ei dalcen wrth dremio ar ei wats.

Hanner awr wedi pedwar, a hithau eisoes wedi nosi. Bu allan ers awr a hanner, o leiaf.

'Jenny sy'n anfon y llyfrau yma iddi.'

Rhoddodd Paul y llyfrau ar ben y piano. Cydiodd Robert yn yr uchaf ac edrych ar y teitl.

'*Housekeeping with Style,*' darllenodd, a dechrau chwerthin. Cododd y llall.

'*The New Bride's Handbook.* Mawredd mawr! Hanna ofynnodd am y rhain?'

Gwenodd Paul a chododd ei ysgwyddau. Aeth i sefyll o flaen y tân i dwymo.

'Allan yn cerdded neu rywbeth mae hi,' ebe Robert. Yna ar ôl saib, ychwanegodd: 'Wedi pwdu am fy mod i wedi meiddio gofyn am faint oedd y Czerny i fod i barhau.'

'O, Arglwydd!' ebychodd Paul. 'Ond rhaid i fyfyrwraig cerdd ymarfer.'

Cododd llais Robert dôn yn uwch. 'Mi wn i hynny'n iawn. Ond mae 'na amser i bob peth. Mae gen i waith pwysig i'w wneud erbyn fory fel mae'n digwydd. Gwaith ailsgrifennu, ac mae'n gas gen i hynny. 'Dyw cyngerdd y myfyrwyr ddim tan yr wythnos olaf yn Chwefror.'

'Mae hi'n canu yno?'

'Nag ydi, ddim y tro hwn. Mae hi'n canu'r piano yn y sonata mae hi wrthi'n ei chyfansoddi i'r Iddewes honno, Judith Cassirer. Ond mae hi mewn andros o hwyl ddrwg am nad yw'r symudiad olaf yn dod o gwbl.'

Taflodd olwg anhapus ar Paul. ''Dyw pethe ddim yn hawdd yma bob amser.'

'Oeddet ti'n disgwyl iddyn nhw fod? Rhywun o'th anian di yn priodi cerddor dalentog iawn?'

''Dwi'n ei charu hi. P'run bynnag, be' sy'n bod ar f'anian i?'

Aeth Robert i ledorwedd yn y gadair. Edrychodd yn heriol ar Paul, cystal â dweud: dere, dadansodda fi. Ufuddhaodd hwnnw. Yr oedd yn falch o'r cyfle.

'Cymhlethdod Pygmalion, efallai.'

'A beth y mae hynny'n ei feddwl?'

''Rwyt ti'n ymwybodol iawn o ddiffygion pobl eraill. 'Rwyt ti'n awyddus i'w toddi nhw i mewn i'th batrwm di dy hun. Mae'n beryglus ar y gorau, ond gydag artist fe all fod yn llofruddiaeth.'

Cuchiodd Robert. Paul oedd yr unig un, heblaw ei fam, a gâi siarad mor blaen ag ef, ond yr oedd hyn yn anodd i'w gymryd.

'Gair cryf ydi llofruddiaeth.'

'Mae 'na sawl math o lofruddiaeth.'

Cododd Robert yn anniddig ac aeth at y ffenest. Rhythodd allan i'r tywyllwch.

'Mae hi'n hwyr ofnadwy. 'Sgwn i beth sydd wedi digwydd iddi?'

Nid oedd am i Paul weld ei wyneb. Ond aeth llais ei gyfaill ymlaen yn ddidostur.

'Robert, pam na siaradi di gyda hi?'

'Beth wyt ti'n feddwl?'

'Am Elise.'

Trodd Robert yn chwyrn arno. ''Rown i'n *tybio* mai rhywbeth fel'ny oedd yn dy feddwl wrth sôn am lofruddiaeth.'

Edrychodd Paul yn bryderus. 'O, *na!* Meddwl am Hanna yn unig yr oeddwn i.'

'Pam dod ag enw Elise i mewn felly?'

Ochneidiodd Paul. 'Am 'mod i'n synhwyro fod Elise yn dod rhyngoch chi'ch dau. Pam na ddywedi di'r cyfan wrthi?'

'Mae hi'n gwybod fod Elise wedi marw o alcoholiaeth.'

'Ond ddim am y gorddôs o dabledi. Ddim am yr ing ar hyd y blynyddoedd. Mae ganddi ryw fath o hawl, wyddost ti. Mi fyddai hi'n deall.'

Daeth caledwch i lais Robert. 'Wyt ti'n awgrymu mai fi oedd yn gyfrifol am y gorddôs? Wyt ti? Dyna pam 'rwyt ti'n rhygnu ar y gair ''llofruddiaeth''?'

'Robert, bydd yn rhesymol. 'Rydan ni'n dau'n gwybod mai ei lladd ei hun wnaeth Elise. Cyfuniad o alcohol a thabledi. 'Does neb erioed wedi dy feio di.' Yna ychwanegodd yn dawel: 'Ond ti dy hun. Clyw, Robert, nid y gorddôs oedd yn fy meddwl i. Dim ond canlyniad yr hyn a aeth o'i flaen oedd hynny. Mae Hanna'n rhy ifanc i wybod am erchyllterau cyfnod y rhyfel. Ond ar hyn o bryd mae hi'n ofni fod gen ti gyfrinach dywyll iawn yn dy fywyd, ac mae hyn yn ei bwyta. Dywed yr hanes wrthi. Mi fyddwch chi'ch dau yn nes a'ch perthynas yn iachach. Dywed wrthi am yr hyn a ddigwyddodd i Elise ym Mrwsel.'

Yr oedd wyneb Robert yn fulaidd.

'Am yr holl gelwyddau y bûm i'n ddigon naïf i'w coelio?'

Bu Paul yn dawel am ychydig. Yna dywedodd:

'Y drwg hefo ti, Robert, yw nad wyt ti ddim yn barod i gwrdd â'r Cysgod wyneb yn wyneb. 'Fedri di ddim maddau i Elise yn y bôn, ond 'fedri di ddim maddau i ti dy hun, chwaith. Ond 'rwyt ti'n gwrthod cydnabod hynny.'

''Rwy'n treio'i hanghofio hi. Wyt ti ddim yn gweld? Cychwyn o'r newydd gyda Hanna.'

'Ond 'fedri di ddim tra wyt ti'n cadw'r gorffennol oddi wrthi. A 'waeth i mi orffen, ddim. 'Rwyt ti'n mynd i wneud yr un camgymeriad gyda Hanna ag a wnest ti gydag Elise.'

'A hwnnw?'

'Chwarae Duw gyda hi. Plygu ei dymuniadau, malu ei syniadau ar dy faen melin dy hun.'

Dechreuodd Robert chwerthin, ond go brin bod digrifwch yn ei lais.

'Wel, wir, Paul, mae gen ti feddwl mawr ohono'i, rhaid dweud. Mae Hanna—'

Yr oedd sŵn traed yn rhedeg i fyny'r grisiau. Newidiodd Robert y frawddeg i 'Mae Hanna yna rŵan.'

Ochneidiodd Paul. Nid oedd wedi dweud hanner yr hyn yr oedd wedi'i fwriadu.

'*Mae* gen i feddwl mawr ohonot, y ffŵl. Ond 'rydw i'n rhoi rhybudd seiciatrydd i ti.'

Agorodd Hanna y drws. Yr oedd y gwynt wedi chwipio gwrid i'w gruddiau a bywiogrwydd i'w llygaid. Cydiodd rhywbeth yng ngwddf Robert wrth edrych arni. Mor ifanc ac mor dlws. Ac mor bell oddi wrtho y funud hon. Yr oedd hi wedi gloywi fwy fyth wrth weld Paul, ond nid edrychodd ar ei gŵr.

'Paul! Dyna hyfryd. 'Wyddwn i ddim dy fod ti am alw.'

'Na finne chwaith tan y pnawn yma. Mae'n ddrwg gen i 'mod i heb ffonio.'

'Ond mae'n braf cael ymwelydd annisgwyl. 'Fedra' i ddim diodde'r hen ffordd Seisnig 'ma o fynnu trefnu ymlaen llaw. 'Dwi wedi arfer efo cymdogion yn agor y drws a gweiddi "Oes 'ma bobol?" Os wyt ti'n gwybod be 'dwi'n feddwl wrth hynny.'

Yr oedd hi'n fyrlymus o siaradus, ond clywai Paul y straen yn ei llais.

'Na wn i. Un o Gymry annysgedig Caerdydd ydw i. Cofio? Ddim yn medru iaith angylion. Gyda llaw, i ti mae'r llyfre ar y piano. Gan Jenny.'

Croesodd Hanna at y piano a byseddu'r llyfrau. Cochodd ychydig wrth weld y teitlau, a chiledrych ar Robert am y tro cyntaf, ond am unwaith nid oedd arno awydd ei phryfocio.

''Rown i'n dechre becso amdanat ti.'

Edrychodd hithau arno'n iawn y tro hwn, a chyda pheth syndod. Yr oedd ei lais yn isel, bron yn ymddiheurol. Toddodd rhywbeth ynddi. Ni allai fyth ddal dig yn hir. Aeth ato a rhoi ei dwy fraich am ei wddf.

'Oeddet ti?' sibrydodd. 'Wel, dyma fi.'

Gwasgodd yntau hi ato nes ei bod hi'n griddfan. Synnai hithau at ei angerdd, o flaen Paul, ac yn fwy fyth pan ddywedodd wrthi â chrygni yn ei lais:

'Paid byth â 'ngadael i, yn na wnei?'

9

Daeth canol Ionawr a hithau yn dal heb orffen y sonata. Treuliai awr ar ôl awr yn ddi-gwsg ac yn ofidus. Ceisiai Judith, wrth siarad â hi ar y ffôn, beidio â dangos ei phryder ei hun. Prin bod y tair wythnos oedd ar ôl ganddi'n ddigon o amser i wneud cyfiawnder â'r gwaith. Teimlai'n weddol fodlon ar y ddau symudiad cyntaf erbyn hyn, ond yr olaf, yr uchafbwynt, a fyddai'n penderfynu llwyddiant neu fethiant y gwaith.

Bu Hanna mewn dagrau o rwystredigaeth yn ymgodymu â'i diffyg gweledigaeth. Gwaethygai'r sychder bob dydd fel y gafaelai panig yn dynnach ynddi.

'Mae popeth wedi mynd!' llefai wrth Robert. 'Mae hynny o ddawn oedd gen i wedi diflannu. Well i mi chwilio am waith mewn siop neu rywbeth.'

Ceisiai Robert ei chysuro drwy wneud yn ysgafn o'r peth.

'Fe ddaw'n ôl, gei di weld. Mae pawb yn mynd trwy gyfnodau hesb.'

Ond nid oedd diwedd i'r gwacter yma oedd ynddi. Gwyddai fod pob ymgais a wnâi yn ffug, yn synthetig, yn ddynwaredol. Aethai'r peth byw allan o'i chyfansoddi.

Un noson yr oedd hi wedi'i chael ei hun yn mynd ar ei gliniau wrth ochr y gwely, ond ni allai feddwl am eiriau. Oherwydd pa eiriau oedd yna i'w dweud wrth rith dychymyg? Clywai Robert yn dod i mewn i'r ystafell gysgu, a chymerodd arni fod yn chwilio am rywbeth ar lawr. Edrychodd yntau'n od arni, ond ni ddywedodd air.

Daeth diwrnod cyntaf y tymor newydd heb i'r cwmwl godi. Rhyw led-edrych ymlaen yr oedd hi gan hanner ofni dangos hynny o'r *sonata* oedd ar gael i Martin Dunn, ei thiwtor cyfansoddi. Hwyrach y byddai ef yn medru awgrymu rhywbeth a fyddai'n rhoi'r sbarc angenrheidiol iddi. Ond ofnai yn ei chalon glywed geiriau sarcastig ganddo a fyddai'n chwalu'r gwaith i gyd.

Yr oedd Judith a hithau wedi trefnu i gyfarfod yn y cyntedd cyn mynd i'w gwahanol ddosbarthiadau. Rhythodd Judith arni drwy ei sbectol.

'Hanna, 'rwyt ti'n drybeilig o lwyd. Wyt ti'n iawn?'

Ochneidiodd y llall. 'Yndw a nag 'dw.'

'Wedi bod yn gwneud gormod dros y Gwyliau?'

'Ddim wedi gwneud digon—ar y pethau sy'n cyfri. Tyrd i ni gael coffi.'

Uwchben y coffi, mentrodd Judith ofyn yr hyn oedd ym meddyliau'r ddwy ohonynt.

' 'Dwyt ti ddim wedi gorffen, felly?'

Edrychodd Hanna arni'n druenus.

' 'Dydw i ddim yn meddwl y gorffenna' i byth. 'Dwi'n gwbl sych, Judith.'

Dechreuodd Judith wneud patrymau â'i bys ar y bwrdd. Rhythai'r ddwy ar y bys yn symud, heb weld dim.

'Tybed wyt ti'n cael digon o heddwch gartre?' ebe Judith yn araf.

Torrodd Hanna ar ei thraws yn amddiffynnol.

'O, mae Robert yn rhoi pob chware teg i mi. Mae'n gefnogol iawn.'

Hyd yn oed os nad oedd hyn yn wir bob amser, rhywbeth rhwng Robert a hi oedd hynny.

'Rhaid i mi ddangos y sonata i Martin y pnawn 'ma. Os na fydd o'n—'

Gadawodd Hanna y frawddeg heb ei orffen a lledodd ei dwylo mewn ystum o anobaith.

'Ond mae'r ddau symudiad cyntaf yn rhy dda i ti roi'r gore iddi nawr.'

'Yndyn, 'dwi'n gwybod. Ond mae'r ola' fel ceisio symud un o gerrig Stonehenge.'

Syrthiodd distawrwydd rhwng y ddwy ferch. Rhoesant ambell ateb i gyfarchiad gan hwn a hon, ond yn ddigon swrth i atal neb o'r myfyrwyr eraill rhag ymuno â nhw.

'Hanna,' meddai Judith, toc. 'Ga' i awgrymu rhywbeth?'

Cododd Hanna ei phen yn gwestiyngar.

'Beth am i ti ddod i aros gyda mi am ddiwrnod neu ddau, neu ragor? Bydd Mam yn falch o'th weld. Mi gei di'r stafell gerdd yn gyfan gwbl i ti dy hun. 'Fydd ddim rhaid i ti wneud dim bwyd na gwaith tŷ na gofalu am ŵr na dim. Os na fyddi di wedi gorffen y sonata erbyn diwedd yr amser, wel, dyna'r adeg i ti ddechrau meddwl am gyfan-soddiad arall, falle. Dim nawr. 'Rydw i'n rhyw feddwl fod gormod o bethau eraill ar dy feddwl di. Rhaid i ti gael heddwch llwyr. Beth amdani?'

Yr oedd y syniad yn un hudolus. Gwyddai Hanna fod teulu Judith yn byw mewn tŷ hardd yn Hertford. Byddai cefnu ar ruthr a dwndwr traffig Llundain am ychydig yn nefolaidd. Goleuodd ei hwyneb am y tro cyntaf.

'Mi faswn i wrth 'y modd, Judith. Gawn ni weld be' ddywedith Robert.'

Edrychodd Judith yn amheus. 'Ie, wrth gwrs, ond—' Cymerodd anadl hir. 'Hanna, mae'n bwysig dy fod ti'n dod ar dy ben dy hun. Doeddet ti ddim yn meddwl i Robert ddod hefyd?'

'Nag oeddwn, wrth gwrs,' atebodd Hanna yn gyflym. Ond dweud celwydd yr oedd. Nid oedd am fod ar wahân i'w gŵr, am dair noson neu ragor, ond pan fyddai yntau dros y môr gyda'r cwmni teledu. Synhwyrodd ar unwaith, fodd bynnag, nad dyna oedd gan Judith mewn golwg, a phe bai hi'n pwyso am hyn y byddai'r gwahoddiad yn cael ei anghofio'n ddistaw bach.

'Da iawn,' ebe Judith. 'Dim byd yn erbyn Robert, cofia, ond holl ddiben y peth fyddai i ti ymddihatru o ofalon personol am gyfnod byr. 'Rydw i'n siŵr y bydd yntau'n deall.'

Gwenai Hanna ychydig wrth feddwl am Robert fel un o'i 'gofalon personol', ond yr oedd ei chalon yn dechrau ysgafnhau. Câi farn Martin Dunn yn gyntaf, yna treulio rhyw dridiau yn Hertford i roi'r cynnig olaf arni.

''Rwyt ti'n amyneddgar iawn, Judith,' meddai'n ddiolchgar.

'Mae gen i ffydd yn dy waith. Rhywbeth dros dro yw'r rhwystredigaeth hon. Mi ddiflannith os bydd yr amodau'n ffafriol.'

Trefnodd i fynd ar y dydd Llun canlynol. Rhoddai hyn ddigon o amser iddi fod yn ôl yn Llundain erbyn diwedd yr wythnos a threulio'r bwrw Sul gyda Robert.

Ond yn gyntaf rhaid oedd wynebu barn Martin Dunn. Nid oedd byth wedi dod dros ei nerfusrwydd ym mhresenoldeb y gŵr mawr hwnnw. Mawr o ran corff, yn ogystal ag athrylith. Gyda'i gnwd o wallt gwyn crychiog, edrychai'n debycach i fancwr neu wleidydd nag i gyfansoddwr enwog, ond nid oedd dim o dact y bancwr nac anniffuantrwydd y gwleidydd yn yr hyn a ddywedai wrth ei fyfyrwyr. Gallai eu croeshoelio â'i sylwadau didrugaredd. Yr oedd gan Hanna barch aruthrol i'w farn.

Rhoddodd y sonata iddo'n betrus. Diolchai yn ei chalon iddo, ddiwedd y tymor diwethaf, roi sêl ei fendith ar y rhannau cyntaf. Cafodd ei blesio ddigon yr adeg hynny i argymell i Judith a hi ei chwarae yn y cyngerdd pe bai'r gwaith wedi'i orffen mewn pryd. Ond yn awr gorfu iddo ystyried ei hymgais ddiweddaraf, a gwyddai cyn iddo yngan gair beth i'w ddisgwyl. Ar ôl munudau hir o aros, a hithau'n gallu clywed y cloc yn tician fel taran, mentrodd edrych ar ei wyneb i chwilio'i farn. O'r diwedd cododd ei ben a syllu arni am rai eiliadau. Yna:

''Doedd y Nadolig ddim yn un hapus, felly.'

Ni allai ddal. Cochodd yn boenus, ac er mawr gywilydd iddi ei hun, daeth ei dagrau gor-barod.

'Mae'n anobeithiol, mi wn,' llefodd, 'ond 'alla' i ddim—mae'n ddrwg gen i.'

Gadawodd iddi fod tra bu'n chwilio'n ffrantig am hances i sychu ei llygaid a chwythu ei thrwyn. Yna, ar ôl iddi ymdawelu peth, cymerodd ei llaw yn ei law fawr ef. Rhyfeddai hithau at y tynerwch yn ei lais.

'Weithiau bydd y poenau geni mwyaf arteithiol yn esgor ar y plentyn harddaf.'

Ni allai ei ateb, dim ond gwasgu ei law yn ôl yn ddiolchgar. Yna fe'i gollyngodd, cododd ac aeth at y piano.

''Alla' i ddim *rhoi*'r awen i chi, ond mi 'alla' i ddweud beth sy'n wan. Gwrandewch nawr—'

Ac am weddill yr awr bu'n rhwygo, dadansoddi a dangos y tyllau iddi nes bod hynny oedd ar ôl o'r symudiad yn dipiau mân. Ond yr oedd gobaith wedi dod yn ôl i Hanna. Byddai rhai dyddiau gyda Judith yn dod â'r broblem i ben.

Dringodd y grisiau i'r fflat yn ysu am gael dweud wrth Robert am gefnogaeth Martin Dunn ac am wahoddiad Judith. Yr oedd yn eistedd wrth ei ddesg, ei dei hanner ar agor, ei wallt angen ei gribo, papurau ar lawr, a llawer yn

y fasged sbwriel. Cododd ei ben am ennyd i ateb ei chyf-
archiad hapus a'i chusan, ond ni ddiflannodd y crych
rhwng ei aeliau.

'Dwn i ddim beth sy'n bod ar Leon y dyddiau hyn,'
grwgnachodd. 'Mae o fel weiren bigog. Dyma'r trydydd tro
i mi gael y sgript yma'n ôl, ac mae mor ffres i mi nawr â
chaws wedi llwydo. Y gwir amdani yw, mae'n rhy dda.
Rhy ymenyddol, yn ôl Leon. Uwch pennau'r *hoi polloi*. I'r
diawl â'r *hoi polloi* weda' i.'

Rhedodd ei law drwy ei wallt ac ochneidio. 'Mae gen i
syniad ei fod o'n ei chael hi gan y bobl sy'n dal y pwrs. Ond
fi sy'n ymddangos. Pam mae'n rhaid i fi ostwng fy safonau
fy hun i roi bwyd llwy i bobl? Eu codi nhw sydd eisio, rhoi
sbardun i'w deallusrwydd, gwneud iddyn nhw feddwl.'

Eisteddodd Hanna i lawr heb dynnu ei chôt. Teimlai'n
fflat ac yn ddiysbryd.

'Wyt ti'n difaru i ti ddechra arni?'

Rhythodd yntau arni mewn syndod.

'Nagw i. 'Rwy i wrth 'y modd gyda'r gwaith. Mi fu
popeth yn iawn tan yn ddiweddar. Ond 'does dim dal ar y
bobl teledu 'ma. Maen nhw mor oriog â'r tywydd.'

Fe ddylasai fod yn falch o'r dadrithiad hwn. Bu rhyw-
beth yn wrthun iddi yn ei ymgreinio i Leon. Ie, nid oedd
'ymgreinio' 'n air rhy gryf. Ond ni allai deimlo dim ond
gwacter, am ei fod yntau mor llawn o'i bethau'i hun, fel
nad oedd wedi gofyn gair am ei hynt hithau ar ddiwrnod
cynta'r tymor.

Fel petai ei theimladau yn ei gyrraedd am y tro cyntaf,
gofynnodd: 'Sut aeth hi heddiw?'

'Iawn.' Nid rŵan oedd yr amser i sôn am wahoddiad
Judith.

Cododd ac aeth i'r gegin. Dywedai'r cloc bach ar silff y
ffenestr ei bod hi'n ugain munud i chwech, amser i
ddechrau hwylio swper, os oeddynt am gael pryd sylwedd-
ol. Yn sydyn, sylweddolodd ei bod hi'n flinedig iawn. Ar
hyd y ffordd adref o'r Ysgol bu'n ysu am fedru mynd at y
piano, oherwydd yr oedd hedyn o syniad ganddi yn ei phen
yn awr, a'r hen gyffro wedi deffro ynddi. Ond sŵn y piano

oedd y peth olaf yr oedd Robert am ei glywed y munud hwnnw. Yn ôl pob golwg, nid oedd wedi bwyta dim drwy'r dydd. Yn y sinc gorweddai cwpanau budron y coffi a yfwyd ganddo'n ddi-baid. Trodd y dŵr poeth ymlaen a dechreuodd olchi'r llestri.

Rhyw bedair awr yn ddiweddarach yr oedd yr awyrgylch wedi gwella'n ddirfawr, a'r bwyd wedi gwneud ei waith. Eisteddai Hanna yn ei gŵn gwisgo ar lawr o flaen y tân, ei chefn yn pwyso yn erbyn ei goesau. Yr oedd hi wedi rhoi brws gwallt yn ei law, ac yr oedd yntau wedi ymlacio digon i fwynhau'r ddefod arferol o frwsio'i gwallt cyn mynd i'r gwely. Câi'r ddau bleser synhwyrus yn hyn, a arweiniai'r rhan amlaf at eu caru. Sylweddolodd Hanna fod arni lawn cymaint o angen ymlacio â'i gŵr, mwy os rhywbeth, am fod y neges nas dywedwyd eto yn codi ynddi beth nerfusrwydd.

'Robert . . .' cychwynnodd toc.

'Mm?'

'Wyt ti'n cofio Judith?'

'Wrth gwrs 'mod i'n cofio Judith. Hi a'r fiola.'

'Ie, wel, 'rwyt ti'n gwbod y fath anawstera' 'dwi wedi'u cael hefo'r sonata.'

Chwarddodd yntau. 'Mi fyddwn i'n ddall ac yn fyddar tawn i ddim.'

'Wel, mae Judith yn meddwl y byddai'n beth da taswn i'n cael llonydd perffaith am ychydig ddyddia i ddod i ben â'r gwaith.'

Daliai'r difyrrwch yn ei lais. 'Llonydd oddi wrtha' *i* oedd hi'n ei feddwl?'

'Ie . . . nage . . . llonydd oddi wrth ofalon y fflat yma, gneud bwyd ac ati.'

'A beth mae hi'n 'i awgrymu?'

Yr oedd tinc oerach yno yn awr, ond ni sylwodd Hanna. Yr oedd hi mor awyddus i ddweud ei neges.

'Mae hi am i mi fynd i aros yn ei chartre yn Hertford am ychydig ddyddia. 'Dydi o ddim o bwys gen ti os a' i?'

Yr oedd y brwsio wedi peidio, a chlywai Hanna ei

goesau y tu ôl iddi yn tynhau. Trodd ei chorff o amgylch i'w wynebu.

''Fyddwn i ddim i ffwrdd yn hir.'

Syllai'n apelgar ar linell dynn ei geg, a'r pellter yn ei lygaid. Yr oedd distawrwydd anghysurus rhyngddynt.

'Rhyw ferch od ydi'r Judith yna, 'nte?'

Ffromodd hithau ar unwaith at dôn ei lais. 'Be' sy'n od mewn rhoi gwahoddiad i ffrind fynd i'w chartre i aros?'

'Oes gynni hi gariad?'

'Be' sy a wnelo hynny â'r peth?'

'Dim, gobeithio. Ond 'doeddwn i ddim mor hoff â hynny o'r ffordd 'roedd hi'n rhythu arnat ti noson y parti.'

Agorodd Hanna ei cheg mewn syndod.

'Noson y *parti*? 'Roedd hwnnw fisoedd yn ôl. Be' aflwydd wyt ti'n ensynio?'

''Dwi'n siŵr dy fod ti'n berffaith ddiniwed, cariad. Ond 'rwyt tithe'n un am gofleidio pobl, yn ddigon difeddwl; fe allai hynny fod wedi rhoi syniade yn ei phen hi.'

'Robert!'

Safodd Hanna ar ei thraed a'i dicter yn peri iddi grynu. ''Chlywes i ddim byd butrach yn fy myw. Rhag dy gywilydd di!'

Cododd yntau'n awr a chydio ynddi.

'Paid â gwylltio. 'Rwyt ti'n greadures naïf iawn weithiau, a dyna pam 'rwy i'n dy garu di gymaint.'

Ceisiai'i gorau glas i ddod yn rhydd, ond fe'i daliai'n dynn.

'Clyw, 'rwy i wedi gweld tipyn mwy ar y byd yma nag wyt ti. Fe all fod Judith yn ddi-fai. Ond am i ti fod ar dy wyliadwriaeth 'rydw i, dyna'r cyfan.'

'Gad lonydd i mi,' ysgyrnygodd pan geisiodd ei chusanu, ''rwyt ti'n ceisio gwenwyno 'mherthynas i â'r unig ffrind sy gen i yma. Mi wyddwn dy fod ti'n eiddigeddus wrth natur, ond 'doeddwn i ddim yn disgwyl i ti fod mor . . . mor ffiaidd. 'Rwyt ti wedi bod yn erbyn Judith o'r cychwyn cynta. 'Sgen i ddim amcan pam. Dim ond bod eiddigedd yn dy gnoi di os dangosa' i unrhyw gyfeillgarwch â neb arall.'

'Nonsens!' ebe Robert, ond erbyn hyn yr oedd tinc edifar yn ei lais. 'Hwyrach i mi fynd rhy bell nawr, ond er dy les dy hunan 'rwy i'n dy rybuddio di. 'Rwyt ti mor agored a serchus gyda phawb. Mor ddi-feddwl-ddrwg.'

Meiriolodd ei dicter ryw gymaint, ond caledodd ei phenderfyniad.

'Reit, 'dwi'n derbyn dy rybudd. Ddydd Llun, mi a' i i Hertford.'

Ni allai ymddiried ynddi'i hun i ddweud rhagor, rhag ofn i'r dagrau ddod. Ond am unwaith edrychai ef yn nes at ddagrau na hi. Fe'i gollyngodd hi'n rhydd, a safai yno'n syllu ar ei chefn wrth iddi gamu i mewn i'r stafell wely. Edifarai ei enaid iddo agor ei geg. Yr oedd fel petai'r Judith yna wedi'i witsio.

Ar ôl rhuthr Llundain, braf oedd cael arafu yn awyrgylch hynafol tref Hertford. Yr oedd Judith wedi dod yno i'w chyfarfod yng nghar y teulu, car mawr du a distaw. Un o'r dyddiau oer, heulog, canol Ionawr oedd hi pan ddisgynnodd Hanna o'r bws, a phob man fel pe bai wedi'i amlinellu â phensel fain. Fel y dringai'r car fryn isel, gadawsant ar ôl res o dai gweithwyr du a gwyn Tuduraidd, a oedd yn dechrau cael eu cymryd drosodd gan bendilwyr Llundain am fod lein y relwe am gael ei hymestyn yno cyn bo hir.

Eglurai Judith hyn wrthi gyda pheth anghymeradwyaeth hen drigolyn, er mai pobl ddŵad fu ei phobl hi ei hun. Ar ôl i'r rhyfel ddod i ben yr oedd Karl Cassirer wedi manteisio ar unwaith ar y prinder siocled a fu drwy'r wlad. Dyfeisiodd felysion a oedd at ddant y rhai a amddifadwyd cyhyd. Y car moethus hwn oedd un o ganlyniadau ei ragwelediad ynghyd â'r tŷ Sioraidd ar ben y bryn.

Wrth y portico hardd fe'u croesawyd gan fam Judith, gwraig dal, gadarn ei hwyneb, ond cynnes ei chusan ar ddwy foch Hanna. Gwelai'r Gymraes olion dioddef yn llygaid mawr tywyll yr Iddewes na allai holl gyfoeth na sicrwydd ei bywyd presennol mo'i ddileu.

'Cyn gweld eich ystafell wely,' ebe Mrs. Cassirer, 'mi gewch chi weld yr ystafell gerdd. Mi wn mai honno sy'n bwysig i chi.'

Ystafell yng nghefn y tŷ oedd hon yn wynebu ar lawnt hir a choedlan y tu ôl iddi. Ni fu ymgais i gymhennu gormod ar y gerddi, ac i Hanna, y ferch o'r wlad, yr oedd rhywbeth deniadol iawn yn y ffordd y gadewid i natur gymryd ei ryddid.

Ychydig o ddodrefn oedd yn yr ystafell, fel pe i bwysleisio holl-bwysigrwydd y piano enfawr wrth y ffenestr. Yma ac acw yr oedd standiau cerdd, a miwsig yn gorwedd yn ddisgwylgar arnynt. Ar hyd un wal yr oedd silffoedd yn llawn llyfrau ac ar y silff waelod res o recordiau gramoffon. Gorweddai cas fiola Judith fel rhywbeth sanctaidd ar yr unig fwrdd.

Safodd Hanna ar ganol y llawr ac anadlodd yn ddwfn. 'O, mae'n . . . mae'n fendigedig!'

Gwenodd Mrs. Cassirer gyda balchder. 'Chi'n unig biau'r ystafell hon am y dyddiau nesaf.'

Yr oedd ei hystafell wely uwchben hon, felly yr un olygfa o frigau duon y coedydd yn y pellter a'i hwynebai. Syllodd arnynt am hydoedd a'i theimlo'i hun yn ôl yn Nhyddyn Alarch yn edrych allan ar Goed y Brenin. Llais Judith y tu ôl iddi a ddaeth â hi'n ôl i'r presennol.

'Pan fyddi di wedi dadbacio fe gawn ni fynd i lawr i gwrdd â gweddill y teulu.'

Gweddill y teulu oedd gŵr y tŷ, Karl Cassirer, a'i fab, Ben. Gwenai Mr. Cassirer arni drwy sbectol drwchus. Yr oedd rhywbeth cartrefol, cyffredin yn ei olwg, meddyliai Hanna, fel hen dedi bêr cariadlon. Oddi wrth ei mam yr oedd Judith wedi etifeddu ei dawn gerddorol. Bu'n bianydd weddol enwog yn yr Almaen yn nechrau'r tri-degau. Yn awr yr oedd ei dwylo wedi'u hanharddu gan grydcymalau. Effaith arteithio, meddai Judith. Nid oedd yr Almaenwyr yn rhy hoff o bianydd o Iddewes.

'A dyma Ben,' meddai Judith.

Gwelai ei hun yn edrych ar fersiwn wrywaidd o'i ffrind. Yr oedd ddeuddeng mlynedd yn hŷn na'i chwaer, ond yr un oedd y gwallt du trwchus, y sbectol a'r llygaid mawr, dwys y tu ôl iddynt.

'Mae'n fraint cael eich cyfarfod chi.'

Yr oedd ei lais yn isel, fel llais Judith, a'r acen Almaenaidd yn drymach na'i hacen hi. Yr oedd hyn, esboniai Judith, oherwydd iddo fynd yn ôl i'r Almaen mor fuan ag oedd yn ddiogel ar ôl y rhyfel, gan geisio chwilio hynt perthnasau'r teulu. Arhosodd yno am bum mlynedd gydag ewythr oedd wedi llwyddo'n rhyfeddol i osgoi'r gyflafan drwy ffoi i'r Swistir. Yn awr yr oedd Ben yn ôl gyda'i dad yn helpu yn y busnes melysion, ond daliai i fynd yn ôl yn achlysurol i Bafaria.

Wrth y bwrdd bwyd, am Bafaria y bu'r sgwrs, oherwydd yr oedd Ben newydd ddod yn ôl o un o'i dripiau. Holent ef yn frwdfrydig. Yr oedd yn amlwg mai yno'r oedd calonnau'r teulu hwn.

'Fuoch chi yno erioed?' gofynnodd Ben, er mwyn dod â Hanna i mewn i'r sgwrs.

'Naddo. 'Fûm i erioed dros y môr,' ebe hi'n ymddiheurol.

'Mae'n wahanol iawn i rannau eraill o'r Almaen,' ebe Judith, 'yn enwedig y Gogledd. Mae mwy o lawenydd yn y bobl, rywsut.'

'Sut mae pethau—' dechreuodd Hanna, ac yna stopiodd mewn peth dryswch. Yr oedd hi am ofyn a oedd Almaenwyr ac Iddewon yn gallu cyd-fyw erbyn hyn, ond ni wyddai sut i osod y cwestiwn.

Ond yr oedd Ben wedi deall. 'Y berthynas rhyngom ni a'r Almaenwyr ydych chi'n 'i feddwl?' Ystyriodd y cwestiwn am ychydig. 'Chwerwder a chasineb yn sicr, o'n hochr ni. Sut gallai hi fod fel arall? Euogrwydd yn dechrau staenio rhai ohonyn *nhw* fel paent coch annileadwy.'

'Mor annileadwy â'r rhifau ar freichiau Dad a Mam, gobeithio.'

Yr oedd mwy o gynddaredd yn llais Judith nag a glywsai Hanna erioed o'r blaen. Ysgydwodd Mr. Cassirer ei ben.

'Fe welwch, Hanna, fel y mae edrych i mewn i bwll du ac anadlu'r drygioni sydd ynddo yn mynd i barhau i'n gwenwyno hyd ddiwedd ein hoes, hyd yn oed Judith, oedd yn rhy ifanc i ddeall ar y pryd. Chwech oed oedd hi'n dod draw yma, ond mae hithau, hefyd, yn dioddef dros ein cenedl, yn union fel pe bai hi wedi profi'r erchyllterau'n uniongyrchol. 'Fydd yna byth ddileu ar ein cof.'

Yr oedd ei lais yn crynu gan emosiwn a'i ddwylo'n chwifio fel pe na bai geiriau'n ddigon. Torrodd llais tawel ei wraig ar ei draws.

'Dim dileu, yn sicr, ond rhaid dysgu deall ac anelu at faddeuant o ryw fath. Neu drengi'n ysbrydol.'

Rhoddodd ei llaw ar ei fraich, ac ymdawelodd yntau ychydig. Tynnodd ei sbectol a sychu'r gwydrau'n ffyrnig.

''Rydych chi'n iawn, Mam,' ebe Ben. '*Rhaid* i ni, 'waeth pa mor anodd yw hi. Hyn sy'n rhyfedd. 'Rwy'n dal i losgi o gasineb at yr hyn a wnaed i ni fel cenedl nes ei fod yn brifo hyd yn oed i feddwl am y peth. 'Rwy'n llosgi o gynddaredd at Dduw am adael i hyn ddigwydd i ni. Eto, o dro i dro, yn Augsburg mi fydda' i'n dod ar draws hen gydnabod dyddie ysgol, bechgyn yn byw yn yr un stryd â ni, Almaenwyr 'Ariaidd'. Bydd rhai yn ceisio f'osgoi, ond bydd eraill yn gwneud ati i siarad a siarad fel 'taen nhw am garthu'r gorffennol.'

Trodd at Hanna i egluro. ''Roedd gen i ffrind yn y tŷ nesa i ni, ei dad yn gyfreithiwr. Mi weles i o'r wythnos diwethaf. Ac er i siarad â fo fod bron yn annioddefol ar y dechrau, yn raddol daeth pethau yn haws, ac erbyn hyn mae fel petai'r ugain mlynedd diwethaf wedi'u dileu.'

''Rwyt ti'n gallu maddau'n well na mi,' ebe Judith.

''*Wyddwn i ddim!* Dyna'u hesgus nhw. Ac efallai eu bod nhw'n iawn. Mae gan yr Almaenwr gymaint o barch i awdurdod, 'dydi o ddim am ofyn gormod o gwestiynau.'

Syrthiodd distawrwydd ar y cwmni fel pe bai pigo crachen y gorffennol wedi peri i'r gwaed lifo unwaith eto. Mor bitw yr ymddangosai gofidiau Hanna iddi hi ei hun yn awr. Yr oedd y rhain yn gwybod beth oedd gwir ystyr dioddef.

Edrychodd ar Ben yn fyfyrgar cyn gofyn yn araf:

'Cynddaredd yn erbyn Duw, meddech chi. Allwch chi ddal i gredu ynddo fo?'

' 'Alla' i ddim,' ebe Judith.

Chwarddai Ben. 'Hanna, 'rydyn ni'n bobl od iawn. 'Rŷch chi'n gyfarwydd â Llyfr Job, mae'n siŵr gen i. 'Rydyn ni'n melltithio Duw, yn sgrechian arno, yn ei fytheirio . . . ac yna 'rydyn ni'n mynd ar ein gliniau i ofyn Iddo ein helpu ni i faddau Iddo.'

'Mae Ef yno o hyd, chi'n gweld,' ategodd Mrs. Cassirer. ' 'Allen ni ddim gwneud hebddo Fe, 'tai ddim ond er mwyn cael Rhywun i'w feio.'

Erbyn hyn yr oedd Mr. Cassirer wedi'i adfeddiannu ei hun a newidiodd y sgwrs i sôn am fywyd cerddorol ei wraig yn Fienna. Cyn bo hir yr oedd y tyndra wedi llacio.

Yr oedd hi'n fore trannoeth cyn i Hanna ei chael ei hun wrth y piano hardd ar ei phen ei hun. Buont wrthi mor hir yn sgwrsio y noson cynt fel y diflannodd yr oriau cyn iddi sylwi. Chwaraeai Ben y clarinet er na ddewisodd yntau fynd yn broffesiynol. Yr oedd ei edmygedd o allu ei chwaer ar y fiola yn ddi-ben-draw, ac yr oedd wrth ei fodd fod Hanna yn sgrifennu'r sonata iddi. Daeth gyda hi i'r ystafell gerdd i ofalu fod popeth yn hwylus yno. Gwenai Judith a dweud wrtho am beidio â ffwdanu.

'Y cwbl sydd ar Hanna ei eisio yw piano, rhesi o linellau pum llinell, a phensal.'

'A rwber,' ychwanegodd Hanna gyda gwên.

Ar ôl iddi gael y lle iddi hi ei hun, dechreuodd ganu'r piano yn dawel, nid y *sonata,* ond un o'i chaneuon cynharaf pan oedd yr awen yn bur ynddi a phopeth a wnâi yn hedfan ar adenydd. O, am gael hyn yn ôl, dim ond am ychydig, digon iddi orffen y gwaith hwn oedd yn cnoi ei pherfedd. Oedd hi'n gweddïo? Gwenodd ychydig. Byddai Mrs. Cassirer wedi dweud ei fod Ef yno o hyd.

Ar draws popeth clywai lais Robert a'i ensyniadau anghynnes. Yr oedd wedi ymddiheuro o dan deimlad y noson honno, ac yn y diwedd wedi gwneud yr hyn a allai i hwyluso pethau iddi fynd i Hertford. Ond ni allai ddileu ei eiriau o'i meddwl. Teimlai ei hun yn cael ei chlymu gan ei eiddigedd. Nid oedd hi'n eiddigeddus ohono ef, er iddo ei gadael hi am wythnosau ar y tro i fynd gyda'i waith teledu. Nid oedd hi'n *meddwl* ei bod hi'n eiddigeddus o Elise, dim ond i'r graddau ei bod hi'n chwilfrydig ynghylch yr effaith ddirgel a adawyd ar ei gŵr. Yr oedd hi am geisio ei ddeall. Sut oedd hynny'n bosibl os nad oedd o'n barod i ymddiried hanes ei fywyd iddi?

Ymysgydwodd. Pa ddiben dod i lonyddwch yr ystafell hon os gadawai i'w meddyliau ffoi'n ôl at Robert ac Elise? Tynnodd y llawysgrif allan o'i chês, a cheisio gwasgu popeth arall o'i meddwl ond y nodau o'i blaen.

Ar ôl awr a hanner daeth cnoc ar y drws. Judith oedd yno â chwpaned o goffi.

'Mynd yn well?'

'Gweddol,' atebodd Hanna. 'Mae 'na rywbeth yna, ond 'dydi o ddim—'

Gweithiai'n ffyrnig gyda'r rwber tra siaradai. 'O leia, mae o'n well. Ond Judith, er 'mod i'n deud hyn, mae'r *allegro* a'r *andante* mor dda, dydi'r *finale* 'ma ddim hanner cystal. Ddim eto, beth bynnag.'

Gosododd Judith y cwpan a'r soser ar y piano a daeth i edrych dros ysgwydd Hanna ar y nodau blêr ar y papur.

'Ga' i awgrymu—?' cychwynnodd.

'Ie?'

'Ga' i awgrymu ein bod ni'n chwarae'r *allegro* a'r *andante* gyda'n gilydd nawr. Ac yn union wedyn mi af i oddi yma a d'adael di mewn heddwch. Os cawn ni hwyl arni, dyna fydd dy obaith gorau di.'

Cytunodd Hanna'n ddiolchgar. Ar ôl iddynt yfed eu coffi tynnodd Judith ei fiola o'r cês a dechrau cywiro'r llinynnau. Yna, gan ddal llygaid ei gilydd, heb ddweud gair, i ffwrdd â nhw.

Llonnodd Hanna. Gwyddai i sicrwydd fod y *sonata* hon yn dda. Gwyddai hefyd fod Judith yn mwynhau'r cytgord perffaith rhyngddynt. Yr oedd gwên fach chwareus ar ei hwyneb wrth chwarae'r *allegro*. Yna'r *adagio*, a'r bwa'n tynnu allan y felodi synhwyrus. Clywai Hanna ddŵr oer yn rhedeg i lawr ei chefn. Chwaraeai Judith heb sentimentaleiddiwch, ond tybiai Hanna iddi glywed yn ei chwarae holl wylo'r Iddewes hon dros ei chenedl.

Ffansi, meddyliodd. Rhamanteiddio, fel arfer, am i mi gael cip ar eu teimladau neithiwr. Ond â'r nodyn hir olaf yn dod i ben, edrychodd i fyny a gwelai deimladrwydd mawr yn llygaid ei ffrind. Pwysodd Judith i lawr a'i chusanu ar ei thalcen.

'Mae'n . . .' Ond methodd â mynd yn ei blaen, dim ond ysgwyd ei phen gan ryfeddu. Yna gosododd y fiola yn y cês, ac aeth allan gan gau'r drws yn ddistaw ar ei hôl.

Eisteddai Hanna yno yn rhythu ar y llawysgrif o'i blaen. Yr oedd dwyster chwarae Judith wedi'i chynhyrfu i'r eithaf. Daeth sgwrs neithiwr yn ôl iddi, pob gair a ddywedwyd. Ond yn bennaf oll, eiriau Mrs. Cassirer. *'Rhaid dysgu deall ac anelu at faddeuant o ryw fath.'* Os gallai un a ddioddefodd gymaint ddweud hynny, onid oedd yna wers iddi hi ei hun? Yr oedd Gwion a Helen wedi ceisio dweud yr un peth wrthi, ond bu'n rhy falch ei meddwl i ymateb.

Y bore hwn yr oedd hi wedi clywed rhywbeth yn ei *sonata* na wyddai ei fod yno. Yn awr teimlai fod drws arall yn datgloi. Gwelai'n awr beth fu o'i le ar y symudiad olaf. Bu'n anelu am ddiweddglo rhy ddramatig, rhywbeth i gynhyrfu a siocio, gyda chydraniadau ansoniarus a oedd yn hollol anghydnaws â'r hyn a aethai o'i flaen. Fe ddaeth iddi o rywle fod yn rhaid iddi gyfleu maddeuant i ddiweddu'r gwaith. Nid peth cynhyrfus oedd ysbryd maddeuant, ond rhywbeth a enillid drwy boen, yn araf. Wedi iddo dyfu fe ddeuai'n gryf ac urddasol. Rhaid oedd cyfleu hynny.

Symudodd ei bysedd dros y nodau, ac yna dechreuodd roi'r alaw newydd i lawr.

Daeth Judith â brechdanau a rhagor o goffi iddi ganol dydd, ond nid arhosodd i sgwrsio. Digon iddi oedd y bywiogrwydd newydd yn llygaid Hanna a'r 'Mm!' brwdfrydig mewn atebiad i'w chwestiwn: 'Cael hwyl arni?'

Erbyn iddi nosi yr oedd fframwaith y symudiad wedi'i gwblhau. Gwyddai Hanna fod popeth yn mynd i fod yn iawn nawr. Gallai fentro ei adael am y tro. Cododd ac ymestyn ei breichiau uwch ei phen i ystwytho blinder hapus ei chorff. Aeth at y ffenestr i dynnu'r llenni, ond safodd yno am sbel i edrych allan ar y lleuad lawn uwchben y brigau.

'Diolch i ti,' sibrydodd, heb fod yn siŵr ai i'r lleuad ynteu i Dduw ei phlentyndod y diolchai.

Cyn iddi fedru tynnu'r llenni, clywodd gnoc dawel ar y drws. Daeth Ben i mewn.

'Os ydych chi'n barod i gael eich styrbio, bydd cinio'n barod ymhen rhyw chwarter awr.'

'O, diolch. Mi allwn i fwyta ceffyl!'

'Mae arna' i ofn nad ceffyl gewch chi heno, ond bydd Mam yn gwneud *Wiener Schnitzel* eitha da.'

Gwenodd arni. 'Mae Judith yn dweud fod pethe'n dod i'w lle.'

'O, ydyn, Ben! Ac 'rydw i mor ddiolchgar i chi i gyd. Mae dod yma wedi gwneud y byd o wahaniaeth.'

'Mae gan Judith feddwl mawr o'ch gwaith. Ac ohonoch chi fel person, Hanna.' Yna, yn dawel, mewn islais, ''Rydw i'n medru gweld pam.'

Arllwysai'r lleuad ei phelydrau i mewn i'r ystafell gan droi popeth yn rhithiol a hudolus. Daeth awydd dros Hanna i daflu ei breichiau am wddf y dyn hwn, ond cafodd ras i beidio. Byddai Ben wedi camddeall. Ond yr oedd ei llawenydd yn chwilio am fynegiant, ac fe deimlai gariad at bawb a phopeth yn y tŷ.

Trodd yntau olau'r lamp fwrdd ymlaen fel pe'n synhwyro y dylai dorri ar swyn y cysylltiad agos a dyfodd yn sydyn rhyngddynt. Yn y golau fe ddaeth hi'n ymwybodol o'i gwallt anniben a'i hen ddillad cyffredin, cyffyrddus.

''Fedra' i ddim dŵad fel hyn, Ben. Rhaid i mi newid.'

'Wrth gwrs.'

Ond daliai'r ddau i sefyll yno, yn gwenu ar ei gilydd am rai eiliadau. Yna aeth Ben at y drws a'i ddal ar agor iddi.

Wrth basio heibio, ni allodd ymatal. Cusanodd ef yn ysgafn ar ei foch.

''Does gennoch chi ddim syniad gymaint 'rydych chi wedi fy helpu.'

Gwyddai ei fod am ei chusanu'n ôl, ond daeth ofn drosti.

''Fydda' i ddim yn hir,' meddai dros ei hysgwydd a brysio i'w llofft.

Er na welodd Judith y *finale* eto, dathliad oedd y pryd y noson honno. Teimlai Hanna gynhesrwydd y teulu hwn yn ei lapio'i hun amdani, ac yr oedd pob tyndra ynddi wedi ffoi.

'Ga' i ffonio Robert?' gofynnodd ar ôl iddynt godi o'r bwrdd. 'Mi fydd o'n falch o gael clywed sut mae pethau wedi mynd.'

Yr oedd arni eisiau dweud wrtho ei bod hi'n bwriadu bod yn ôl erbyn nos trannoeth. Ofnai'r awydd a oedd ynddi i gael ei chofleidio gan Ben. Câi gymhennu'r *finale* gartre. Ond nid oedd ateb i'w galwad. Wel, nid oedd disgwyl iddo aros yn y fflat ar ei ben ei hun fin nos. Er hynny, yr oedd hi'n siomedig.

Daeth yn ôl i'r ystafell a chydiodd Judith yn ei dwylo.

'Wyt ti wedi blino gormod i ni gael ei threio hi?'

Nac ocdd, wrth gwrs. Byddai'n dda cael cadarnhad ei bod hi'n mynd i lwyddo. Aeth y ddwy draw i'r ystafell gerdd. Sylwodd Hanna fod Judith wedi gadael y drws ar agor, ac aeth saeth o nerfusrwydd drwyddi. Oedd hi'n barod i rai eraill heblaw Judith glywed?

Cymerodd Judith y llawysgrif ganddi a'i astudio mewn tawelwch am ryw ddeng munud. Yna cododd ei phen a nodio ar Hanna, dim ond nodio, ond synhwyrai'r olaf ryw gyffro dan reolaeth ynddi. Dechreuodd chwarae, heb gyfeiliant y piano, i gael teimlad y nodau. Yna ar ôl ychydig farau arwyddodd ei bod hi'n barod i ddechrau o ddifrif.

Nid oedd disgwyl perffeithrwydd y tro cyntaf. Bu raid stopio ac ailddechrau dro ar ôl tro i Judith gael ymgydnabod â'r patrwm. Ond ar ôl eu taith herciog tua'r diwedd, rhoddodd Judith ei fiola i lawr, ac yr oedd gwên ar ei hwyneb.

'Mae'r peth gen ti. Mae 'na undod yna nawr.'

''Dwi ddim wedi gorffan, wrth gwrs.'

'Paid â newid gormod arni. Mae 'na symlrwydd urddasol yna.'

Yn y bws ar y ffordd yn ôl i Lundain, gadawodd i'w meddwl droi at Robert unwaith eto. Rhaid iddi beidio â gweld wyneb Ben o'i blaen. Oherwydd i'r cwmwl a fu uwch ei phen godi, teimlai y gallai ddechrau o'r newydd. Rhaid iddi fod yn fwy ystyriol ohono a pheidio â gwylltio mor rhwydd. Wedi'r cwbl, codai'r eiddigedd oedd ynddo o gariad ati, ac fe ddylai fod yn ddiolchgar am hynny.

Hymiai'n isel wrthi ei hun fel y trodd y bws i mewn i'r orsaf. Edrychodd ar ei wats. Hanner awr wedi chwech. Go brin y byddai adre, gan na fyddai yn ei disgwyl. Gorau oll. Câi ei thwtio ei hun a thwtio'r fflat, ei ddisgwyl gyda gwên a chusan ailddechrau.

Golwg ddigon digalon oedd ar ei chartref ar ôl moethusrwydd y tŷ Sioraidd, y llenni'n ymddangos yn llipa a llychlyd, y gadair fawr gyfforddus—cadair Robert—yn dechrau dangos ei pherfedd gwlanog. Aeth drwodd i'r llofft i dynnu ei chôt a dechrau gwagio'i chês. Nid oedd Robert wedi cyweirio'r gwely ac yr oedd ei byjamas a phâr o socs ar lawr. Pan aeth i'r gegin gwelodd fod llestri budron wedi eu pentyrru yn y sinc. Ochneidiodd yn ysgafn ac aeth yn ôl i'r ystafell fyw i droi'r tân nwy ymlaen.

Ar y bwrdd gorweddai llythyr a'r amlen wrth ei ochr wedi'i rhwygo'n ddwy. Cododd Hanna'r llythyr yn chwilfrydig, yna, wrth weld ei fod wedi'i gyfeirio i Robert, fe'i rhoddodd i lawr. Cofiai fel y codasai Paul ei aeliau pan grybwyllodd wrtho ei bod hi wedi ceisio darllen y llythyr i Elise. Ond ar unwaith dechreuodd ddadlau â hi ei hun. Pe bai hwn yn breifat iawn ni fyddai Robert wedi'i adael yn agored fel hyn i bawb gael ei weld. Yna fe'i hatgoffodd ei hun nad oedd yn ei disgwyl hi. Bu chwilfrydedd yn drech na chydwybod ac fe'i darllenodd. Llythyr byr a chyfeillgar ddigon ydoedd, ond yr oedd y neges yn amlwg.

Annwyl Robert, —Dim llwyddiant, mae arna' i ofn. Mae Lance yn gwbl bendant, er i mi dreulio neithiwr ar ei hyd yn cydwledda ag o, i geisio cael ganddo newid ei feddwl. Nid y cynnwys yn gymaint sydd ar fai, ond y cyflwyniad. Dyna'i farn, ac mae'n rhaid i mi gydnabod fod rhywfaint o sail i hynny. Dawn arbennig iawn yw'r ddawn i gyfathrebu ar y teledu. Mae un ai gennych chi neu 'dyw e ddim. Gwn mor siomedig fyddwch chi, ond, wrth gwrs, fe gewch dâl am y gwaith a wnaed eisoes. Ni wn beth y mae'n bwriadu ei wneud â'r rhai sydd yn y can yn barod. Cofion fil, Leon.

Syllodd Hanna ar y darn papur yn ei llaw, yn ceisio dyfalu beth yn union fyddai hyn yn ei olygu. Nad oedd y gyfres ddim yn mynd i gael ei dangos o gwbl? Am wastraff arian! Hyn oedd ei hadwaith cyntaf. Yna llifodd dicter at Leon a thosturi at ei gŵr drosti. Bu ef mor falch o'r gyfres deledu hon, mor sicr ei fod ar drothwy gyrfa newydd. Yr ergyd i'w falchder oedd y peth gwaethaf. Hyd yn hyn nid oedd Robert wedi methu mewn unrhyw beth yn ymwneud â'i waith. Y drwg oedd y byddai'r methiant hwn yn un cyhoeddus, gan i'r gyfres arfaethedig gael peth sylw eisoes yn y papurau.

Beth a wnâi? Cymryd arni na ddarllenodd y llythyr a gadael iddo ddwued wrthi yn ei amser ei hun? Ond yr oedd y llythyr ar y bwrdd mor amlwg. Byddai Robert yn gwybod yn iawn iddi ei ddarllen. O leiaf fe arbedai hynny yr embaras o orfod dwued wrthi. Yn anad dim, rhaid iddi gynnal ei falchder. Ei gofid nawr oedd nad oedd hi, ei wraig, wrth law pan ddaeth y newydd hwn. Ble 'roedd o rŵan, tybed?

Aeth i orffen dadbacio a gwneud y gwely, ei holl iwfforia blaenorol wedi diflannu. Erbyn iddi olchi'r llestri a pharatoi mymryn o swper yr oedd hi'n wyth o'r gloch a dim golwg ohono. Nid oedd chwant bwyd arni, a gwnaeth y tro ar gwpaned o goffi.

Pan ganodd cloch y teleffon, rhedodd ato. Llais Paul oedd yr ochr arall.

'Hanna! 'Wyddwn i ddim dy fod ti gartre.'

'Na, mi ddois i'n annisgwyl. Paul, lle mae Robert? Wyt ti'n gwybod?'

'Dyna pam 'rown i'n ffonio. Fe ffoniodd gynnau a gofyn a gâi o ddod draw yma. Ond 'roedd hyn ddwyawr yn ôl, ac mae e heb droi lan eto.'

'O'r mawredd! Paul, mae o wedi cael siom fawr heddiw. 'Ddywedodd o?'

'Wel, dim llawer, ond 'rown i'n ame nad oedd llawer o hwyl arno fe. Dyna pam 'rown i'n becso braidd.'

'Ble gall o fod wedi mynd?'

Ar ôl ennyd o ddistawrwydd, meddai Paul: 'Fe af i draw i'r *Lamb*. Mae'n bosib 'i fod e yno. Wedi cyfarfod rhywun wrth fynd heibio, falle.'

'O, diolch, Paul. Rho wybod i mi, wnei di?'

'Wrth gwrs.'

Awr yn ddiweddarach, ffoniodd Paul i ddweud fod Robert gyda Jenny ac ef yn eu fflat.

'Ydi o'n iawn?' gofynnodd Hanna'n betrus.

'Mi fydd, cyn bo hir.'

'Wedi . . . wedi meddwi wyt ti'n feddwl?'

''Fyddwn i ddim yn rhoi'r peth mor gryf â hynny. Mae o wedi llyncu tropyn bach mwy nag arfer.'

'Wyt ti am i mi ddŵad i'w nôl o?'

'Na, mi ddo' i ag e draw yn fy nghar. 'Roedden ni am iddo aros yma dros nos, ond pan ddeallodd dy fod ti wedi cyrraedd, 'fedren ni mo'i gadw fe.'

Nid oedd hi erioed wedi gweld ei gŵr yn chwil, ac yr oedd hi'n nerfus iawn yn aros amdano. Un cymhedrol iawn fu Robert erioed, bob amser mor hunanfeddiannol, byth yn gwylltio drwy ei holl stormydd hi. Teimlai fel pe'n disgwyl dieithryn i'w chartre. Daeth holl ofnau ei magwraeth yn erbyn 'y ddiod' i'r golwg. Ni wyddai sut i ymddwyn yn wyneb y gwendid anarferol hwn a fradychid ynddo. Rywsut yr oedd rhywbeth anaeddfed yn y syniad o feddwi i foddi siom, ac yr oedd yn beth cwbl ddieithr i'r

Robert a adwaenai hi. Rhaid bod methiant dyn balch yn effeithio'n waeth arno nac ar yr ansicr a'r dihyder.

Wel, mi fyddai hi'n dyner iawn, yn ei helpu i'r gwely, efallai, a pheidio â dangos dim dicter. Dyma'r tro cyntaf iddi deimlo'n gryfach nag ef. Mi fyddai fel plentyn iddi heno, a hithau'n arllwys olew ar ei boen meddwl.

Yr oedd yn tynnu am hanner nos pan glywodd y drws allan yn agor a sŵn traed yn dod i fyny'r grisiau. Yr oedd Paul wedi dod gydag ef.

Daeth ton o ryddhad drosti pan ddaeth y ddau ddyn i mewn i'r fflat. Fel y mae dychymyg yn codi bwganod heb fod eisiau! Nid oedd golwg rhy ddrwg arno, ei wallt yn fwy anniben nag arfer a'i wyneb yn llwytach, dyna i gyd.

Ond yr oedd mewn ysbryd ymosodol.

'Pam na faset ti wedi dweud dy fod ti'n dod adre heno?'

Dyna'i eiriau cyntaf iddi, ac ar unwaith, yr oedd eu perthynas wedi newid yn ôl i'r hyn a fu, hi ar fai ac yn amddiffynnol, ac yntau'r meistr a oedd bob amser yn iawn.

'Mi dreiais i, ond 'doedd dim atab.'

Ceisiai gadw ei llais yn naturiol, ond ar ei gwaethaf yr oed gwich blentynnaidd wedi dod iddo.

Nid cusan fel yr oedd hi wedi'i ddychmygu a gafodd, ond cyfarchiad defodol, hwyrach am fod Paul yno, hwyrach am fod Robert yn ceisio cuddio'i embaras.

'Be' ddigwyddodd felly?'

Nid dyna beth yr oedd hi wedi bwriadu ei ddweud, ond ni adawsai Robert iddi ddangos y tynerwch yr oedd hi wedi'i arfaethu. Paul oedd yr un a'i hatebodd oherwydd yr oedd ei gŵr wedi mynd drwodd i'r tŷ bach.

'Cyfarfod Bob Handley ar ei ffordd o'r tiwb wnaeth e.'

'Y dyn papur newydd 'na?'

Yr oedd eu lleisiau'n isel ond yr oedd Robert wedi gadael y drws yn agored. Daeth ei lais atynt yn sarrug.

'Ie. Yr hen sôc methedig 'co. Cwmni addas i rywun fel fi.'

'Ydi o'n iawn?' sibrydodd Hanna wrth Paul.

'Bydd yn amyneddgar. Mae e wedi cael cnoc.'

Daeth Robert yn ôl gan gau botymau ei falog. Dyma beth anghydnaws arall, ond ceisiodd Hanna wenu arno a gofyn yn ysgafn:

'Gad i mi glywed y stori i gyd.'

Anwybyddodd Robert hyn. 'Whisgi, Paul?'

'Dim diolch. Rhaid i mi—'

Dechreuodd Robert chwerthin a thorri ar ei draws.

'Wyt ti'n cofio rhoi cyngor i mi rywdro? "Paid byth ag ymddiheuro, paid byth ag egluro".'

Os oedd hyn i fod i roi taw ar gwestiynau ei wraig, fe lwyddodd. Ni wyddai beth i'w ddweud yn awr. Safodd yno'n edrych yn anhapus ac yn ansicr.

Edrychai Paul o'r naill i'r llall, yr un mor ansicr.

'Wel, fe af fi, felly.'

Peth rhwng gŵr a gwraig ar eu pennau eu hunain oedd hyn, heb ymyrraeth neb o'r tu allan. Gwrthododd gynnig hyd braich Hanna i aros i gael paned o goffi cyn cychwyn, ac aeth am y drws.

Galwodd Robert ar ei ôl. 'Diolch i ti.'

Medrodd Paul wenu. 'Unrhyw amser.' Yna trodd at Hanna. 'Paid â dod i lawr. Mi gaeaf y drws ar f'ôl.' Ac yr oedd wedi mynd.

Aeth Hanna i mewn i'r llofft i dynnu amdani. Dyheai am y bore pan fyddai'r dyn dieithr oedd yma gyda hi yn ef ei hun unwaith eto. Daeth yn ôl i'r ystafell fyw yn ei gŵn gwisgo. Yr oedd Robert yn pwyso'n ôl yn ei gadair, ei lygaid ynghau. Gorweddai llythyr Leon o hyd yn agored ar y bwrdd.

'Fe welest ti'r llythyr, felly?' meddai heb agor ei lygaid. Petrusodd hithau am ennyd cyn ateb.

'Do. Mae'n ddrwg gen i, Robert.'

'Ym. Wel, dyna ddiwedd ar bennod arall o 'mywyd i.'

'O, 'dwn i ddim. Fe ddaw cyfle eto.'

'Hy!'

Yr oedd yn rhaid iddi bontio'r gagendor oedd rhyngddynt. Daeth i benlinio yn ei ymyl a rhoi ei phen ar ei liniau.

'Mi allwn i ladd y Leon 'na.'

'O, nid y fe sydd i ddweud. 'Roedd e'n ceisio lapio'r peth i fyny'n reit ddeche, on'd oedd?'

'Oedd y llythyr yn sioc i ti?'

'O . . . fi oedd yn dwp. 'Roedd Leon wedi anfon signals ers wythnose, ond dim ond nawr rwy i'n sylweddoli hynny. Y blydi gwastraff amser sy'n fy mlino i.'

Yr oedd arni eisiau ei gysuro drwy ei atgoffa ei fod o leiaf wedi cael cyfle i deithio a chyfarfod llenorion ar gorn y gyfres, peth na ddeuai iddo yn ei swydd fel darlithydd, ond ymataliodd. Edliw fyddai hynny, nid cysuro. Lapiodd ei breichiau am ei goesau a sibrydodd:

'Tyrd i'r gwely.'

Ond dal i orwedd yno a wnâi, diflastod ym mhob cymal o'i gorff.

' 'Dydw i ddim wedi meddwi.'

'Nag wyt, mi wn.'

' 'Does dim rhaid i ti fy nandlwn i.'

Tynnodd ei breichiau'n ôl fel petaen nhw wedi'u llosgi. Yr oedd hi wedi'i dolurio. Ar unwaith, yr oedd yntau wedi difaru. Dechreuodd anwesu ei gwallt, y symudiad cyntaf tuag ati y noson honno. Ond yr oedd ei feddwl yn dal ar ei chwerwder.

'Methu cyfathrebu. Dyna beth maen nhw'n ddweud. Diawl erioed, beth arall wy i wedi bod yn 'i wneud ar hyd 'y mywyd?'

Yn sydyn, yr oedd wedi codi ar ei draed. Dododd ei ddwy law o dan ei cheseiliau a'i chodi hithau ar ei thraed yn drwsgl. Pwysodd ei gorff yn erbyn ei chorff hi fel pe i'w thynnu i mewn iddo.

'Rŷn ni'n cyfathrebu â'n gilydd, on'd ŷn ni?'

Yr oedd rhywbeth yn egr yn ei lais fel pe'n ei herio hi i ddweud yn amgenach. Ydan, fel hyn, meddyliai. Prin fel arall. Ond fel arfer yr oedd ei chorff yn ymateb ac yn toddi i'w gorff. Dechreuodd riddfan yn isel. Nid oedd tynerwch yn ei garu heno. Awydd i deimlo ei feistrolaeth drosti ydoedd. Ni allai aros i fynd drwodd i'r ystafell wely. Suddodd y ddau ar lawr. Clywodd ei law ar ei chlun noeth. Cofleidient ei gilydd yn orffwyll, rhwng dagrau a chwerthin, nes cyrraedd y rhyddhad.

Gorweddent yno, a'r tân nwy yn taflu ei gochni ar eu cyrff. Dechreuodd Hanna chwerthin yn dawel. Mor ddigri oedd bywyd, ond mor ogoneddus! Teimlai i'w chwerwder gilio, dros dro, efallai, ond yr oeddynt yn un unwaith eto.

10

Ni chafodd fawr o amser yn ystod yr wythnosau nesaf i feddwl sut yr oedd Robert yn dygymod â'i siom. Digon iddi oedd ei fod yn treulio llawer mwy o amser yn y Brifysgol, arwydd ei fod wedi sylweddoli ym mhle y gorweddai ei dalentau, gobeithio. Amdani hi, yr oedd hi a Judith wrthi'n ymarfer y *sonata* bob munud posibl.

Ar ôl rhyw wythnos o waith caled wedi cyrraedd adref o Hertford, gwyddai nad oedd modd iddi wneud rhagor ar y *finale*. Erbyn hynny nid oedd ganddi hi ei hun farn, bellach, ai da ai methiant arall oedd y symudiad. Ond yr oedd Judith yn frwdfrydig. Yn bwysicach fyth, yr oedd Martin Dunn wedi ei ganmol. Gwelai ynddo'n awr undod a chyfanrwydd. Tyfodd y *finale* yn ddatblygiad naturiol o'r thema gyntaf, meddai, yn goron ar y cwbl.

Daeth y llythyrau wythnosol arferol gan ei mam, ac ambell un gan Gwion, yn llai aml nag o'r blaen, ond bob tro yn gofyn pryd yr oedd hi am fynd i fyny atynt. Sgrifennai hithau, yn ei thro, hanes y *sonata* a'i hymweliad â Hertford, ond soniodd hi ddim am frawd Judith. Fe'i câi hi'n anos bob wythnos i feddwl am rywbeth i'w ddweud. Yr oedd ei byd yma'n mynd yn bellach, bellach oddi wrth Bengele. Byddai'n rhaid iddi fynd yno rywbryd cyn bo hir. Rhaid oedd adfer yr hen berthynas a chymodi â'i thad.

Daeth y diwrnod o'r diwedd. Yr oedd hi wedi mynd i gael gwneud ei gwallt yn y bore, ac wrth ddod oddi yno, gwelai ffigur cyfarwydd.

'Nansi! Dyma ddynas ddiarth!'

'Hylô, Hanna. Nid arna' i mae'r bai. 'Dwi wedi trio dy ffonio di 'wn i ddim sawl gwaith.'

Fe allai hynny fod yn wir, ond gwyddai Hanna fod y dieithrwch a dyfodd rhyngddi hi a Nansi'n anochel ar ôl helynt ei thad, ac yn arbennig ar ôl iddi ddatgan nad oedd hi am fynd i'r capel eto. Nid oedd cyswllt arall ar ôl.

''Rwyt ti'n edrych yn dda, Hanna.'

'Newydd fod yn cael set. Mae gen i gyngerdd heno.'

'O . . . pob hwyl i ti, 'nte?'

Safai'r ddwy yno yn chwilio am rywbeth i'w ddweud wrth ei gilydd. Nansi dorrodd y distawrwydd.

'Ddrwg gen i glywad am Gwion.'

Aeth saeth oer drwyddi.

'Be' am Gwion?'

Yr oedd Nansi wedi cochi. 'Wel, 'dydi o ddim yn rhy dda, yn nag ydi?' meddai'n ofalus.

'Wyt ti wedi clywad rhwbath gwaeth na hynny?'

Clywai ei llais yn ddieithr ac yn bell. Nid oedd am glywed yr ateb. Ond yr oedd hi mor amlwg fod Nansi'n dweud celwydd pan atebodd gyda chwerthiniad bach embaras, 'Na, na. Dim ond ei fod o'n cwyno braidd. Ond mi wyddost fel y bydd pobl yn siarad ar 'u cyfar.'

Cofiodd ei breuddwyd effro y noson y cyrhaeddodd Helen cyn y Nadolig. Gwion yn cael ei sathru dan garnau ceffyl mawr du. Ond yr oedd hi wedi gwthio'r freuddwyd o'i meddwl. Yr oedd hi ar fai, yn llawn o'i phethau ei hun. Ar unwaith yr oedd arni eisiau cael gwared â Nansi, a rhedeg adre i ffonio. Gwnaeth esgus cyflym gan wybod y byddai Nansi wedi synhwyro'r rheswm dros ei brys i fynd, a hwyrach yn falch o gael gwared â hithau.

Ei mam atebodd y ffôn. 'Gwion . . .?' Ailadroddodd yr enw yng nghwestiwn Hanna.

'Ie, Mam, be' sy'n bod ar Gwion?'

'Wel, 'dydi o ddim yn *rhy* dda, Hanna—'

''Dwi'n gwbod hynny. Ond faint mor ddrwg ydi o? Be'n union sy'n bod?'

Bu distawrwydd yr ochr arall i'r lein am ychydig eiliadau.

''Does dim rhaid i neb boeni. Heno mae dy gyngerdd di, yntê?'

'Ie, ond—'

'Wyt ti'n edrych ymlaen, cyw? Mi fyddan ni'n meddwl amdanat ti.'

'Mam, 'dwi am—'

'Dyna ti, 'ta. Mi ro'i alwad i ti fory, i gael gwbod sut aeth petha. Pob hwyl i ti, cariad. Brysia adra pan fedri di.'

'Mam—!'

Ond yr oedd ei mam wedi rhoi'r ffôn i lawr.

O, yr oedd hyn yn annheg! Yn waeth o lawer na phe bai hi wedi dweud y gwaethaf. 'Dim rhaid i neb boeni.' Ond tybed? Mor anodd oedd cael gwybod y gwir ar y ffôn. Gallai llais fradychu ryw gymaint, ond dim ond trwy weld mynegiant wyneb y câi rhywun ddyfalu'r gwir. Wrth gwrs, yr oedd yn gas gan ei mam y teleffon, am ei bod hi ychydig yn drwm ei chlyw, ac felly byddai bob amser yn swnio braidd yn gwta ac yn torri'r sgwrs yn fyr. Ond pam na châi hi fod wedi siarad â Gwion ei hun? Yr oedd hi'n ymwybodol yn awr, â pheth cywilydd, nad oedd hi wedi ffonio adre ers wythnosau. Rhag ofn i'w thad ateb, oedd y rheswm a roes iddi hi ei hun. Dibynnai ar lythyru yn bennaf, ac ar y galwadau a wnaed ganddyn nhw. Sylwedd-olodd gyda sioc nad oedd wedi clywed llais Gwion ers Noswyl Nadolig.

Yr oedd Judith a hithau wedi cytuno i beidio ag ymarfer cyn y cyngerdd er mwyn iddynt gael llonydd gartre i orffwys a gwisgo'n hamddenol. Ond yn awr yr oedd yn ddrwg ganddi am hyn. Ni fyddai Robert yn cyrraedd adre tan bump, felly yr oedd y prynhawn i gyd ganddi i hel meddyliau ar ei phen ei hun.

Fwy nag unwaith, fe aeth at y ffôn a sefyll yno'n syllu arno, fel pe câi ei hateb gan y teclyn du o'i blaen. Clywai gnoi yng ngwaelod ei stumog. Yr oedd ei dwylo a'i thraed fel talpiau o rew.

Pam 'roedd yn rhaid iddi fod wedi cyfarfod Nansi heddiw o bob diwrnod? Ni allai fwyta. Syllai arni hi ei hun yn y drych a gwelai wyneb llwyd, pryderus. Yn waeth na'r cwbl, yr oedd ei dwylo wedi dechrau crynu. Sut yn y byd yr oedd hi'n mynd i wneud cyfiawnder â'r *sonata*? Bu rhyw felltith ar y gwaith hwn o'r cychwyn cyntaf. Rhaid iddi gael rhywbeth i atal y cryndod. Nid oedd hi erioed wedi defnyddio *pheno-barbitone* neu *benzedrine* fel y gwnâi rhai o'r myfyrwyr eraill, a 'doedd aspirin ddim yn cyd-fynd â'i stumog. Brandi oedd yr ateb.

Aeth at y cwpwrdd a thywallt jochaid i wydr. Clywai'r hylif yn llosgi ei ffordd drwy ei chorff, a chyn bo hir yr oedd y crynu wedi tawelu. Yr oedd hi ar fin tywallt jochaid arall i wneud yn siŵr, pan ddaeth Elise i'w meddwl. Ai dyma'r ffordd y dechreuodd helyntion honno? Boddi gofidiau. Yna cofiodd ei syndod dirgel gynnau at ŵr cryf fel Robert yn ceisio dianc oddi wrth ei siom drwy yfed. Rhoddodd y gwydr i lawr heb ei ail-lenwi.

Aeth i eistedd wrth y piano a dechrau chwarae. Cyn bo hir yr oedd ei meddwl a'i chorff yn llawer tawelach. Hyn, yn y diwedd, oedd y cyffur gorau iddi hi.

Ond yn nes ymlaen, pan oedd hi wrthi'n gwisgo'r gŵn melyn llaes yr oedd hi wedi'i ddewis gyda Robert yr wythnos cynt, llifodd ei gofid am Gwion yn ôl. Mi a' i adre yfory, meddyliodd, i gael gweld drosof fy hun. Yna gan gau ei llygaid a gwasgu ei dyrnau, clywai ei hun yn sibrwd yn angerddol:

'Os wyt Ti yna, gwranda. Paid â gadael i Gwion farw. Mae'n rhy ifanc. Mae'n rhy dda. Mi fyddwn i ar goll hebddo fo. Dim ots gen i am y cyngerdd heno, nac am ddim o 'ngherddoriaeth i. 'Dwi'n fodlon i bopeth fod yn fethiant os caiff Gwion fod yn iach. Plîs, Dduw . . .'

Robert oedd yr un i roi ei thraed ar y ddaear unwaith eto. Pan glywodd am ei bwriad i fynd i Bengele drannoeth yr oedd wedi'i darbwyllo hi'n dawel i gymryd pwyll.

'Aros i weld beth fydd gan dy fam i'w ddweud fory, gynta. Hwyrach dy fod ti'n mynd o flaen gofidiau unwaith eto, fel y byddi di.'

A hwyrach ei fod o'n iawn a'i bod hi wedi gweithio'i hun i fyny oherwydd ei chydwybod euog am ei hesgeulustod yn ystod yr wythnosau diwethaf.

Yr oedd hi'n falch o'i gwmni y tro hwn. O leiaf, meddai wrthi'i hun—ac ar unwaith teimlodd yn euog am ei bod hi'n falch—'fydd o ddim o hyn allan yn debyg o'i heglu hi am y Cyfandir neu'r America gyda'r criw teledu 'na.

Nid oedd wedi sôn fawr am y peth ers iddo dderbyn llythyr Leon, ond yr oedd newid ynddo. Cymerai ofal wrth siarad fel pe bai ei ddrwgdybiaeth o bobl wedi cynyddu'n ddirfawr. Wel, pwy oedd yn mynd i'w feio? Fe deimlai hithau hefyd ddiflastod mawr â gwerthoedd tinsel y byd teledu.

Ciledrychodd Judith arni braidd yn betrus, gan mor amlwg oedd y straen arni.

'Wyt ti'n olreit? Nerfus, ie?'

'Wrth gwrs 'mod i'n nerfus,' atebodd hithau'n finiog. Nid oedd am sôn am ei phryder wrth Judith cyn iddynt chwarae, rhag ofn aflonyddu ar honno. 'Gobeithio dy fod tithau hefyd. 'All neb chwarae'n dda heb nerfau.'

Bu raid aros yn hir, gan mai'r *sonata* oedd yr eitem olaf. Eisteddai Judith yn llonydd yn ei chadair, ond camai Hanna yn ôl ac ymlaen. Yr oedd gwres mawr yn ei phen ac eto teimlai'n oer. Gofidiai yn ei chalon na fu iddi adael i James chwarae. Fy malchder yn gofyn am y gosb hon, meddyliai.

Ond yn union cyn mynd ar y llwyfan, daeth teimlad rhyfedd drosti, yn union fel pe bai rhywun wedi rhoi llaw gysurlon arni. Ymdawelodd yn llwyr. Yna llanwyd hi â rhyw iwfforia rhyfeddol. Gwyddai y byddai popeth yn iawn. Gwenodd ar Judith a sibrwd: 'Lwc dda i ni'n dwy?'

Edrychodd honno arni'n llawn rhyddhad. Cerddodd Hanna at y piano â chamau ysgafn, ei phen yn uchel. Cywirodd Judith ychydig ar ei hofferyn, a chydag edrychiad cyflym ar ei gilydd, yr oeddynt wedi dechrau.

Yr oedd yr un angerdd, a mwy, yn y fiola ag a glywsai yn nhŷ Judith y diwrnod hwnnw, yr *allegro*'n fellten yn cyhoeddi tymor newydd, yr *andante* fel llyn llonydd dirgel, hiraethlon. Wrth aros rhai eiliadau rhwng y symudiadau yr oedd y ddwy ferch yn ymwybodol o undod trydanol rhyngddynt a'r gynulleidfa.

Y *finale* yn awr! Hwn fyddai'r prawf. Yr oedd ei meddwl yn glir yn awr o bob dim ond y miwsig a'r gair 'maddeuant' a fu'n allwedd i'r cwbl. Diolchai am rywun fel Judith oedd wedi deall ei meddwl i'r dim, wedi treiddio i'w hisymwybod. Clywai Hanna bethau heno nad oedd hi wedi breuddwydio eu bod yn y darn.

Wrth sefyll gyda'i ffrind wedyn i dderbyn cymeradwyaeth fyddarol y gynulleidfa, teimlai'n wan ac yn grynedig unwaith eto. Yna gwelodd Robert. Yr oedd yn rhythu arni o ganol y dorf, ei lygaid yn disgleirio ac yn tyllu i mewn iddi. Nid oedd gwên ar ei wyneb, ond yr oedd yn curo dwylo gyda'r lleill.

Y cyntaf i ddod i ystafell y perfformwyr wedyn oedd Ben. Cofleidiodd Judith yn gynnes. Yna, ar ôl mymryn o betruster, gwnaeth yr un modd â Hanna.

Nid oedd raid iddo ddweud dim. Yr oedd eraill yno wrth ei sodlau, yn llongyfarch, yn chwerthin, yn gweiddi, yn cusanu. Yr oedd fel petai'r gynulleidfa i gyd wedi heidio y tu ôl i'r llwyfan i longyfarch y ddwy. Yn eu plith yr oedd Martin Dunn. Gwenai o dan ei aeliau ffyrnig.

'Fe drodd yr hwyad fach hyll yn alarch, on'd do?'

O'r diwedd yr oedd hi a Judith yn rhydd. Fe'u harweiniwyd nhw'n benderfynol allan o'r ystafell gan Ben ac i gyfeiriad y cyntedd. Ar y ffordd yr oedd Judith wedi aros am ennyd i siarad ag un o'r myfyrwyr. Cydiodd Ben ym mraich Hanna, a murmur:

'' 'Doedd dim achos pryderu, yn nag oedd, Hanna?'

Yr oedd rhywbeth yn hynod mewn clywed ei henw gyda'r oslef Almaenaidd. Edrychodd i fyny arno â gwên gynnes.

'Diolch i chi a'ch teulu, Ben.'

Ni allai beidio â theimlo cynnwrf wrth synhwyro'r agosrwydd rhyngddynt. Gwyddai iddo deimlo atyniad mawr ati, ac yr oedd digon o fenyweidd-dra yn ei natur i fynnu ymateb iddo.

Gwyliai Robert nhw o waelod y coridor. Yr oedd wedi mynd i aros amdani yn y cyntedd am fod rhywbeth yn wrthun iddo mewn bod yn un o'r dorf ar y ffin. Wrth i Hanna sylwi arno, ymryddhaodd ar unwaith, yn euog, oddi wrth fraich Ben. Ni symudodd Robert i'w cyfarfod, ond yr oedd ei gyfarchiad i Judith yn ddigon serchus.

'Dyma Ben, fy mrawd,' ebe hi.

Ysgydwodd y ddau ddyn ddwylo ac yna trodd Robert at Hanna.

'Gwych, cariad!' meddai, a'i chofleidio. Clywai Hanna rywbeth meddiannol, garw yn ei gofleidiad, ac yna fe'i ceryddodd ei hun. Onid naturiol oedd i ŵr amlygu balchder o'i wraig? Ond nid oedd ef wedi llongyfarch Judith.

Heb ymgynghori â Hanna, gwrthododd gynnig Ben i fynd â nhw adre yn ei gar.

'Mae 'na ddigonedd o dacsis, diolch.'

Synhwyrai'r brawd a chwaer nad oedd Robert yn awyddus am eu cwmni, ac ar ôl cusan ffurfiol i Hanna, aethant i chwilio am eu car.

Yn y tacsi, er ei bod hi'n teimlo ychydig yn flin oherwydd ei agwedd oeraidd at y ffrindiau a fu mor garedig wrthi, penderfynodd anwybyddu hyn. Pwysodd ei phen ar ei ysgwydd, a rhoddodd ef ei fraich amdani.

Toc, meddai ef wrthi mewn llais gwastad:

''Doeddet ti ddim wedi sôn am frawd Judith.'

Aeth saeth o euogrwydd drwyddi, ond ceisiodd gadw ei llais yr un mor wastad.

'Naddo?'

''Roedd o yn Hertford pan oeddet ti yno?'

'Oedd.'

Atebai'n ddidaro, ond yr oedd hi wedi cynhyrfu. Nid oedd ganddi achos i deimlo euogrwydd. Bu Ben yn garedig ac yr oedd hi'n ddiolchgar iddo am hynny. Dyna i gyd.

'Mae o'n dy licio di, on'd ydi o?'

Dyna fo unwaith eto, yr eiddigedd meddiannol hwnnw yn ei lais. Rhaid iddo gymryd gofal. Yr oedd yn rhoi syniadau yn ei phen nad oeddent yno o'r blaen. Neu a oedden nhw?

'Paid â bod yn wirion!' meddai a chlosio ato. Yr oedd ganddi ddigon ar ei meddwl heblaw hyn. Yn sydyn sylweddolodd nad oedd hi wedi meddwl am Gwion ers oriau.

Wedi cyrraedd adre, aeth yn syth at y teleffon. Ni allai oddef aros rhagor, a'r tro hwn ni cheisiodd Robert ei rhwystro.

Bu bron iddi lewygu o lawenydd pan glywodd lais ei brawd yn ateb. Swniai'n gryg ond yn eiddgar.

'Hanna! Sut aeth petha?'

'O, Gwion, 'dwi mor falch o dy glywed di. Mi aeth yn dda iawn. Ond sut wyt *ti*?'

'Mae'n ddrwg gen i na wnes i ddim ffonio cyn y cyngerdd. Mi fuo raid i mi fynd i Wrecsam ac 'roedd hi'n rhy hwyr arna' i'n dod 'n ôl.'

'Wrecsam? Sbri ganol gaea?'

Yr oedd chwerthin o ryddhad ym mhob cymal o'i chorff. Mi ladda i'r Nansi 'na, meddyliai.

'Na . . . a deud y gwir, i weld arbenigwr.'

'Arbenigwr? Be' sy?'

'Rhen wddw 'ma, 'sti. Ges i bwl o dagu ar ganol canu yn y Plygain, a 'dydi o ddim yn iawn byth.'

'O, Gwi, 'ddylet ti ddim fod wedi mynd.'

'I Wrecsam?'

'Naci'r gwirion, i'r Plygain.'

'Na ddylwn, mi wn. Ond ti'n gwbod fel mae hi.'

'Ie. 'Rwyt ti'n treio anwybyddu pob salwch. Wel, 'dwy'n falch ofnatsan dy fod ti wedi mynd i weld yn ei gylch o'r diwedd. Be' ddudodd yr arbenigwr?'

'Rhaid i mi gael archwiliad iawn, dan anasthetig.'

'O . . .' Swniai'i llais yn fflat yn awr. 'Pryd?'

'Dydd Llun nesa.'

'Mor fuan â hynny?'

'Gora po gynta gen i.'

'Wyt ti am i mi ddŵad i fyny?'

'Brensiach, nag 'dw! Aros i weld be' fydd y canlyniad. 'Dydw i ddim yn meddwl fod dim byd mawr. Mae o wedi bod yn well yn ddiweddar. Rŵan 'ta, tyrd i mi gael clywad am y cyngerdd . . .'

11

'Ydych chi wedi ystyried beth yn union fydd eich dyfodol?'

Martin Dunn a ofynnai'r cwestiwn, ac nid oedd yn gwestiwn y trafferthai i'w ofyn i'r rhelyw o'i efrydwyr. Edrychai Hanna yn ansicr.

'Dysgu, 'own i wedi meddwl. A chyfansoddi, wrth gwrs.' Yna oedodd ychydig cyn ychwanegu, 'Ond 'dwi'n briod rŵan. Mae'n gwneud gwahaniaeth.'

Daeth rhywbeth rhwng 'Twt!' a 'Phw!' o enau Dr. Dunn.

'Pa wahaniaeth? *Chi* sy'n penderfynu, debyg. Neu ydych chi'n mynd i fodloni ar eistedd wrth y piano a chanu darnau bach neis fin nos i'ch gŵr a'i ffrindiau?'

'Nag 'dw, debyg iawn, ond—'

'Fe *allech* chi ddysgu, wrth gwrs, ond gofalu peidio â gwneud hynny ar draul eich cyfansoddi. Gallai hynny ddigwydd yn rhwydd iawn.'

Gwenodd ychydig, ac yr oedd ei wên fel craig yn dechrau hollti. 'Mae gennych chi un anfantais fawr fel cyfansoddreg, wrth gwrs.'

'O? Be'?'

'Merch ydych chi. Bydd gennych chi beth wmbredd o ragfarn i'w oresgyn. Meddyliwch. Faint o ferched o gyfansoddwyr sydd yna?'

'Go ychydig.'

'Pam, tybed? Ydych chi wedi meddwl pam?'

'Wel—'

Nid arhosodd Martin Dunn am ateb.

'Am ein bod *ni* yn wfftio at y syniad, yr un fath â Dr. Johnson yn sôn am ferched yn pregethu. Fel ci'n cerdded ar ei goesau ôl. Bydd dyn yn synnu, nid am nad yw'n llwyddo'n dda, ond am ei fod yn ei wneud o gwbl.'

Gofynnai Hanna iddi'i hun beth oedd amcan ei thiwtor yn codi'r cwestiwn hwn. Ni fu raid iddi aros yn hir am ateb.

'Faint o deithio ydych chi wedi'i wneud, Hanna?'

'Teithio?'

'Ie. Mynd dros y môr i wledydd eraill.'

Edrychodd Hanna'n wylaidd. 'Dim. 'Fûm i erioed o Brydain.'

'Dyna beth oeddwn i'n ei dybio. Mae'r Cymry'n dueddol o dreulio'u hamser yn myfyrio uwchben eu bogail eu hunain. Hwyrach fod hyn yn anghenraid i bob gwlad fach. 'Rydw i wedi sylwi ar yr un peth yn y Swistir.'

Byddai Robert wedi cytuno'n llwyr, ond ni allai hi adael i'r peth fynd heibio.

''Does neb arall yn poeni amdanom. 'Rydan ni'n cael ein gwasgu gan ddylanwadau dieithr. Os na wnawn *ni* feithrin ein diwylliant ein hunain, mi fydd yn diflannu.'

'Ac mae hyn yn cymryd amser ac egni, on'd yw e?'

Ond nid oedd am fynd ar ôl damcaniaethau, heddiw. Aeth yn ei flaen. 'Hanna, mi fûm i yn ystod y dyddiau diwethaf hyn yn ystyried eich gwaith yn ofalus iawn. Mae'n dda, mi wyddoch chi hynny eich hun; ond dim ond cyn belled ag y mae'n mynd. Gwaith merch ifanc ydyw, gwaith, mae'n wir, na allai neb ond merch ifanc ei sgrifennu, llawn asbri, llawn hoen, llawn tristwch ieuenctid hefyd. Y peryg yw, os na bydd y ferch yn datblygu ac yn aeddfedu, mai yno y bydd hi'n aros.'

Teimlai Hanna iddi gael cernod. Oedd Martin yn awgrymu bod ei gwaith hi'n naïf? Ar ôl yr holl ganmoliaeth a chymeradwyaeth? Gwelodd y llall ei hwyneb.

'Nawr peidiwch â chymryd atoch. Am fod gen i ffydd mawr yn eich gwaith y dywedaf hyn i gyd, yn enwedig ar ôl clywed y *sonata*. 'Rydw i am i'ch talent flodeuo, a rhaid i flodyn gael gwrtaith.'

'Be' 'dach chi'n 'i awgrymu, Dr. Dunn?'

''Dydw i ddim yn siŵr eto. Fel y dywetsoch chi, 'rydych chi'n briod, ac mae llawer yn dibynnu ar eich gŵr. Oes ganddo fo gydymdeimlad â'ch dawn chi?'

'O, *oes.*'

Atebodd ar ei ben, ond bron yn rhy bendant. Nid aeth ymlaen i ymhelaethu, er i Martin edrych yn gwestiyngar arni.

'O, iawn, felly. Fydde fe'n fodlon i chi fynd i astudio gyda chyfansoddwr yn Ewrop neu America, tybed?'

Syllodd Hanna arno mewn syndod.

'Cyfansoddwr *arall*? Ond 'does arna' i ddim isio neb ond chi, Dr. Dunn.'

Gwenodd hwnnw eto. Ni allai guddio ei fod yn blês o glywed hyn.

'Fe wn i hynny'n iawn, a 'does dim *llawer* o gyfansodd-wyr yn y byd sy'n well na mi. Ond nid dyna'r pwynt. Y pwynt yw y dylech chi gael cyfle i fynd i wlad arall am gyfnod, tymor efallai, a chwrdd â phobl eraill y tu allan i'ch byd bach eich hun.'

Yr oedd yn iawn. Fflachiodd hyn arni wrth gofio fel y bu cwrdd â'r Cassirers, yr Almaenwyr Iddewig, yn fodd iddi ddatrys problemau ei *sonata* yn y pen draw. Ond a oedd y peth yn bosibl? Robert?

Sylwodd Martin Dunn ar y disgleirdeb newydd yn ei llygaid yn graddol troi'n gysgod. Prysurodd ymlaen.

'Mae digon o amser i ni feddwl dros y peth. 'Does dim brys. Mi edrycha' i i mewn i'r posibiliadau, ac mi ga' i air â'r Prifathro.'

Er nad aeth y sgwrs o'i meddwl ar y ffordd adre, fe'i disodlwyd gan fater pwysicach. Dydd Mawrth oedd hi heddiw. Aethai Gwion i Wrecsam y diwrnod cynt a heddiw byddai'n cael ei archwiliad dan anaesthetig. Mi ffonia' i ar ôl saith, dyna ddywedodd ei mam. Dwy awr a hanner i fynd, meddyliodd, gan roi'r allwedd yn y clo.

Mae rhywbeth afreal ynghylch yr oriau o aros am newyddion o ysbyty. Trodd y radio ymlaen, ond ni allai gymryd dim i mewn o'r hyn a glywai. Aeth i wneud cwpaned o de iddi ei hun, a sylwi ymhen ugain munud ei bod hi wedi anghofio'i hyfed.

Rhaid oedd gwneud *rhywbeth*. Edrychodd ar y piano ond

nid oedd hwyl ei agor arni. O'r diwedd, aeth i'r gegin i blicio tatws.

Beth oedd archwiliad, wedi'r cwbl? 'Doedd o ddim fel cael llawdriniaeth go iawn. Ac yr oedd sŵn eitha calonnog arno nos Sul. Yr oedd hi'n falch gynddeiriog ei fod wedi bodloni o'r diwedd i fynd at y meddygon. Bu ganddo ryw obsesiwn rhyfedd yn eu herbyn ers ei blentyndod. Yr oedd ganddi ffydd yn awr y byddai ei helyntion ar ben, ond 'fyddai hi ddim yn hapus nes clywed gan ei mam.

Daeth Robert adre tua chwech. Ni allai fod yn fwy gofalus ohoni. Gwelai na fyddai llawer o lun ar ei choginio heno ac fe gynigiodd ofalu am y golwythau o dan y radell. Yn ei chyflwr presennol mi fyddai hi'n siŵr o'u llosgi, ac yr oedd golwyth yn ddrud. Cytunodd hefyd i aros am ei swper tan ar ôl i'w mam ffonio, er ei fod, fel arfer, yn mynnu ei gael am hanner awr wedi chwech.

'Well i ti gael sieri i aros.'

Nid oedd hi'n hoffi sieri, ond heno yr oedd hi'n barod i wneud unrhyw beth a ddywedai rhywun arall wrthi. Fe dywalltodd Robert scwner reit hael iddi.

'Gyda llaw,' meddai, 'hwyrach nad dyma'r amser i ddweud ond 'rydan ni wedi cael gwadd i barti nos Wener.'

Yr oedd y sieri wedi'i thawelu a daeth y brwdfrydedd yn ôl i'w llais. 'Parti pwy?'

'Paul a Jenny. Maen nhw'n dathlu eu dyweddïad.'

'O, grêt! Maen nhw'n mynd i briodi, felly?'

'Mae'n edrych yn debyg. Fe wedes i 'mod i bron yn siŵr y bydden ni'n dod.'

Bron . . . Yr oedd yn rhaid i Hanna wenu ychydig. Am unwaith nid oedd Robert wedi cymryd arno'i hun i ateb drosti'n llwyr. Aeth ato a'i gusanu.

'Meddwl na fyddai llawer o hwyl parti arna' i o achos Gwion?'

'Rhywbeth fel'na.'

Yr oedd ei dynerwch wedi'i chyffwrdd yn fawr.

'Beth bynnag ddaw, *rhaid* i ni fynd i barti dathlu Paul a Jenny. Mi fuon nhw'n ffrindie da i ni.'

Wedyn, rhywsut, yr oedd hi'n haws mynd ati i baratoi bwyd fel y byddai popeth yn barod erbyn i'r alwad ffôn ddisgwyliedig ddod.

Ac fe ddaeth am bum munud wedi saith.

'Mae'n olreit, cariad,' ebe llais ei mam, 'mae o wedi dŵad allan o'r anaesthetig, mae o'n iawn.'

Methai Hanna â chredu ei chlustiau.

'Dim byd yn bod arno fo, 'dach chi'n feddwl?'

'O, 'dydw i ddim yn deud hynny. 'Chawn ni ddim gwbod ar unwaith.'

'O.' Suddodd ei chalon i'r gwaelodion unwaith eto.

'Ond mae o'n cael dŵad adre ddydd Gwener.'

Rhaid felly nad oedd dim byd mawr arno fo, neu go brin y bydden nhw'n caniatáu iddo ddod adre mor fuan. Teimlai ei chalon fel si-sô, yn neidio i fyny ac i lawr ar ôl pob darn o wybodaeth newydd.

'Bydd y tymor yn dod i ben ar y nawfed ar hugain o Fawrth. Mi ddo'i adra wedyn.'

'Da 'ngenath i.'

Wedi rhoi'r ffôn i lawr, yr oedd tinc heb fod yn hollol sicr yn ei llais wrth ddweud:

' 'Dwi'n *meddwl* fod popeth yn iawn.'

Fel yr aeth y dyddiau nesaf heibio, cryfhau a wnâi'r teimlad hwn fod popeth yn iawn. Ar y nos Iau yr oedd hi wedi cael galwad fer o'r ysbyty gan Gwion ei hun. Swniai'n wan, ond yr oedd hyn yn naturiol o dan yr amgylchiadau. Edrychai ymlaen at fynd yn ôl i Bengele drannoeth. Ni fu erioed i ffwrdd mor hir o'r blaen.

Wedi clywed llais Gwion, gallai Hanna hithau edrych ymlaen at y parti nos Wener. Beth i'w wisgo oedd y peth pwysicaf ar ei meddwl yn awr. Cloffai rhwng ffrog goch liwgar o sidan trwchus ac un felfed ddu o doriad syml. Yn y diwedd penderfynodd ar y goch. Câi'r teimlad y byddai'r ddu'n anlwcus.

Brynhawn dydd Gwener yr oedd hi wedi cofio'n sydyn y dylen nhw brynu anrheg ddyweddïo i Paul a Jenny, ac ar y ffordd adre o'r Ysgol disgynnodd yn Gorringes i fynd i chwilio am rywbeth. Nid oedd ganddi lawer o arian yn ei phwrs, na llyfr siec, felly nid oedd gormod o ddewis. Yn y diwedd, prynodd fwrdd bara o bren gyda rhosyn wedi'i gerfio arno. Wrth iddi ddangos yr anrheg i Robert yn ddiweddarach daeth rhywbeth i'w chof.

'O, 'rargian! 'Dydw i ddim yn siŵr ddylen ni roi hwn iddyn nhw wedi'r cwbl. Mae 'na gyllall yn y wain.'

'Beth am hynny?'

'Torri cyfeillgarwch. Dyna be' mae rhoi cyllall i rywun yn ei olygu.'

Chwarddodd Robert. 'Wel, go brin y gallwn ni roi'r bwrdd heb y gyllell.'

'Oes yna ddim byd arall y gallen ni 'i roi?'

'Nag oes,' ebe Robert yn bendant. 'Mae'n hen bryd i ti gael gwared â'r holl ofergoelion 'ma.'

Yr oedd tuag ugain yn fflat Paul a Jenny pan gyraedd-asant. Bu cofleidio mawr rhwng y ddwy ferch ac edmygu'r fodrwy saffir newydd ar law chwith Jenny.

'Be' wnaeth i ti a Paul newid eich meddyliau?' gofyn-nodd Hanna. ''Roeddwn i'n meddwl nad oeddach chi o blaid priodas.'

Chwarddodd Jenny, ond yr oedd tinc difrifol yn ei llais wrth ddweud: 'Mae'n stori hir. Mi gei di glywed gyda hyn.'

Yr oedd Paul wrthi'n agor potel o siampaen, ac yn ei arllwys i'r gwydrau ynghanol chwerthin a churo dwylo. Cododd Robert ei wydr yn uchel.

'Fel hen ffrind i Paul, 'rydw i'n hawlio'r fraint o gynnig y llwncdestun. 'Rwy'n falch o sylwi fod Paul bob amser wedi fy nilyn yn ddeddfol. Fi oedd y cyntaf i wisgo trowsus llaes. Yr wythnos ganlynol 'roedd gan Paul un. Fi oedd y cyntaf i feddwi'n siwps. Ymhen ychydig ddyddiau 'rown i'n ei gerdded o rownd a rownd Llyn y Rhath yng Nghaer-dydd i'w sobri. Ac wele nawr y dilyniad pwysicaf i gyd. Os bydd priodas Paul a Jenny mor ddelfrydol â phriodas Hanna a finne, 'rydw i'n rhoi hawl iddo f'efelychu hyd ddiwedd ei oes. Gyfeillion—Jenny a Paul!'

Gwenai Robert a Hanna ar ei gilydd. Mor falch oedd hi ohono, yn sefyll yno'n dal yn ei siwt lwyd a ddangosai led ei ysgwyddau a meinder ei gluniau. Rhwng ei eiriau a'r siampaen, teimlai'n hapus iawn.

Ond nid oedd am lynu wrth ochr ei gŵr drwy'r nos fel cysgodlun dibersonoliaeth fel y gwnâi rhai gwragedd. Daliodd lygad brawd iau Paul a symudodd tuag ato.

'Hylô, Tom, sut mae'r byd ariannol?'

Nid oedd golwg cyfrifydd arno. Gyda'i lygaid direidus a'i wisg anffurfiol edrychai'n debycach i actor.

'Pam? Oes gennych chi beth i'w fuddsoddi?'

'Ha! Rhaid i chi ofyn i Robert. 'Sgen myfyriwr cerdd ddim dima goch i'w sbario.'

'Mae gan y myfyriwr cerdd o 'mlaen i rywbeth pwysicach nag arian.'

Yr oedd yn fflyrtian â hi, hithau'n ymateb i'w edrychiad pryfoclyd. Dyma fi unwaith eto, meddyliodd braidd yn euog, wrth fy modd yn cael sylw.

'Mae'ch gwydr yn wag. Peidiwch â mynd o'ma.'

Aeth i chwilio am y botel siampaen. Chwyddai'r siarad a'r chwerthin. Daeth un o'r gwragedd eraill i dynnu sgwrs â hi, ond yr oedd ei llygaid yn chwilio am Tom, a phan ddaeth yn ei ôl symudodd y wraig i ffwrdd gan synhwyro nad oedd Hanna'n orawyddus am gwmni menyw.

'Dyma chi.'

Llanwodd ei gwydr hi a'i un ef ei hun. 'I'r llygaid prydferthaf yn yr ystafell hon heno.'

Yr oedd clywed hyn mor feddwol iddi â'r siampaen ei hun. Teimlai ef yn edrych ar wddf y ffrog goch, ac am y tro cyntaf, meddyliodd tybed a oedd yn rhy isel.

Ond yr oedd eraill wedi dod atynt erbyn hyn a gwyddai Hanna y dylai hi symud mwy o gwmpas. Gydag edrychiad chwerthingar ar Tom yr oedd hi wedi'i adael a mynd at Robert i leddfu ychydig ar ei chydwybod.

'Mwynhau dy hun, cariad?' gofynnodd gan roi ei llaw ar ei ysgwydd yn gariadus.

' 'Rwyt *ti,* mae'n amlwg.'

Ond yr oedd hi'n falch o sylwi ei fod yn gwenu. Rhodd-odd ei fraich amdani, ac anadlodd hithau'n rhydd. Bu mor anodd yn ddiweddar gwybod sut y byddai'n ymateb. Daeth Paul atynt.

'Hanna, wnei di ganu?'

Edrychodd Hanna'n amheus ar y cwmni swnllyd.

'Ti'n meddwl eu bod nhw isio?'

''Dwi'n meddwl ei bod hi'n bryd cael rhywbeth heblaw siarad. 'Dyw'r piano ddim llawer o beth, mae'n wir.'

'O, mi wna' i â chroeso os mai dyna wyt ti isio, Paul.'

Yn raddol, distawodd y dwndwr fel yr arweiniwyd hi at y piano gan Paul. Cyn eistedd i lawr wrtho safodd a chanodd *Dacw 'Nghariad i Lawr yn y Berllan* yn ddigyfeiliant, er nad oedd neb ond Robert a hi'n deall y geiriau. Yna, eisteddodd i lawr, ac o ran cwrteisi i'r Saeson, canodd *Barbara Allen.*

Ond yr oedd hyn i gyd wedi trawsnewid cywair y parti. Newidiodd i gytgan y gallai pawb ymuno ynddi. Cyn bo hir yr oedd y cwmni i gyd yn canu *Ten Green Bottles* nerth eu pennau.

Ymgasglai nifer o ddynion o amgylch y piano yn awr i ganu *Gaudeamus Igitur.* Yna dechreuodd Hanna chwarae rhai o ganeuon Gershwin oedd yn siwtio'r piano honci-tonc i'r dim.

Yr oedd pawb wrth eu bodd, a mawr oedd y crefu am ragor. O leiaf 'doedd neb am ganu emynau Cymraeg, fel y bydden nhw yn ôl yng Nghymru meddyliodd. Clywai ddwylo ar ei hysgwyddau yn ei gwasgu. Wrth edrych i fyny gwelodd mai Tom oedd yno. Daeth dieflyn bach direidus iddi. Terfynodd y Gershwin a dechreuodd ganu'n dawel.

Geiriau diniwed iawn ar y dechrau oedd i'r *Foggy Foggy Dew,* a daeth distawrwydd o'r newydd dros y cwmni cyn iddynt sylweddoli erbyn y trydydd pennill fod yr Hanna Fadonnaidd yn canu geiriau awgrymog iawn.

Yr oedd hyn at ddant y cwmni o ddynion o'i hamgylch, a throdd y cilchwerthin achlysurol ar y dechrau'n fonllefau o hwyl erbyn y diwedd. Rhoddodd rhywun wydraid arall o win iddi. Ond cyn iddi fedru yfed diferyn ohono yr oedd Robert wedi croesi'r ystafell a'i gymryd oddi arni.

'Dyna hen ddigon, cariad. Rhaid i ti beidio â hogio'r piano drwy'r nos, wyddost ti.'

Yr oedd wedi cydio yn ei garddwrn a cheisio'i chodi oddi ar y stôl. Daeth ennyd o embaras dros y cwmni bach wrth y piano. Yr oedd gruddiau Hanna eisoes yn goch o firi a gwin, ond dyfnhaodd y gwrid yn enbyd yn awr. Teimlai fod Robert yn ceisio codi cywilydd arni o flaen y dynion.

'' Dydw i ddim wedi gorffan eto, Robert.'

Trodd at Tom. 'Beth oedd y gân roeddech chi wedi gofyn amdani, Tom?'

Chwarddodd hwnnw braidd yn anghysurus o weld y disgleirdeb dur yn llygaid Robert.

'O, 'doedd hi ddim yn bwysig. Rhaid i ni beidio â'ch blino chi.'

Yr oedd ymyrraeth Robert wedi newid yr awyrgylch unwaith eto. Synhwyrodd Paul hyn o'r ochr arall i'r ystafell a chroesodd atynt.

'Diolch, Hanna. 'Rŷn ni'n lwcus i gael cerddor proffesiynol mor dalentog yn ffrind.'

Trodd at weddill y cwmni gan godi ei lais.

'Ac yn awr mae gan Jenny a fi rywbeth arbennig iawn i'w ddweud wrthych chi.'

Distawodd y cwmni ar unwaith, yn ddisgwylgar. Safai Jenny ac yntau yno yn cydio yn nwylo ei gilydd, y golau trydan yn taflu cysgodion ar eu hwynebau. Er bod y ddau'n gwenu, synhwyrai pawb fod yno ryw ddifrifoldeb o dan y gwenau.

'Mae'n debyg,' ebe Paul, 'y bydd yn syndod i rai ohonoch chi glywed mai yn Eglwys Sant Mihangel y byddwn ni'n priodi.'

Oedodd am ychydig, a gwelodd Hanna ei fod yn edrych yn uniongyrchol ar Robert.

'Eglwys Babyddol,' ebe rhywun mewn syndod.

'Ie.' Oedodd eto. 'Mae Jenny a fi newydd ein derbyn yn aelodau o'r Eglwys Gatholig.'

Os oedd Paul wedi disgwyl syndod gan ei ffrindiau ni siomwyd ef. Yr oedd y rhan fwyaf ohonynt wedi'u syfrdanu. Caed ymateb amrywiol i'r datganiad—gwenau ansicr, gwenau sinicaidd, murmuron anghrediniol, rhai murmuron cymeradwyol. Daeth un wraig atynt a pheri peth embaras drwy eu cofleidio'n ddagreuol.

Safai Robert yno fel delw a golwg brennaidd ar ei wyneb. Methai â chredu ei glustiau. Yn fechgyn, yr oedd y ddau wedi penderfynu'n gynnar iawn mai crefydd oedd yr un peth oedd yn rhwystro datblygiad llawn yr unigolyn, ac ni fu ganddo le i amau ar hyd y blynyddoedd nad oedd Paul yn dal i gredu hyn. Teimlai ddatganiad ei ffrind heno'n frad. Pam nad oedd Paul wedi rhoi rhyw arwydd iddo'n breifat yn lle ei drin fel un o'i gydnabod cyffredin i dderbyn yr wybodaeth fel hyn gyda phawb arall? Ai dyna'r cyfan roedd eu cyfeillgarwch yn ei olygu iddo?

Yr oedd Paul yn edrych arno'n hanner ymddiheurol. Ymryddhaodd oddi wrth y rhai o'i amgylch a dod draw at Robert.

'Fe wn i beth 'rwyt ti'n mynd i'w ddweud.'

Yr oedd oerni mulaidd yn ateb y llall.

''Does dim rhaid i mi ei ddweud o, felly. 'Dwyt ti ddim yn disgwyl i mi dy longyfarch di, wyt ti?'

'Mae'n ddrwg gen i na ddywedais wrthyt ti ar dy ben dy hun. Ond mi fernais y byddai'n ddoethach i mi wncud ymrwymiad cyhoeddus yn gyntaf.'

Chwarddodd Robert braidd yn sarrug. 'Ofn i mi dy berswadio di fel arall?'

Bu Hanna'n gwrando ar hyn ac yn awr closiodd at Paul a chydio yn ei fraich.

''Dwi'n gobeithio y cei di a Jenny hapusrwydd lle bynnag yr ewch chi i briodi,' meddai'n ddistaw.

Yn awr yr oedd y cwmni'n dechrau chwalu a symud yn araf ac yn siaradus tua'r drws.

'Aros am goffi, ti a Hanna,' sibrydodd Paul.

Yr oedd Robert ar fin gwrthod ond neidiodd Hanna i mewn.

'O, hyfryd, Paul, dim ond ni'n pedwar?'

Gwenodd Paul arni'n ddiolchgar ac aeth i ffarwelio â gweddill ei gyfeillion. Edrychodd Robert yn flin arni, ond ni ddywedodd ddim. Cymerodd Hanna anadl hir. Y peth olaf yr oedd arni ei eisiau heno oedd dieithrwch parhaol rhwng y pedwar ohonynt. O leiaf fe gaen nhw gyfle wrth drafod y peth yn agored yn ystod yr awr nesaf i adfer y berthynas glòs a fu. Hefyd, hwyrach fod arni eisio gohirio bod gyda Robert ar ei ben ei hun, rhag ofn iddi gael rhagor o gerydd.

O'r diwedd, yr oedd pawb arall wedi mynd. Nid oedd Robert wedi eistedd. Safai'n edrych ar gefnau'r llyfrau ar y silffoedd. Gwyddai Paul mai ceisio osgoi ei wynebu yr oedd.

Daeth Jenny â'r coffi i mewn a bu raid iddo droi atynt.

'Olreit, Robert,' ebe Paul yn dawel pan oeddynt i gyd yn eistedd. 'Gad i ni gael dy farn.'

'Dy fusnes di ydi o.'

Yfodd beth o'i goffi, yna cododd ei lais:

'Ond pam ddiawl dewis Rhufain, y mwyaf ofergoelus a chaeth o'r blydi lot?'

Gwenodd Paul ychydig. 'Ie, Robert, mi wn i dy deimladau am yr Eglwys Gatholig.'

Yr oedd rhywbeth yn ei lais yn dynodi arwyddocâd arbennig i'r ddau ddyn. Cododd Hanna ei phen yn gwestiyngar. Aeth Paul yn ei flaen.

'Fe gymer amser hir i mi d'ateb di'n foddhaol, hyd yn oed os yw hynny'n bosibl. Ond, yn fyr, gelli ddweud mai'r man cychwyn oedd fy ngwaith fel seiciatrydd. Mi fûm i'n astudio tipyn ar werth y gyffesgell.'

Gwnaeth Robert sŵn tebyg i chwythu drwy'i drwyn.

''Rwyt ti'n mynd i ddweud nawr fod y gyffesgell a dadansoddi seicolegol yr un peth, mae'n debyg.'

'Na. Mae 'na debygrwydd, ond mae dadansoddi seicolegol yn rhagdybio nad oes gan y claf ddim help am ei salwch, ei fod yn ysglyfaeth anfodlon i'w feddyliau a'i emosiynau cudd. Mae'r gyffesgell, ar y llaw arall, yn cychwyn gyda realiti pechod. Gweithred ddynol, ymwybodol yw pechod.'

Chwarddodd Robert. 'Mae'n siŵr gen i fod soffa'r dad-
ansoddwr yn llawer mwy cyffyrddus na stôl y gyffesgell.'

'Ond 'dyw soffa'r dadansoddwr ddim yn gallu rhoi
maddeuant.'

Llais isel Jenny a glywid y tro hwn. Eisteddai ar glustog
wrth draed Paul, ei llygaid brown yn byllau tywyll. Mor
lwcus yw hi, meddyliodd Hanna'n sydyn. Mae'r ddau
yma'n credu'r un peth. Ond ar unwaith fe'i ceryddodd ei
hun. Onid oedd Robert a hithau hefyd? *Anghredadun yw fy
enw* . . . Daeth y geiriau iddi o rywle. Yr oedd hi mor sicr
erbyn hyn mai Robert oedd yn iawn. On'd oedd hi? Er
mor hoff oedd hi o Paul, tueddai i gytuno â Robert y gallai
fod ychydig yn feddal weithiau, bron yn sentimental.
Rhyfedd i Jenny ddefnyddio'r gair 'maddeuant' yna
hefyd, y gair a roes allwedd i'w *finale.*

Yr oedd sylw Jenny wedi rhoi taw ar Robert am y tro.
Ond fel ci ag asgwrn ni allai adael llonydd i'r peth yn hir.

'Troi at grefydd neu droi at ddiod neu ddrygiau, pa
wahaniaeth? Yr un yw'r effaith yn y pen draw. Dianc oddi
wrth realiti.'

'Ie,' meddai Paul, ''rwy'n cydnabod y gall fod yna
elfen o hynny.' Yna chwarddodd. 'I ddweud y gwir 'roedd
gan Freud lawer i'w wneud â'r holl fusnes.'

'Go brin y byddai hynny'n plesio Freud.'

'Na, mae'n siŵr. Ond ŷch chi'n gwybod am ei Ddull
Cyfatebiaeth Rydd? Mi fentrais ar honno ryw ddiwrnod
fel rhyw fath o ymgais i hunanddadansoddi. Eisteddais i
lawr a phapur glân o'm blaen a sgrifennu popeth a ddeuai
i 'mhen, heb feddwl yn ormodol uwchben y cynnwys. Yr
hyn oedd yn ddiddorol ar ôl i mi ddarllen y peth y diwrnod
canlynol oedd ei fod yn frith o ddelweddau crefyddol. Fe
gododd hyn chwilfrydedd yno'i. O ble 'roedden nhw wedi
dod? 'Doeddwn i ddim yn ymwybodol ohonynt tan
hynny.'

'Dy blentyndod, fachgen. Mae'r peth wedi cael ei bwnio
i mewn i bob un ohonom.'

'Na, mae'n fwy na hynny. Mae'n mynd yn ôl ganrif-
oedd yn ein *psyche.* Ac mae'n beryglus i'w anwybyddu.

Ga' i d'atgoffa di o eiriau Jung? ''Bob tro y bydd Ysbryd Duw yn cael ei gau allan o ystyriaethau dynol, bydd rhyw-beth arall yn cymryd ei le''.'

'Fel beth, er enghraifft?'

'Gwladwriaeth, arweinydd, plaid, brenin, neu ni ein hunain. 'Rwy'n argyhoeddedig, erbyn hyn, fod pob math o niwrosis yn codi os bydd pobl yn fyddar i'r peth uwch, anweledig yma.'

Gwenodd Robert ychydig. ''Rown i'n meddwl y byddai Jung yn dod i mewn i'r peth, yn hwyr neu'n hwyrach. Dim rhyfedd bod Freud yn meddwl fod y brawd wedi gwneud stomp o holl fusnes seiciatreg.'

Ond am iddo wenu wrth ddweud hyn yr oedd yr iâ a fu rhyngddynt wedi dechrau toddi. Aethant ymlaen i sgwrsio am bethau llai dadleuol nes i Hanna sylwi ar yr amser a chodi mewn braw am fod y bws olaf wedi hen fynd. Derbyniodd y ddau gynnig Paul i'w hebrwng adre yn ei gar.

Wedi ffarwelio ag ef ar garreg y drws safodd Robert yno'n syllu'n fyfyriol ar olau coch y car yn diflannu rownd y gornel.

'Mae'n beth od,' meddai, 'ond 'dydw i erioed, erioed wedi teimlo llygedyn o ffydd. 'Does gen i ddim syniad am beth y bydd pobl yn paldaruo wrth sôn am Dduw.'

12

Yr oedd Hanna yn chwilio am gyfle i ddweud wrth Robert nad oedd hi am iddo ei thrin fel plentyn gerbron pobl eraill. Daliai i glywed ei gruddiau'n llosgi wrth gofio fel y rhodd-odd daw ar ei chanu. Os gorfodid hi o hyd ac o hyd i ystyried beth fyddai ei ymateb ef i bob symudiad neu air o'i heiddo mewn cwmni, yna nid Hanna fyddai hi, ond y cysgodlun a oedd mor wrthun ganddi.

O'r gore, hwyrach iddi fynd yn rhy bell yn canu fel y gwnaeth. Ac eto, beth oedd pwrpas parti ond i ymlacio a

cholli rhwystredigaethau? Yr oedd hi wedi clywed y byddai
Kathleen Ferrier ei hun yn canu ambell gân amheus mewn
partïon. Pam na châi Hanna Edwards?

Fel hyn yr oedd pethau yn troi a throi yn ei meddwl gan
geisio carthu ei chywilydd a'i chyfiawnhau ei hun. Nid
hwn oedd yr unig ddigwyddiad o'i fath. Ar hyd ei phriodas
fe dyfai ynddi'r teimlad ei bod yn ddarn o glai yn cael ei
siapio fel hyn ac fel arall yn ôl mympwy ei gŵr. Ond artist
oedd hi, ac fe ddylai artist fod yn rhydd i ddilyn ei
mympwyon ei hun, waeth pa mor wirion yr ymddangosent
i eraill.

Nid oedd wedi mentro sôn wrtho eto am yr hyn a
ddywedodd Martin Dunn wrthi. Yr oedd hynny ynddo'i
hun yn arwydd afiach. Ond gan nad oedd sicrwydd y dôi
dim o awgrym Martin, 'waeth heb â dechrau dadlau ac
anghytuno. Gwasgai ei breuddwyd ati am y tro.

Beth fyddai'n dod ohoni fel cerddor pe bai o'n codi
anawsterau? Yr oedd hi wedi dod allan o ddryswch y *finale*
am iddi ddianc i dŷ'r Cassirers. Ie, dianc. Gyda sioc,
sylweddolodd faint ei chaethiwed. Daeth panig drosti wrth
feddwl y gallai ei chael ei hun unwaith eto ym maglau
sychder ei hawen.

Y drwg oedd nad oedd gan Robert unrhyw amgyffred
am ei phryderon. Pe dywedai wrtho: ''Rwyt ti'n mygu'r
dalent sydd gennyf. Mae'n cael ei gwasgu i farwolaeth,'
gallai ddychmygu'r syndod a ddeuai i'w wyneb, yr
anghrediniaeth ac yna'r wên dosturiol oherwydd gormod-
iaith emosiynol ei geiriau.

Ond rywbryd, rywsut, pan fyddai ef mewn hwyl dda, yr
oedd hi'n benderfynol o ddweud wrtho na châi ei thrin fel
plentyn. Mi fyddai hi'n gwneud jôc o'r peth, dewis ei
geiriau'n ofalus fel na fyddai'r un o'r ddau yn cael eu cyth-
ruddo. Ond byddai ei neges yn ddigamsyniol.

Fe ddaeth cyfle fore Sul. Yr oedd wedi codi o'i blaen hi
fel arfer. Safai wrth y ffenestr agored yn anadlu'n ddwfn.
Trodd ati a gwenu, ei lygaid yn ddisglair a llawn ynni.
'Rŵan amdani,' meddyliodd. 'Dwed wrtho be' sy'n dy
boeni di. Mae o mewn hwyl i wrando.'

Yn lle hynny, gofynnodd yn gysglyd faint oedd hi o'r gloch.

'Saith.'

'Saith! Ar fore Sul? Mae hi'n *fore.* '

Daeth ei gŵr yn ôl tua'r gwely. Safai yno'n edrych i lawr arni.

' 'Does dim llawer o wragedd yn edrych yn dlws yn y bore. Mi 'rwyt ti.'

Yr oedd wedi cymryd y gwynt o'i hwyliau. Nid oedd am ddweud dim y munud hwnnw i darfu ar y fflam fach a neidiai o'r marwor rhyngddynt. Estynnodd yntau ei law i dacluso cudynnau ei gwallt.

'Mae hi'n fore braf. Wyt ti'n cofio pa ddyddiad ydi hi heddiw?'

Meddyliodd am ychydig, yna agorodd ei llygaid yn llydan.

'Mawrth y cyntaf! Dygwyl Dewi!'

'Cywir. Sut cawn ni ddathlu?'

Gwyddai ar unwaith ei fod wedi penderfynu sut i ddathlu eisoes. Daeth arni awydd i'w bryfocio drwy awgrymu rhywbeth ei hun, ond 'doedd ganddi mo'r galon. Nofiai yn ei agosatrwydd.

' 'Dwi'n siŵr fod gen *ti* awgrym da.'

Yr oedd hi'n bur sicr nad oedd yn mynd i awgrymu'r Cyngerdd Gŵyl Ddewi yn yr Albert Hall.

' 'Rwyt ti'n iawn, hefyd. Fe awn ni ar y Green Line i Amersham, ac yna cymryd unrhyw fws sy ar gael i un o bentrefi'r Chilterns. Iawn?'

'A be' wnawn ni yn fan'no?'

'Cerdded, siŵr iawn. Troi cefn ar fudreddi'r ddinas, addoli natur ac ysbryd y gwanwyn. Wedyn pryd o fwyd go iawn mewn tafarn yn Amersham neu rywle, ac yn ôl â ni'n iach ar gyfer y frwydr fore Llun.'

'Be' sy a wnelo hyn â Gŵyl Ddewi?'

'Dathlu gogoniant y greadigaeth, os lici di. Ac fe wnaiff les i hen fryniau'r Chilterns glywed ychydig o Gymraeg unwaith eto.'

Yr oedd hi'n barod i gydsynio ag unrhyw awgrym a'i cadwai yn yr hwyl yma. Cododd o'i gwely a rhyw ysgafnder yn ei haelodau. Canai wrth wisgo amdani a hwylio brecwast. Hwn oedd y Robert yr oedd hi'n ei garu. Nid oedd lle i ddigofaint heddiw. Dal dy afael yn hyn, Hanna, gwna iddo bara . . .

Cyn bo hir yr oeddynt yng ngorsaf bws Fictoria, yn dringo i mewn i'r bws gwyrdd i Amersham. Mawrth yn dod i mewn fel oen oedd hi heddiw. Cerddai ychydig o rodianwyr ar hyd yr Embankment a sirioldeb gwanwyn newydd ar eu hwynebau. Rhowliai'r bws ymlaen drwy faestrefi Llundain a ysgubwyd yn lanach nag arfer gan wynt a glaw'r noson cynt. Goleuwyd y gerddi gan ambell *forsythia* cynnar, ac yr oedd arwydd o flodau ar y coed ceirios.

Ac yna yr oeddynt wedi gadael y rhesi o dai semi a'r coed a'r glaswellt yn dechrau dod i'r golwg. Edrychai'r ddau ar ei gilydd gan wenu, heb angen dweud dim. Er nad oedd dail ar y coed, yr oedd llawnder beichiogrwydd i'w gweld yn y blagur byw.

O, na bai bywyd fel hyn bob amser, meddyliai Hanna. Teimlai ryw gyffro newydd yn ei gŵr, a diolchai yn ei chalon fod ei siom a'i ddarostyngiad ynghylch y rhaglenni teledu wedi dechrau cilio.

Yr oedd popeth o'u plaid heddiw, rywsut, bws lleol hwylus allan i Ffordd Icknield a theyrnas o fryniau a choedydd i gerdded drwyddynt. Chwaraeai ugeiniau o frain dros y caeau newydd eu haredig, telorai'r ehedyddion ar ei gilydd. Nid oedd yma siw na miw o draffig yr ugeinfed ganrif i amharu ar awyrgylch oesol y wlad.

Cerddasant heb siarad ryw lawer nes bod y gwaed yn eu gwythiennau'n llifo'n gyflym a'u llygaid yn pelydru. Eu pryd canol dydd oedd afal bob un, a chaws, a choffi mewn fflasg a gariai Robert yn ei rycsac.

''Rwyt ti yn d'elfen yn y wlad, on'd wyt ti, sipsi?'

Yr oeddynt wedi eistedd am ychydig ger nant, a'r haul yn amrantu ar y dŵr fel myrdd o sêr. Hoffai Hanna deimlo'r glaswellt o dan ei dwylo a'r pridd yn llaith oddi tano fel y pwysai'n ôl ar freichiau syth.

'Hwyrach y cawn ni fyw yn y wlad, ryw ddydd.'

O leiaf yr oeddynt yn un yn hyn o beth. Cyfaddefai Robert mai'r ffaith ei bod hi'n ferch o'r wlad, wedi byw ar fferm, oedd un o'r atyniadau cyntaf a deimlodd tuag ati. Nid oedd ef ei hun erioed wedi byw yn y wlad, ac yr oedd syniadau rhamantaidd y trefwr ynghylch natur a symlrwydd y math yna o fyw yn dal yn rhan ohono. Yr oedd Hanna, yn Llundain, yn gallu anghofio gorthrwm y godro, y carthu beudy, y baw a'r tywydd garw.

' 'Roedd 'nhad yn casáu'r wlad. Os bu dyn dinas erioed, fo oedd hwnnw. Cadw siop ym Mhwllheli 'roedd ei dad o, ond cymerodd 'nhad y cyfle cyntaf i'w heglu hi i'r ddinas.'

'A'ch mam?'

Sylwai Hanna bob amser ar y tynerwch a ddeuai i'w wyneb wrth i rywun sôn am ei fam. Ceisiodd fygu'r pigiad o eiddigedd a deimlai'n awr. Pe bai raid i Robert ryw ddydd ddewis rhyngddi hi a'i fam . . .? Dyna ddigon ar feddyliau hurt, meddai wrthi'i hun yn frysiog.

'Yr oedd mam yn ferch fferm. Wyddet ti hynny?'

'Ti ddim yn deud! Ei chysylltu hi â dinas y bydda' i bob amsar.'

Ceisiai ddychmygu'r Helen osgeiddig yn camu drwy'r dom yn ei wellingtons, a dechreuodd chwerthin. Edrychodd Robert arni fel pe bai ar fin dweud rhywbeth, ond ymataliodd. Daeth i feddwl Hanna mai nawr oedd yr amser i grybwyll cynnig Martin—yn ysgafn, yn gariadus, tra oedd ef mewn hwyl gwrando. Ond yr oedd arni ofn mentro a cholli hudoliaeth y dydd. Cadwodd yn dawel, ac ni ddaeth dim i darfu arnynt am weddill y prynhawn.

Yn nes ymlaen, cawsant de o gig moch ac wyau mewn tafarn wledig, a gwraig y tafarnwr yn tendio arnynt yn famol, ffyslyd. O'r gwynfyd hwn, daethant yn ôl i Lundain yn lluddedig ac yn gariadus, er nad oedd yr un o'r ddau wedi crybwyll y pethau dyfnaf ar eu meddyliau.

Bydd pethau cyffrous yn aml yn digwydd fesul deuoedd neu drioedd, fel bod y naill beth yn tynnu rhywfaint oddi ar y llall. Felly y bu ar Hanna yn ystod yr wythnos ddilynol.

Ar ei ffordd i'r Ysgol fore Llun, a serenedd ddoe yn dal ynddi, penderfynodd y byddai o hyn allan y wraig yr oedd Robert am iddi fod—hapus, hyblyg, ystyriol ohono. Câi ei cherddoriaeth ail le i'w hymdrechion i fod yn wraig dda. Wedi'r cwbl, wrth briodi, yr oedd hi wedi gwneud ei dewis. O hyn allan, 'roedd yn rhaid iddi fod yn fwy ymwybodol o'i dyletswydd tuag ato.

Dal yn y wlad yr oedd ei meddyliau ac edrychai'r adeilad mawr Fictoraidd yn Carpenter St. yn annymunol o dywyll a hagr. Yr oedd James yn sefyll ar ben y stepiau wrth y drws. Pan welodd hi yn troi'r gornel, chwifiodd ci law a daeth yn llamsachus i'w chyfarfod.

'Mae Judith wedi bod yn chwilio amdanat ti ym mhobman!'

Edrychodd Hanna ar ei wats. 'Chwarter i ddeg ydi hi. Be' 'di'r brys?'

'Mae ganddi newydd. 'Dydw i ddim i fod i ddweud beth, ond Hanna, mi fyddi di wrth dy fodd!'

Yr oedd fel plentyn, bron marw eisio dweud.

'Wel dywed, 'ta. Be' 'di'r gyfrinach?'

'Na, well i mi adael i Judith ddweud,' ebe James yn arwrol. 'Mae hi yn ei hystafell ymarfer.'

Clywsant nodau'r fiola'n dod drwy'r drws gwydr. Llamodd calon Hanna o glywed mai ei *sonata* hi a chwaraeai Judith, a synnodd. Pam ymarfer hon? Peidiodd Judith ar unwaith pan welodd Hanna a James yn dod drwy'r drws. Rhythodd arnynt drwy ei sbectol drwchus, ond yr oedd cyffro rhyw newydd mawr yn ei gwên.

'James! Wyt ti ddim wedi dweud wrthi?'

Gwenodd James yn hunan-gyfiawn. 'Naddo. Dim gair.'

'Wel, dewch o'na,' ebe Hanna'n ddiamynedd.

Tynnodd Judith lythyr o'i chês fiola a'i roi iddi.

'Darllen hwnna gynta.'

Ufuddhaodd Hanna. Llythyr oddi wrth ryw Ira Friedman ydoedd, o gyfeiriad yn Tel Aviv. Swm y neges oedd fod y gŵr hwn wedi cael gwahoddiad i fynd â nifer o gerddorion ifainc ar daith o gwmpas America, ac a fyddai gan Judith ddiddordeb i fod yn un ohonynt.

Cododd Hanna ei phen. 'Judith, mae hyn yn fendigedig! 'Rwyt ti am fynd, wrth gwrs.'

'Nid dyna'r cwbl, Hanna. Hen ffrind i Mam yw Ira. Mae'n arweinydd lled enwog yn Israel nawr. Pan ddaeth y llythyr ddydd Sadwrn mi aeth Mam ar y ffôn ar unwaith a dweud wrtho amdanat ti a dy waith. A Hanna, mae o am i *ti* ddod hefyd!'

'Fi? Ond rhywbeth i Iddewon yw hyn.'

'Dim o gwbl! Iddewon fydd y rhan fwyaf, wrth gwrs, ond mae'r ''Cenhedloedd'' yn cael eu hystyried hefyd. Talent yw'r ystyriaeth bennaf. Dywedodd Mam wrtho fod arna' i'r cyfle hwn i ti am i ti gyfansoddi'r *sonata* i mi. Ac 'roedd o'n fwy na bodlon.'

Aeth gwefr drwy Hanna. Taith o gwmpas America, a'i *sonata* yn cael ei chlywed gan filoedd!

'Judith! 'Dwn i ddim be' i'w ddweud.'

'Mi ddoi, on'd doi?'

Yn araf, nofiodd Hanna i lawr i'r ddaear.

'Am faint fyddwn ni i ffwrdd?'

'Rhyw fis i gyd. Fis Gorffennaf.'

Mis! 'Doedd mis ddim yn hir iawn. Yr oedd hi'n siŵr y byddai Robert yn falch o'r anrhydedd.

''Dwn i ddim pam 'rwyt ti'n petruso,' ebe James. 'Mi 'rown i'r byd yn grwn am y cyfle.' Ychwanegodd, gydag ychydig o falais. 'Ofni be' mae Robert yn mynd i'w ddweud?'

Yn sydyn yr oedd Hanna wedi mynd at Judith a'i chofleidio.

''Dydw i ddim yn petruso. Diolch, diolch i ti. A diolch i dy fam.'

'Beth am ddod draw i ddiolch iddi'n bersonol? 'Roedden nhw'n hoffi dy gwmni di gymaint. Beth am ddod adre gyda mi nos Wener i fwrw'r Sul?'

Ond yr oedd Hanna *yn* petruso'n awr. 'Rhaid i mi dorri'r newydd i Robert gynta. 'Dwi'n siŵr y bydd o wrth ei fodd. Ga' i roi gwbod i ti ddydd Iau?'

Ceisiodd berswadio ei hun ei bod hi'n wirion i deimlo mor nerfus wrth aros iddo ddod adre. Dywedodd wrthi ei hun dro ar ôl tro ei bod hi'n annheg â Robert, yn gwneud cam ag ef, a'i dychymyg yn gosod dadleuon yn ei enau cyn iddo agor ei geg. Bu ef ei hun yn America am wythnosau, felly 'doedd ganddo fawr o le i gwyno. Ei ragfarn yn erbyn Judith oedd y maen tramgwydd mwyaf. Os oedd yn dal ei afael yn y syniad fod rhywbeth afiach yn eu cyfeillgarwch, gallai'r holl beth godi eto. Hyn oedd yn ei phoeni.

Ond nid oedd am golli'r cyfle hwn. Aeth at y piano a chwaraeodd rai barau o'r *sonata*. Ei phlentyn hi oedd y greadigaeth hon, ac yr oedd pob mam am i'w phlentyn gael ei chydnabod. Gwibiai'r atgof am y diwrnod cynt, a'u hapusrwydd wrth gerdded y Chilterns, yn euog drwy ei meddwl. Beth am ei phenderfyniad y bore 'ma? Ysgubodd y peth o'r neilltu yn ddiamynedd. A oedd ei holl fywyd i fod yn gyfres o orfod dewis rhwng ei gyrfa a'i gŵr? Cyn iddi briodi ni fu ystyriaethau o'r math yn ei phoeni o gwbl.

Neidiodd pan glywodd sŵn ei allwedd yn cael ei droi yn y clo. Rhedodd i'r gegin i gymryd cip ar y swper yn y ffwrn, ond gwyddai mai gohirio ei gyfarfod wyneb yn wyneb a wnâi.

'Lle 'rwyt ti?'

Galwai ei lais o'r stafell fyw. Sythodd hithau, ond daliai i oedi.

'Yma. Yn y gegin.'

'Tyrd yma. Mae gen i rywbeth i ti.'

Aeth drwodd ato. Safai yno'n dal clwstwr o gennin Pedr.

'Dyma ti. I gofio am ddoe,' meddai gan ei chusanu'n ysgafn.

Daria! Yr oedd hyn yn mynd i fod yn fwy anodd nag y

tybiai. Cymerodd y blodau gyda gwên ansicr, a phrotest fach ffurfiol.

'Sut aeth pethau heddiw?'

Nid yn aml y byddai'n gofyn hynny. Fel arfer bwrw i mewn i ddigwyddiadau ei ddiwrnod ef ei hun a wnâi. Rhaid ei fod yntau hefyd wedi gwneud penderfyniad y bore yma.

'Iawn. Mae gen i rywbeth i'w ddweud wrthat ti. Ond tyrd i ni gael swpar gynta.'

'Mae gen inne rywbeth i'w ddeud wrthyt tithe hefyd.'

Yr oedd yn amlwg ei fod mewn hwyliau anarferol o dda. Gorau oll. Yn un o'i hwyliau sarrug, byddai wedi bod yn amhosibl dweud ei newydd.

Mynnodd glirio'r bwrdd a golchi'r llestri cyn ei bod hi'n barod i siarad. Eisteddodd ar glustog o flaen y tân nwy, ac yntau yn ei gadair arferol. Bwriodd iddi cyn cael rhagor o amser i ogor-droi.

'Robert, 'dwi wedi cael cynnig mynd i'r America.'

Llwyddodd i gadw ei llais yn wastad. Cododd ei phen a syllu'n syth arno i gael ei adwaith.

'America? Ddim am byth, gobeithio?'

Ond yr oedd ei dôn yn ysgafn. Gadawodd hithau i'w chyffro ddod i'r amlwg.

'Na, y gwirion! Am fis, yng Ngorffennaf. Mae 'na ddyn yn trefnu i fynd â nifer o gerddorion ifainc ar daith yno, a 'dwi'n cael bod yn un ohonyn nhw.'

'Wel, ardderchog, cariad! Bydd yn brofiad gwych i ti. Yr Ysgol sy'n trefnu mae'n debyg.'

Rhaid troedio'n ofalus. 'Na, nid yr Ysgol. Rhyw ddyn o'r enw Ira Friedman. Arweinydd cerddorfa enwog.'

''Chlywes i 'rioed sôn amdano. Pwy 'di o?'

'Mae o'n byw yn Tel Aviv.'

'*Tel Aviv*? Sut gest *ti* dy ddewis, 'te?'

'Mae mam Judith yn ei nabod o'n dda.'

'O, Judith . . .'

Yr oedd yr awyrgylch wedi newid yn llwyr, ei holl ddrwgdeimlad i'w glywed yn y ffordd yr ynganai enw ei ffrind. Arhosodd Hanna iddo ddweud rhagor ond yr oedd ei wefusau wedi tynhau, yn y dull oedd mor atgas ganddi.

'Mae'r cyfle'n dal yr un mor werthfawr, pwy bynnag sy'n ei drefnu,' ebychodd, a'i thymer, oedd bob amser mor anodd i'w gadw dan reolaeth, yn dod â gwrid i'w gruddiau. 'Yr oedd mam Judith yn garedig iawn yn gwneud hyn drosta' i.'

Cododd Robert a mynd i droi'r teledu ymlaen.

'Dy fusnes di ydi o,' meddai, fel pe bai'n golchi'i ddwylo o'r cyfan.

Gwyliodd ef yn anhapus.

'Robert, paid â bod fel hyn. 'Roeddet ti wrth dy fodd nes i ti glywed mai trwy Judith 'rown i'n cael mynd. Be' sy'n bod arni?'

Fflicrodd y llun du a gwyn yn fyw. Rhythodd Robert arno'n galed.

' 'Dwi wedi dweud o'r blaen. Mae hi'n ddylanwad drwg arnat ti. Rŵan gad i mi edrych ar y newyddion.'

Am unwaith methodd Hanna ddweud dim gan mor ddig oedd hi. Teimlai ei mynwes yn barod i ffrwydro ond clymwyd ei thafod gan na wyddai beth i'w ddweud. Yr oedd yr holl beth mor afresymol. Pam na allai Robert drafod pethau'n hollol agored â hi, mynegi ei ofnau—os oedd ofnau—dadansoddi ac egluro ei deimladau? Ond na, unwaith eto yr oedd yn ei thrin hi fel plentyn rhy anaeddfed i fod yn deilwng o eglurhad cyflawn.

Pistylliai'r glaw ar y ffenestri, felly ni allai ddianc am dro fel y byddai'n arfer gwneud. Cododd ac aeth i'r ystafell sbâr fechan. Yn fecanyddol, agorodd y blancedi a oedd ar y gwely sengl, wedi eu plygu'n barod ar gyfer yr ymwelydd nesaf. 'Roedd y cynfasau yn cael eu cadw yn llofft Robert a hithau. Petrusodd. Byddai mynd i'w nôl nhw'n golygu mynd drwy'r ystafell fyw, ac ni allai oddef hynny.

Tynnodd ei ffrog oddi amdani, yna ei sanau, ac aeth i'r gwely rhwng y blancedi yn ei phais. Yr oedd yr ystafell a'r gwely yn oer, a gorweddodd yno'n crynu o dan y dillad. Ond nid oerni oedd achos y cryndod i gyd. Ym mhreifat-rwydd yr ystafell hon ymollyngodd i igian crio.

Ryw awr yn ddiweddarach fe'i clywodd yn mynd i'w wely. Gorweddai yno'n dyheu am iddo agor y drws a dod i mewn ati, rhoi ei freichiau amdani a sibrwd geiriau anwes cymod. Ond ni ddaeth. Clywodd ddrws eu llofft yn cau ac yna distawrwydd mawr. Trodd ar ei hochr gan ochneidio'n uchel. 'Chysga' i ddim winc,' meddyliodd.

Ond yr oedd Hanna'n ifanc a deuai cwsg yn hawdd iddi bob amser, 'waeth faint ei gofid. Robert oedd yr un a rythai i'r tywyllwch yn ddi-gwsg.

Yr oedd wedi clywed igian ei wraig, pob un yn ei rwygo yntau hefyd. Fwy nag unwaith bu ar fin codi a mynd ati, ond yr oedd rhyw fwgwd du ar ei ewyllys yn ei rwystro. Pan beidiodd y crio, anadlodd yn ddwfn mewn rhyddhad. Yn y bore byddai'n ceisio gwneud iawn iddi.

Ar hyd yr hirnos bu'n ei holi ei hun. Pam yr oedd Judith Cassirer yn codi ynddo deimladau mor ddiflas? Nid oedd yn wrth-Iddewig, hyd yn oed ar ôl ei brofiad gyda Leon, ac fe wyddai ef, o bawb, faint eu dioddef oddi ar law'r Natsïaid. Bu ef ymhlith y cyntaf i agor rhai o'r gwersylloedd dieflig. Nid oedd Judith erioed wedi dweud na gwneud dim i darfu arno ef yn bersonol. Y drwg oedd ei bod hi mor hawdd i Judith ddylanwadu ar Hanna. Yr oedd rhywbeth hynod o simplistig yn natur ei wraig, a gallai fynd yn ysglyfaeth i bersonoliaeth gref, a synhwyrai fod gan Judith un. Yr oedd Hanna'n ffodus ei fod ef yno i'w harwain ar hyd y ffordd iawn i ddisgyblu a datblygu ei hemosiynau didoreth.

Ar unwaith, cofiodd rybudd Paul. Dyna fi eto, meddyliai. Ai'r gwir syml oedd nad oedd am rannu serch Hanna gydag unrhyw Judith na neb arall? Mai eiddigedd noeth oedd wrth wraidd y cyfan? Ond yr oedd rhywbeth arall, on'd oedd? Nid oedd heb sylwi ar y cynhesrwydd rhwng y brawd a Hanna. Gresyn, gresyn, iddi fynd i grafangau'r teulu hwn.

Trodd ar ei ochr yn ddiflas. Beth ddigwyddodd i'w hunan-hyder enwog? Yr oedd mor siŵr o gariad Hanna â bod dydd yn dilyn nos. Gwylltiai wrtho'i hun yn y tywyllwch am ei fod ef, Robert Edwards, yn euog o'r felodrama Othelaidd hon.

Y gwir oedd nad oedd wedi cydnabod hyd yn oed wrtho ef ei hun gymaint y tanseiliwyd ei hunan-hyder gan ei brofiad ym myd teledu. Mor sicr fu mai hyn oedd ei briod waith. 'Roedd yn mwynhau cwrdd ag awduron enwog, gan wybod fod ganddo'r gallu a'r cefndir i siarad â nhw ar eu lefel eu hunain. Dywedai wrtho'i hun ei fod yn weddol olygus, os mai dyna oedd un o ofynion pennaf teledu. Gwyddai ei fod ben ac ysgwydd uwchlaw'r rhelyw yn ei wybodaeth am lenyddiaeth gyfoes. Gallasai dderbyn fod y sgyrsiau'n rhy ymenyddol i'r gwyliwr cyffredin. Y sioc bennaf oedd deall eu bod nhw'n ystyried ei arddull yn brennaidd, yn hunan-ymwybodol, ac yn glogyrnaidd.

Cafodd y gwir plaen gan Leon ychydig ar ôl derbyn y llythyr tyngedfennol. Heb ddweud dim wrth Hanna yr oedd wedi mynnu cwrdd â'i gyn-gynhyrchydd i'w holi a'i herio. Rhyw Leon gwahanol oedd hwn. Yr oedd wedi gofyn am y gwir, ac fe'i cafodd. Nid oedd ganddo'r math o bersonoliaeth deledu a fyddai'n ennyn cydymdeimlad y gwylwyr. Gan iddynt wario cymaint o arian yn barod, byddent *yn* dangos y rhaglenni a wnaed eisoes, ond nid oedd rhagor i fod. Os oedd gan Robert unrhyw grebwyll artistig, byddai'n gwybod yn union pam, ar ôl gweld y rhaglenni.

Dr. Robert Edwards, hyderus a llwyddiannus, dyna oedd ei ddelwedd gerbron y byd. Pilsen chwerw oedd gorfod derbyn fod yna un maes lle y profwyd ef yn fethiant.

Yr oedd sŵn y traffig yn cynyddu. Ceisiai gloi ei feddyliau allan o'i ymennydd er mwyn cael peth cwsg cyn y bore. Ond yr oedd yn amhosibl.

Yr oedd mwy nag un methiant yn ei fywyd, on'd oedd? Ni bu'n or-lwyddiannus yn ei briodasau, chwaith. Daliai geiriau Leon: 'diffyg gallu i gyfathrebu' yn dân ar ei groen, ond fe'i gorfododd ei hun yn awr i wynebu'r caswir. Nid oedd wedi llwyddo i gyfathrebu'n iawn â'r un o'i ddwy wraig.

Carai Hanna â'i holl galon, ond fe'i câi hi'n anos, anos siarad â hi. Yr oedd byd bach myfyriwr cerdd mor gyfyngedig. 'Wyddai hi am fawr ddim y tu allan i'w maes ei hun. Weithiau, yn ddiweddar, câi awydd i'w hysgwyd. Ni hoffai'r tro newydd hwn yn ei gymeriad. Dangosai wendid, a heblaw hynny, yr oedd yn ddiurddas.

Ni chawsai gyfle i ddweud wrthi am y cynnig yr oedd ef ei hun wedi'i gael. Yr oedd yn edifar enbyd iddo fethu â sôn am y peth cyn i'r ffrae godi rhyngddynt. O leiaf byddai hynny'n mynd â nhw'n ddigon pell oddi wrth y Cassirers. Trueni na fyddai'r Flwyddyn Sabathaidd yn Kampala yn dechrau gyda thymor yr haf. Byddai hynny wedi rhoi diwedd ar y busnes America 'ma.

Deffrôdd Hanna i weld Robert yn sefyll uwch ei phen yn dal hambwrdd. Bu'n cysgu mor drwm, mewn anghofrwydd llwyr. Gwenodd ei diolch arno, cyn i neithiwr lifo'n ôl i'w chof a diffodd y wên. Sylwodd ei fod yn edrych yn llwyd ac yn hen.

'Mae hi'n chwarter i wyth. Pryd mae dy wers di?'

'Deg.'

Cododd ar ei heistedd. Eisteddodd yntau ar ochr y gwely a rhoi'r gwpaned o de iddi. Yr oedd wedi dod ag un iddo'i hun hefyd.

'Gobeithio fod y fatres yna'n eiri.'

'Rhy hwyr i boeni rŵan.'

'Gysgaist ti?'

Gyda pheth cywilydd, mwmiodd Hanna 'Do'. Ni ofynnodd yr un cwestiwn iddo. Yr oedd ei olwg flinedig yn dweud y cwbl.

Yr oedd yr iâ rhyngddynt yn dechrau toddi, er ei bod hi'n gyndyn i gymodi'n rhy fuan. Gan mai ef oedd wedi amlygu ei awydd i anghofio eu cweryl, gallai fentro ei gadw'n ansicr am ychydig.

Ond dros y brecwast meiriolodd yr awyrgylch yn llwyr. Yr oedd Hanna bob amser yn barod i lanhau'r llechen yn lân, ac ni allai ddal dig yn hir, yn enwedig pan oedd Robert yn dangos mor glir ei fod yn edifar. Cychwynnodd i'r Ysgol yn ysgafnach nag y tybiasai neithiwr y byddai'n bosibl. Gwir na setlwyd dim am y daith i'r America, ac nid oedd wedi meiddio sôn am y gwahoddiad i Hertford dros y Sul.

Daeth yr ail gymhlethdod i'w bywyd pan welodd ei thiwtor cyfansoddi y bore hwnnw. Dywedodd wrthi fod y Prifathro wedi argymell ei henw i fynd i Munich am chwe mis.

'Munich?'

'Ie.' Yr oedd gwên foddhaus ar yr wyneb creigiog. 'Gyda Klaus Herbig.'

'Klaus *Herbig*!'

Cyfle y tu hwnt i freuddwydion y rhelyw o fyfyrwyr cerdd! Gelwid hwn yn Mahler newydd canol y ganrif. Byddai astudio gydag ef yn gosod ei gwaith ymhlith y breintiedig yn wir. Ond pam 'roedd yn rhaid i'r cyfle ddod *nawr?* Yr oedd y daith i'r America'n ddigon atgas gan Robert fel yr oedd. Yr oedd ei phen yn drobwll o feddyliau cymysg. Ond ni sylwodd Martin Dunn.

'Gallech fynd unrhyw amser o ddechrau Medi ymlaen. Bydd gofyn i chi wneud eich trefniadau â Klaus ei hun.'

'Klaus?' Medrai Hanna wenu ychydig. 'Ydych chi'n ei nabod o, Dr. Dunn?'

'Ydw. 'Roedden ni'n fyfyrwyr gyda'n gilydd am sbel.'

Ond yr oedd rhywbeth arall ar feddwl Dr. Dunn. Hwyrach iddo sylwi nad oedd ei chyffro'n ddigymysg.

'Beth am eich gŵr? Dim problem fan'na, gobeithio?'

Wel, yr oedd, on'd oedd? Ond y peth olaf oedd ar Hanna ei eisiau oedd dangos hynny i Martin. Gwenodd arno, yn fwy agored y tro hwn.

'Dim.'

'Wel, diolch am hynny. Byddai rhai gwŷr yn codi bwganod.'

Chwe mis ar wahân. Oedd hi'n hollol hurt yn gadael i Martin gredu ei bod hi wedi cytuno mor barod? Daeth y cnoi arferol i'w stumog. A fyddai hi'n barod i aberthu America os câi fynd i Munich? Hwyrach y byddai Robert yn debycach o gytuno â'r olaf! O leiaf, 'fyddai Judith ddim ym Munich. Fflachiai i'w meddwl y gallai ddefnyddio hyn yn erfyn. Aberthu'r naill am y llall. 'Allai Robert ddim gwarafun y *ddau* iddi, 'doedd bosib? Gwibiai'r meddyliau hyn drwy ei phen tra gwrandawai ar Martin yn dadansoddi rhagoriaethau Klaus Herbig a chyfoeth bywyd cerddorol Munich. Daeth y wers i ben a chymhlethdod y dewis yn dal o'i blaen.

Yn y cantîn, eisteddai Judith yn cadw lle iddi. Penderfynodd Hanna beidio â sôn wrthi am adwaith Robert i'r daith i'r America. Sut oedd hi'n mynd i egluro, p'un bynnag, mai rhagfarn yn ei herbyn hi, Judith, oedd wrth wraidd gwrthwynebiad ei gŵr? Ond yr oedd hi'n ysu am gael dweud wrthi am Munich.

'Hanna! Mae'n gyfle euraid! 'Rwyt ti am dderbyn, on'd wyt?' Yr oedd Judith ar ben ei digon pan glywodd.

''Dwn i ddim—'

'Nawr, clyw. Mae'n *rhaid* i ti. Ar wahân i bopeth arall mae Klaus Herbig yn ddyn cyfareddol.'

Gwenodd Hanna. 'Wn i. Paid â deud wrtha' i. Mae dy fam yn 'i nabod ynta hefyd!'

Gwenodd Judith yn ôl yn hanner ymddiheurol.

'Wel, ydi. 'Roedd y ddau yn y coleg gyda'i gilydd ym Munich. Aeth Klaus i'r Swistir yn union cyn y rhyfel, ond fe ddaeth yn ôl wedyn. O, Hanna, mae hyn mor gyffrous. Lle byddi di'n aros, tybed?'

'Paid! 'Rwyt ti'n fy rhuthro i. 'Dydw i ddim—'

Ond yr oedd llygaid Judith yn disgleirio y tu ôl i'w sbectol. 'Mae gen i syniad. Mae chwaer 'nhad yn weddw nawr ac mae hi'n byw mewn tŷ mawr ar gyrion y dref. 'Dwi'n siŵr y bydd hi'n falch o gael dy gwmni. Mae hi'n un hawdd iawn gwneud â hi.'

Awgrym deniadol, ond am un peth. Yr oedd fel petai ffawd yn ei gyrru hi fwyfwy i gysylltiad â'r teulu hwn. Ond pam lai? Ar wahân i Paul a Jenny, y Cassirers oedd ei hunig ffrindiau personol.

'Mi sgrifenna' i at fy modryb cyn gynted ag y cei di'r manylion terfynol.'

Sylweddolodd Hanna ei bod hi'n dysgu bod yn gyfrwys. Lle unwaith y buasai wedi arllwys ei phroblemau i'r byd, yn awr ni bu'n agored gyda na Martin Dunn na Judith. Celai oddi wrthynt ei thrafferthion gyda Robert. Daliai i obeithio y deuai ef i weld synnwyr yn y diwedd, felly ni thybiai fod diben bradychu anawsterau priodasol i neb cyn bod rhaid.

Rhaid iddo gamu'n ofalus, ei hennill drwy deg. Y tro hwn, ni byddai'n gwneud camgymeriad. Yr oedd ei fam wedi'i rybuddio pan ffoniodd ei newydd iddi. Rhaid i ti ddangos iddi, ebe ei fam, na fydd hyn yn rhwystr i'w gyrfa gerddorol. Yn hytrach, gallai ei chyfoethogi. Ni fwriadai ddweud wrth Hanna ei fod wedi ffonio ei fam gyntaf.

Yr oedd hi'n hwyrach nag arfer yn dod adre. Ceisiai reoli ei ddiffyg amynedd wrth aros am sŵn ei throed gyda glasied o whisgi yn ei law. Beth oedd hi wedi'i ddweud wrth Judith? Ni chawsai awgrym ganddi yn y bore, ond yr oedd hi wedi dod ati ei hun yn lled dda. Siawns nad oedd hi'n barod i anghofio'r cwbl am y daith fondigrybwyll honno.

Trodd y teledu ymlaen i gael y newyddion chwech, a setlodd i lawr yn y gadair i wylio, a'r botel whisgi wrth ei ochr yn graddol adfer ei hwyliau da.

Pan agorodd hi'r drws, ryw awr yn ddiweddarach, gwelodd ei fod wedi syrthio i gysgu o flaen y teledu. Bradychai'r clytiau glas o dan ei lygaid noson ddi-gwsg y noson cynt. Gwenodd Hanna'n annwyl wrth syllu ar ei gorff lluddedig. Mor ddiamddiffyn ac mor ddiniwed yr edrychai'r dynion cryfaf yn eu cwsg! Yna, sylwodd fod cynnwys y botel wrth ei ochr wedi'i haneru ers y bore.

Ystwyriodd Robert ychydig ac agorodd ei lygaid. Lledodd gwên lydan dros ei wyneb wrth ei gweld hi'n sefyll yno.

'Pendwmpian . . .' dechreuodd yn ymddiheurol.

'Cysgu fel twrch!' Pwysodd ymlaen i'w gusanu. A chan bwyntio at y botel, ychwanegodd: 'Dim rhyfadd, chwaith.'

Nid fel hyn yr oedd o wedi meddwl ei chyfarch. Teimlai o dan anfantais. Cododd i'w chusanu, iddo ef gael sefyll uwch ei phen.

'Gymri di ddiod cyn dechrau ar y swper?'

Yr oedd hi'n falch o unrhyw beth i ohirio'i neges. Derbyniodd ei gangen olewydden yn ddiolchgar. 'Mi gymra' i lasiad o donic.'

Eisteddodd y ddau gan wenu ar ei gilydd, yn bictiwr o ddedwyddwch priodasol, ond y naill a'r llall yn coleddu ei gyfrinach ei hun.

Barnai Robert ei bod hi'n amser iddo siarad. Ysai am gael dweud ei newydd cyn i ddim ddod i amharu ar agos-rwydd y munud.

'Hanna, wyt ti'n cofio i mi grybwyll neithiwr fod gen i rywbeth i'w ddweud wrthyt ti?'

Yr oedd hi wedi anghofio'n llwyr, ond ni chymerodd arni.

'Ydw.'

''Ches i ddim cyfle i fanylu.'

Pallodd ei gwên ychydig, wrth iddi ddychmygu cerydd yn rhywle. 'Wel?'

'Sut byddet ti'n licio byw yn Affrica am flwyddyn?'

Bu'r agosrwydd rhyngddynt yn rhy dda i bara. Daeth y ddrwgdybiaeth yn ôl i'w llais.

'Affrica? Yn lle yn Affrica?'

'Yn Kampala. 'Dwi'n cael mynd i Brifysgol Makerere i ddarlithio am flwyddyn.'

'Ble mae'r Kampala 'ma?' Yr oedd hi'n chwarae am amser.

'Uganda. Lle dymunol iawn.'

'Pryd?'

'Mis Medi. Yn barod ar gyfer tymor newydd yr Hydref. Fe gawn ni fyw ar y campws, felly 'fydd dim rhaid i ni fynd â gormod o geriach gyda ni.'

Syllodd Hanna yn ddiflas ar ei gŵr.

'Popeth wedi'i benderfynu a'i drefnu, felly.'

Anwybyddodd yntau yr asid yn ei thôn. ''Doeddwn i

154

ddim am ddweud wrthyt ti'n rhy fuan rhag ofn na ddeuai dim o'r peth.'

'Be' petawn i'n gwrthod?'

Gwenodd Robert ei wên resymol.

'Ond 'wnei di ddim, yn na wnei? Ti yw 'ngwraig i, cariad.'

Nid oedd dim sicrach o'i gyrru o'i cho na gwên 'resymol' Robert. Rhoddodd ei gwydr i lawr a chododd.

''Dydw i ddim yn debyg o anghofio.'

'Nawr, nawr, paid â bod yn gas. Wyt ti ddim yn falch?'

'Fe allet ti fod wedi trafod y peth hefo fi gynta.'

''Rydw i'n gwneud hynny rŵan, yn tydw?'

'Ar ôl i bopeth gael ei setlo. Be' am 'y ngwaith *i*?'

''Rown i wedi meddwl am hynny.'

Cododd Robert hefyd yn awr a cheisiodd roi ei freichiau amdani.

'Byddi wedi gorffen yn yr Ysgol, yn byddi? Mi all cyfansoddwr gyfansoddi yn rhywle, mae'n siŵr gen i.'

'Cyfansoddi ar gyfer drymiau'r blacs?'

Ochneidiodd Robert a rhoi'r gorau i dreio'i chofleidio.

''Rwyt ti'n benderfynol o godi rhwystrau, on'd wyt?'

Fflamiodd Hanna draw i'r gegin. Sylwodd â diflastod ar y llestri budron yn y sinc. Agorodd ddrws y ffwrn. Gwaeddodd arno.

'Fe allet ti o leia fod wedi troi'r ffwrn ymlaen i dwymo'r caserôl.'

Ni ddaeth ateb. Clywai Hanna sŵn whisgi'n cael ei dywallt i wydr. Yr oedd hyn i gyd wedi tynnu'r gwynt o'i hwyliau. Nid fel hyn yr oedd hi wedi rihyrsio'r geiriau ar ei ffordd adre.

Uganda! O bob man dan haul. Yn union pan oedd ei gyrfa hi'n magu adenydd. Pa gerddorfeydd oedd yn mynd i lefydd fel'na? Ni allai feddwl am y lle heb feddwl am luniau cytiau gwellt a dynion duon hanner noeth yn *Y Cenhadwr* ers talwm. Dim Festival Hall, dim Albert Hall, dim America, dim Klaus Herbig. Gallai Robert fyw heb y pethau hyn yn rhwydd. 'Allai hi ddim.

Yn sydyn fe wawriodd arni sut y gallai hi droi'r datblyg-iad annymunol hwn yn ddŵr i'w melin ei hun, a tharo bargen. Meddyliodd am ychydig ac yna aeth yn ôl i'r ystafell fyw. Yr oedd ef wedi gafael mewn llyfr ond yr oedd hi'n ddigon siŵr nad oedd yn ei ddarllen.

'Robert . . . mae'n ddrwg gen i. 'Dwi'n falch iawn i ti gael y cyfle.'

Tynnodd Robert anadl hir. Fe ddylai ef, o bawb, fod yn gyfarwydd ag anwadalwch tymer ei wraig. Yr oedd yn dal yn ddrwgdybus, er hynny. Heb godi ei ben, meddai:

'Diolch yn fawr. Hwyrach y cawn ni drafod y peth yn rhesymol nawr.'

'Wrth gwrs.'

Yr oedd hi wedi mynd i eistedd ar fraich ei gadair. Rhed-odd ei bysedd drwy ei wallt.

''Dwi *yn* falch. Wir i ti.'

Caeodd Robert y llyfr ac ysgydwodd ei ben, cystal â dweud. ''Dwn i ddim beth i'w wneud efo chdi.' Pwysodd yn ôl yn y gadair yn graddol fwynhau ei chyffyrddiad.

'Mae Uganda—'

Yr oedd hi wedi rhoi ei llaw ar ei wegil, fel y dymunai iddi wneud bob amser i'w helpu i ymlacio. Yn raddol, clywai'r tyndra'n mynd o'i gorff.

'Mae Uganda'n lle braf iawn, heb fod yn annhebyg i Gymru. Perl Affrica, yn ôl Churchill. Mae'n wlad ffrwyth-lon, ac am fod Kampala'n uchel, 'fydd hi ddim yn rhy boeth.'

Clywai ei hun yn siarad fel hysbyseb twristiaeth, a disgwyliai iddi chwerthin am ei ben. Ond ni wnaeth.

'Mae'n swnio'n lle dymunol.'

'Unwaith y byddi di wedi setlo i lawr mi fyddi'n mwyn-hau'r profiad, gei di weld.'

Cododd Hanna o fraich y gadair a daeth i benlinio o'i flaen gan bwyso ei dwy benelin ar ei goesau.

'Mae'n siŵr y gwna'i. Maes o law.'

Yr oedd pwyslais ar y tri gair olaf a wnaeth iddo daflu golwg amheus arni.

'Os ydi o'n lle mor ddelfrydol, 'fydd ddim ots gen ti, felly, fod yno ar dy ben dy hun am y chwe mis cyntaf, yn na fydd?'

Edrychodd yn syn arni. 'Beth wyt ti'n feddwl?'

' 'Dw i wedi cael cynnig hefyd.'

'Wn i. Y daith i'r America. Ond yng Ngorffennaf mae honno.'

'Nid honno. Mi ges i wybod gan Martin heddiw fod y Prifathro wedi argymell f'enw i dderbyn ysgoloriaeth.'

'A beth y mae hynny'n ei olygu?'

'Astudio cyfansoddi am chwe mis gyda Klaus Herbig.'

'O.'

'Yn yr Almaen.'

Dyma faen prawf eu priodas. Gwyddai'r ddau hynny. Gobeithiai Hanna mai'r whisgi oedd yn gyfrifol am gochni ei wyneb a'i wegil.

'Mae'n debyg dy fod ti wedi derbyn?'

Cochodd hithau'n awr a thynnu ei breichiau'n ôl.

'Oeddet titha ddim wedi derbyn y peth Kampala 'ma?'

'Mae'n gwbl wahanol.'

' 'Rown i'n meddwl ein bod ni wedi penderfynu o'r cychwyn cynta fod fy ngyrfa i lawn mor bwysig â dy yrfa di.'

'Ddim os oedd hynny yn golygu y byddai'n rhaid i ni fyw ar wahân.'

'Dim ond am chwe mis.'

'Ond chwe mis sy'n mynd i fod yn bwysig iawn i mi.'

Yr oedd arno eisio iddi ddeall fod symud allan o rigol ei yrfa academaidd yn mynd i ddibynnu ar hyn, a bod rhaid iddo gael pob chwarae teg i wneud llwyddiant o'r peth. Gwyddai fod modd dringo'n uchel yn y Brifysgol newydd hon, hyd yn oed os oedd hynny'n golygu aros yno am gyfnod hir. Y gwir oedd y byddai mynd i ffwrdd ymhell yn ei arbed rhag gwaradwydd ei fethiant teledu. Byddai allan o'r wlad pan ddangosid y rhaglenni. Pam na allai egluro hyn wrthi?

'Ble mae'r Klaus yma'n byw?'

'Mae'r Dr. Klaus Herbig yn byw ym Munich.'

Pwysleisiodd Hanna'r enw i awgrymu ei fod yn anwybodus iawn os na wyddai fod Herbig yn un o gyfansoddwyr mawr Ewrop.

'Munich?'

Yr oedd oerni newydd wedi dod i'w lais.

'Mi wela' i. Mae'n debyg mai dy ffrindie, y Cassirers, sydd y tu ôl i hyn.'

Chwarddodd hithau'n uchel ac yn gras.

'Mae d'obsesiwn di'n mynd i bob twll a chornel, yn tydi? Beth *petae* nhw y tu ôl i hyn, fel 'rwyt ti'n deud? Pa wahaniaeth? Wir, Robert, 'rwyt ti wedi yfed gormod o whisgi. 'Rwyt ti wedi colli arnat dy hun.'

Yr oedd hi am ei frifo i'r eithaf.

'Maen *nhw*'n barod i hybu 'ngyrfa i, beth bynnag. 'Waeth i ti wybod, ddim. 'Dwi'n mynd i aros efo modryb Judith ym Munich, a rhaid i ti ddysgu byw efo'r peth.'

Dyna pryd y clewtiodd Robert hi ar draws ei hwyneb. Syndod, yn fwy na dim, a barodd iddi syrthio'n ôl ar ei hyd, er bod yr ergyd yn un ddigon caled. Rhewyd y ddau i'r fan lle'r oeddynt, yn rhythu ar ei gilydd, yn methu coelio fod y peth wedi digwydd. Yr oedd Robert yn fud gan sioc, ei wyneb wedi'i ddihysbyddu o bob lliw. Nid oedd erioed wedi taro Elise.

Nid oedd hithau, chwaith, wedi yngan gair ar ôl y gri gyntaf, cri fel anifail mewn trap. Pwysai'n ôl fel pe am i'r llawr ei llyncu, ei llygaid yn dywyll gan ofn ac anghrediniaeth. O'r diwedd daeth sŵn fel crawcian gan Robert.

'Hanna . . .'

Ond yr oedd hi wedi llithro'n ôl a chodi, gan osgoi ei ddwylo ymbilgar. Rhuthrodd i'r ystafell wely. Tynnodd gês bach o'r wardrob a'i daflu ar y gwely. Gyda dwylo crynedig taflodd ychydig o ddillad i mewn iddo a'i gau'n glep. 'Rydw i wedi gweld yr olygfa hon gannoedd o weithiau mewn ffilmiau, meddyliodd, ond yn awr mae'r *cliché* yn digwydd i mi.

Yr oedd Robert wedi'i dilyn hi at y drws. Safai yno'n druenus, yn ei gwylio.

'Hanna, cariad, mae'n ddrwg gen i.'

Ni chymerodd sylw. Cydiodd yn y cês a gwthiodd heibio iddo. Y tro hwn, ni cheisiodd gyffwrdd â hi.

'Hanna, mae'n hwyr. 'Rwyt ti heb fwyta . . .'

Agorodd hithau'r drws heb ateb.

'Ble 'rwyt ti'n mynd?'

Yr oedd byd o dristwch yn ei lais. Trodd hithau lygaid oer arno.

'Lle wyt ti'n feddwl? At Judith, debyg iawn.'

13

Yr oedd Hanna'n gwybod ble i fynd. Gwyddai fod Judith yn yr Ysgol yn ymarfer gyda'r pedwarawd a'i bod hi'n debyg o fod yno tan tua naw. Fel arall, byddai wedi bod yn anodd gwybod beth i'w wneud.

Trodd goler ei chôt i fyny i guddio'i boch fflamgoch oddi wrth y chwilfrydig. Daliai i deimlo'r llosg, ond y briw emosiynol oedd waethaf. Yr oedd hi wedi clywed fod pethau fel hyn yn digwydd weithiau mewn priodas, gwŷr yn cernodio'u gwragedd, ond yn siŵr dim ond i giaridyms fel Dic Llwynog a Leusa Tŷ'n Boncyn. Nid i barau diwylliedig a gwâr. Yr oedd ei chof wedi'i rewi gan y digwyddiad hunllefus, ac fel rhywun hanner chwil y daliodd y bws i'r Ysgol.

Safai y tu allan i'r ystafell ymarfer yn gwrando ar y Mozart, ond am unwaith, nid oedd balm i'w gael mewn cerddoriaeth. Teimlai'n gyfoglyd ac yn oer yng ngwyll y coridor. Caeodd ei llygaid a phwyso'n erbyn y wal, ond wyneb ffyrnig Robert oedd o'i blaen, yn ddieithr ac yn hyll.

O'r diwedd, daeth yr ymarfer i ben, a chlywai furmuron prysur yn dal i fynd dros rai pwyntiau wrth iddynt roi eu hofferynnau i'w cadw. Arhosodd yno yn y cysgodion. Nid oedd am i neb heblaw Judith weld ei hwyneb.

Daeth y pedwar allan o'r ystafell a symud yn araf barablus i lawr y coridor.

159

'Judith! . . .'

Swniai ei llais crynedig yn annaturiol yn ei chlustiau ei hun. Trodd ei ffrind mewn syndod.

'Hanna! Be' wyt ti'n ei wneud yma?'

Ni allai Hanna ddweud dim am ychydig, dim ond rhythu arni yn yr hanner tywyllwch. Arwyddodd Judith ar y lleill i fynd yn eu blaenau a daeth yn ôl ati. Llygadodd hi drwy ei sbectol fawr, yna rhoddodd ei braich amdani.

'Tyrd i ni fynd i rywle i siarad.'

Ceisiodd Hanna reoli ei chryndod. 'Ga' i ddod i aros efo chdi?'

'Wrth gwrs. Heno?'

Nodiodd Hanna.

'Mae'r car wedi'i barcio rownd y gornel,' ebe Judith yn gyflym. 'Tyrd.'

Yn y car, dechreuodd Hanna arllwys ei hanes. Erbyn hyn yr oedd hi'n dawelach, ac ar hyd y daith bum milltir ar hugain i Hertford, fe'i cafodd ei hun yn graddol siarad mwy a mwy o synnwyr.

Gwrandawr ardderchog oedd Judith ac yr oedd rhyddhad i'w gael o siarad yn bwyllog fel hyn am Robert. Soniodd am eu cyfarfyddiad cyntaf, am ei hedmygedd ohono fel gŵr soffistigedig, gwaraidd, peniog, hyderus. Yn wir, yr oedd hi wedi rhyfeddu bod y fath ddyn wedi cymryd sylw ohoni. Soniodd am eu carwriaeth cyn ac ar ôl priodi, am ogoniant y dyddiau cynnar ac yna am ei eiddigedd cynyddol a oedd yn awr yn ei chaethiwo fel ei bod hi'n dechrau colli diléit hyd yn oed yn ei cherddoriaeth.

'Mae fel petai rhywbeth yn ei ddifa. 'Dydi o ddim yr un dyn ag oedd o flwyddyn yn ôl.'

Yr oedd yn braf ryfeddol medru agor ei chalon fel hyn. Fe'i clywai ei hun yn lleisio meddyliau a fu'n annelwig bresennol yn ei phen cyn hyn.

''Rwy'n siŵr fod â wnelo Elise rwbath â'r peth.'

'Elise?'

'Ei wraig gynta. Fe fu hi farw chwe blynedd yn ôl.'

''Wyddwn i ddim fod ganddo wraig o'r blaen.'

'Dim ond fesul tipyn y ces inne wybod, a'r cwbl ddywed-odd Robert ar y dechrau oedd mai Belges oedd hi a'u bod nhw wedi cyfarfod ddiwedd y rhyfel pan oedd o'n swyddog yn y Fyddin Ryddhau. Wedyn, yn raddol, y ces i wybod ei bod hi'n alcoholig a'i bod hi wedi marw oherwydd hynny. Ond 'doedd o ddim yn fodlon dweud mwy.'

Bu Hanna'n ddistaw am ychydig, yn union fel pe bai wedi dod wyneb yn wyneb â wal haearn wrth sôn am Elise. Toc, meddai:

'Mi fydda' i'n troi a throsi yn fy meddwl sut ddynes oedd hi. 'Roeddwn i wedi gofyn i Paul ei disgrifio hi, ond mae hwnnw mor felltigedig o driw i Robert fel mai darlun niwlog iawn ges i. 'Doedd yna'r un llun ohoni, sy'n beth od ynddo'i hun. Mi faset ti'n disgwyl . . .'

Oedodd, a chiledrych ar Judith yn y tywyllwch, heb fod yn siŵr a ddylai hi ddweud rhagor. Ond yr oedd ei hawydd i rannu'i gofidiau yn ormod iddi.

'Yr oedd yna lythyr . . .'

Stopiodd Hanna eto.

'Oddi wrth yr Elise 'ma?' gofynnodd Judith.

'Na. Llythyr *iddi*. Oddi wrth Almaenwr. Ond yn Ffrangeg y sgrifennwyd o. 'Roeddwn i wedi meddwl dod â fo i'r Ysgol i ti gael ei gyfieithu i mi, ond 'roedd arna' i ofn i Robert gael gwybod.'

Yr oedd y car yn awr yn croesi pont Hertford ac yn troi i ddringo'r rhiw a arweiniai i gartref y Cassirers.

''Wyddai Robert ddim i ti ei weld?'

Nid oedd cerydd yn llais Judith fel ag y bu yn llais Paul. Anadlodd Hanna'n ddiolchgar. Dyna beth *oedd* ffrind. Ni allai fod wedi dioddef cerydd hunan-gyfiawn heno. Cafodd hwb i fynd ymlaen.

'Na wyddai, debyg iawn. 'Roeddwn i'n methu darllen y llofnod ar y gwaelod, ond yr oedd enw a chyfeiriad ar gefn yr amlen. Gerhard Eisner. Dyna oedd yr enw. 'Dydw i ddim yn cofio'r cyfeiriad yn llawn ond enw'r dref oedd Aug—rhywbeth.'

'Augsburg?'

'Ie. Dyna ti. Wyt ti'n gwbod am y lle?'

Ni ddaeth ateb oddi wrth Judith ar unwaith. Newidiodd gêr braidd yn swnllyd.

'Fan'no 'roedd ein cartref ni.'

Siaradai'n llyfn ac yn isel fel arfer ond yr oedd rhywbeth newydd yn ei llais na allai Hanna ddirnad ei ystyr. Ond yr oeddynt wedi cyrraedd. Neidiodd Judith allan o'r car a chymryd cês Hanna. Yr oedd golau croesawus uwchben y portico. Gwthiodd Judith y drws ar agor ac aeth y ddwy i mewn.

Derbyniodd Mrs. Cassirer ei hymwelydd annisgwyl fel y peth mwyaf naturiol yn y byd, heb ofyn cwestiynau. Ni roddodd Judith eglurhad ar unwaith ond pan oedd Hanna'n ymolchi a dadbacio ei hychydig bethau, cafodd y fam wybod y rheswm. Pan ddaeth Hanna i lawr yr oedd Mrs. Cassirer yn ei disgwyl ar waelod y staer.

''Rŷn ni'n falch iawn o'ch cael chi yma, *liebchen.* Cewch aros faint fynnoch chi.'

Wrth arwain Hanna i mewn i'r lolfa fawr, oedodd am eiliad wrth y teleffon.

'Teimlwch yn rhydd i wneud galwad deleffon unrhyw amser y dymunwch.'

Gwyddai Hanna beth oedd ar ei meddwl. Ysgydwodd ei phen.

'Ddim heno, diolch. Mae Robert yn gwbod lle 'rydw i.'

Yr oedd Ben yn y lolfa. Safai wrth y tân yn sgwrsio'n isel gyda Judith. Distawodd y ddau pan ddaeth Hanna i mewn a daeth Ben ymlaen ati a'i chusanu ar y ddwy foch. Teimlai fod hyn hefyd yn berffaith naturiol.

'Mae'n dda eich gweld chi, Hanna. Dewch i eistedd.'

Yr oedd y gadair fawr mor feddal â chwmwl. Suddodd iddi a chau ei llygaid. Edrychodd y ddau arall ar ei gilydd yn ddifrifol. Cawsant olwg glir yn awr ar y chwydd ar ei boch. Er iddi geisio coluro ei hwyneb cyn dod i lawr, yr oedd y gwrthgyferbyniad rhwng llwydni ei hwyneb a'r cylch mawr coch i'w weld yn blaen. Yn araf, mynnai dau ddeigryn ymwthio o'r llygaid caeëdig. Dyma'r tro cyntaf iddi grio. Fel arfer byddai'r dagrau parod wedi dod ymhell cyn hyn, ond bu'r sioc yn ormod i ddagrau y tro hwn. Yn awr, yng nghwmni cynnes ei ffrindiau ni allai ymatal. Chwiliodd yn ffyrnig am ei hances.

'Mae'n ddrwg gen i . . .'

Ond yr oedd yn well iddi grio, meddai Judith. Nid oedd Hanna mor siŵr. Teimlai'n ddiflas oherwydd y gwendid emosiynol hwn a'i cadwai'n blentyn. Dim rhyfedd fod Robert yn ei thrin fel un.

Daeth Mrs. Cassirer i mewn yn cario hambwrdd o frechdanau a choffi. Sylweddolodd Hanna'n sydyn ei bod hi ar lwgu. Nid oedd wedi bwyta ers amser cinio. Yn sydyn ac yn wirion, meddyliodd—gobeithio fod Robert wedi tynnu'r caserôl o'r stôf.

Er gwaethaf popeth, cysgodd yn dda y noson honno. Yn y bore, sŵn anghyfarwydd adar a'i deffrôdd. Am rai eiliadau ni allai ddyfalu lle 'roedd hi. Yna gwelodd y cwpwrdd Almaenaidd a'i addurniadau glas a phinc, a llifodd y cof am ddoe yn ôl.

Sut oedd Robert yn teimlo y bore 'ma? Yr oedd ei dicter wedi diflannu, erbyn hyn, ac nid oedd yn ymwybodol o ddim ond gwacter a phryder amdano. Daeth awydd arni i godi a dal y bws cyntaf yn ôl i Lundain. Ac yna fe'i ceryddodd ei hun unwaith eto am fod mor fyrbwyll. Rhaid iddi gael amser i feddwl ar ei phen ci hun. I ddarganfod yr hunaniaeth a oedd ynddi.

Wrth ddianc o'r fflat neithiwr, nid oedd hi wedi meddwl ei adael yn llwyr, dim ond ei ddychryn a'i gosbi. Ond gwyddai'n awr fod yn rhaid iddi ddewis. Dewis rhwng ei gyrfa a'i gŵr. Er mor rhyddfrydig a chyfoes y siaradai Robert am hawl y wraig i'w bywyd ei hun, yn y bôn yr oedd hynny yn gwbl groes i'w reddfau. Cymro ydoedd. Er ei fod yn hoff o frolio Cyfraith Hywel Dda a'i rheolau goleuedig ar hawliau'r wraig, mewn cwmni Seisnig, nid oedd Robert, fel llawer Cymro arall, wedi symud fawr ddim oddi wrth syniadau ei gyndadau gwerinol, lle y disgwylid ufudd-dod i bennaeth y tŷ yn gyfnewid am gartref a phres menyn ac wyau.

163

Bu ei mam hi'n fodlon ar y *role* israddol hon, ac yr oedd rhywbeth cyntefig anghyson ynddi hi, Hanna, a ddymunai blygu i'r drefn a derbyn ei reolaeth. Byddai'n llawer mwy cysurus yn y pen draw na'r brwydro parhaus yn erbyn ei ewyllys. Yr oedd hi wedi dod i gredu'r un fath ag ef am bob math o bethau, gwleidyddiaeth, crefydd, y frenhiniaeth, y bom. Darllenai'n gydwybodol y llyfrau a ddewisai ef iddi. Gallai'n awr siarad yn weddol hyderus â'i ffrindiau ysgolheigaidd heb wneud y *gaffes* naïf a fu'n achos embaras iddo.

Ond hi ei hun oedd piau ei cherddoriaeth, ac yr oedd yn rhaid iddi fod yn feddyliol rydd i'w meithrin fel plentyn. Yr oedd y ffaith ei bod hi'n cael ei sugno i mewn i'w bersonoliaeth gref ef yn rhwystr i'w mynegiant unigol fel cerddor.

Cododd a gwisgo, a'i phenderfyniad mor ansicr ag erioed. Pe na bawn i'n ei garu, meddyliai, byddai'r broblem yn diflannu.

Yr oedd Judith a Ben yn aros amdani pan aeth i lawr.

''Rydyn ni'n dau am i ti ddod am dro ar ôl brecwast,' ebe Judith. 'Maen nhw'n addo glaw y pnawn 'ma, ond y bore 'ma bydd yr eirlysiau yn y goedwig yn werth eu gweld, ac mae'r haul yn reit gynnes.'

'Ond beth am yr Ysgol, Judith? Oes gen ti ddim gwers—?'

''Roedd gen i wers, ond 'rydw i wedi ffonio i wneud esgus. Diwrnod i ymlacio ydi hi heddiw.'

'O, 'rydach chi'n deulu caredig,' ebe Hanna yn isel. Gwyddai nad oedd Judith yn hoffi colli'r un wers.

Gwenodd Ben. 'Mae 'na hen gred Iddewig, wyddoch chi. Bydd unrhyw un sydd wedi bwyta wrth ein bwrdd yn dod yn gyfrifoldeb arnom.'

Yr oedd hi'n braf cerdded yn y coed y tu ôl i'r tŷ gyda Judith a Ben. Tywynnai'r haul ar yr helyg gwiail, ar flodau'r gwynt a'r cwrlid o eirlysiau. Codai lleithder o'r dail cringoch o dan draed. Yr oedd rhywun yn llosgi coed yn rhywle a deuai'r aroglau draw atynt yn bêr ac yn hiraethlon ar yr awel. Cerddasant mewn distawrwydd am sbel go hir, ac yna dechreuodd Judith ar y pwnc a fu ar ei meddwl ers y noson cynt ac a fu'n destun cryn gydymgynghori rhyngddi hi a Ben.

'Hanna, mae 'na rywbeth y mae'n rhaid i ni ei ddweud wrthyt ti.'

Ar unwaith, yr oedd ar ei gwyliadwriaeth. Edrychai'r ddau mor ddifrifol.

'Ia?'

Gyda siffrwd swnllyd, cododd dwy sguthan o'u blaenau a hedfan yn ffyslyd i frig llwyfen uchel.

'Wyt ti'n cofio ti'n sôn neithiwr am lythyr oddi wrth ryw Gerhard Eisner?'

'Ydw, wrth gwrs.'

'A'i fod yn dod o Augsburg?'

'Dyna ti.'

'Wel, 'rydan ni'n ei adnabod yn dda.'

Cydiodd cyffro annioddefol ynddi. Oedd hi o'r diwedd yn mynd i gael gwybod y gyfrinach? Yn sydyn, ac yn afresymol, 'doedd hi ddim am glywed. Ofnai beth fyddai'n cael ei ddatgelu.

''Doedden ni ddim yn siŵr ddylen ni ddweud. Ond yn wyneb beth sydd wedi digwydd—'

Brysiodd Ben i ddweud: 'Ond Hanna, chi sydd i ddewis. Os nad ydych chi am wybod am Gerhard, fe barchwn ni hynny.'

Beth oedd hi i'w ddweud? Fe'i tynnwyd yn ôl gan deyrngarwch i Robert a lechai ynddi o hyd. Ac eto . . . Dyma gyfle iddi ei ddeall yn well . . . hwyrach. Beth bynnag, yr oedd yn rhy hwyr. Fe'i clywai ei hun yn dweud:

'Be' sy gynnoch chi i'w ddeud, Ben?'

Yr oeddynt wedi dod at ymylon y coed, a gweundir yn ymagor o'u blaenau, a nant yn cuddio'n ddirgel rhyngddynt. Aeth Ben i bwyso ar bompren a groesai'r nant.

''Roedden ni'n blant gyda'n gilydd, yn byw yn yr un heol; yn y dyddiau cynnar yn mynd i'r un *kindergarten*. Tua chanol y dauddegau oedd hyn, cofiwch. Cyfreithiwr oedd tad Gerhard, dyn caredig iawn, ac mi fyddwn i'n treulio

165

cryn dipyn o amser yn ei dŷ, yn chwarae â Gerhard a'i frodyr. Yr oeddem fel dau frawd. Ond fe ddaeth Hitler.'

Arhosodd Ben am rai eiliadau, yn rhythu ar y tonnau mân yn rhedeg o dan y bompren. Aeth oerni drwy Hanna. Yr oedd trasiedi miloedd yn y pedwar gair hynny.

'Yn raddol, fe deimlais newid. 'Doedd dim cymaint o groeso ag o'r blaen. O, yr oedd Gerhard yn treio'i orau ond fe ddaeth yn amlwg i mi fod ofn yn cydio yn y teulu, a bod f'ymweliadau i'n embaras iddynt. Un diwrnod bu raid i Gerhard ddweud wrthyf fod ei dad wedi derbyn rhybudd, ac nad oedd yn bosibl i ni ddal i fod yn ffrindiau. Mi gollais i nabod arno wedyn. Clywais ei fod wedi ymuno â Ieuenctid Hitler—cael ei orfodi i wneud er mwyn profi purdeb ei deulu, mae'n siŵr gen i—ac yna ei fod yn swyddog yn y fyddin. Dyna'r cwbl. Tan ddechrau'r flwyddyn hon. Mi welais i o yn Augsburg pan own i ar daith yno.'

Cofiodd Hanna y sgwrs o amgylch y bwrdd yn ystod ei hymweliad diwethaf.

'Dyna'r dyn oedd wedi mynnu siarad a siarad â chi fel petai am garthu'r gorffennol. Dyna ddwetsoch chi, Ben.'

'Mae cof da gennych chi.'

''Roedd y peth wedi creu argraff arna' i.'

Lledwenodd Ben ei wên drist. 'Do, fe siaradodd. Cefais wybod ei hanes i gyd, popeth a ddigwyddodd iddo ar ôl i ni wahanu'n blant. 'Roeddwn i'n teimlo fel offeiriad Pabyddol yn derbyn cyffes.

'Pan aeth y fyddin Almaenig i mewn i'r Iseldiroedd a Gwlad Belg ym Mai 1940, yr oedd Gerhard newydd ei ddyrchafu'n is-gapten. Yr oedd y goresgyniad hwnnw drosodd erbyn dechrau Mehefin, ac fe'i cafodd ei hun yn brwydro yn erbyn y Ffrancwyr yn Rouen. Wedyn, sbel yn Luxembourg, ond ar ôl tair blynedd fe'i anfonwyd yn ôl i Wlad Belg, y tro hwn fel Capten gwersyll mewn pentref gwledig. Lle diflas iawn oedd hwn, y wlad yn fflat ac yn anniddorol, y trigolion, yn naturiol ddigon, yn surbwch ac yn tynnu'n groes, a 'doedd yna ddim oll i'w wneud ond treio cadw ei wŷr rhag mynd dros ben llestri yn eu diflastod.'

Ysai Hanna am iddo ddod at ran bwysicaf y stori.

'Yma dar'u o gyfarfod Elise, mae'n debyg.'

'Ie. Merch pobydd y pentref oedd hi. Oeddech chi'n gwybod? Byddai'n gweithio yn y *boulangerie.* Rhaid bod Gerhard wedi prynu sacheidiau o deisennau a byns er mwyn cael esgus i'w gweld. Yna fe aeth siwgwr yn brinnach fyth, ac nid oedd dim ond bara i'w gael. Ond fe gafodd Gerhard gyflenwad mawr o siwgwr iddynt, ac wrth gwrs, yr oedd hi a'i thad ar ben eu digon.

'Syrthiodd Gerhard ac Elise mewn cariad a bu yn galw yn ei thŷ yn rheolaidd ac yn agored, nes iddo'i gweld hi un diwrnod efo llygad du a gwefus wedi chwyddo'n las. Dau ddyn oedd wedi ymosod arni yn y tywyllwch, meddai hi. O hynny ymlaen, ceisient gadw eu carwriaeth yn gyfrinachol, ond ni allent beidio â gweld ei gilydd.

'Yna daeth dechrau'r diwedd i'r fyddin Almaenig. Bu raid i Gerhard symud i Dde Ffrainc ym mis Awst i ymladd yn erbyn y goresgyniad yno. Fis yn ddiweddarach yr oedd y fyddin Brydeinig ym Mrwsel. A dyna'r tro olaf y gwelodd Gerhard Elise.'

Oedodd Ben am ychydig, ond gwyddai Hanna nad dyna ddiwedd y stori. Chwiliai am ei eiriau'n ofalus yn awr.

'Y noson cyn iddo fynd i ffwrdd, dywedodd Elise wrtho ei bod hi'n disgwyl eu plentyn. Addawodd yntau wneud popeth yn ei allu i ailgysylltu â hi ar ôl y rhyfel, oherwydd fe deimlai ei fod yn briod ag Elise mewn popeth ond deddf gwlad.

'Fe ddaeth y rhyfel i ben a Gerhard wedi'i gymryd yn garcharor. Aeth blwyddyn heibio cyn iddo gael mynd yn ôl i Augsburg. Nid oedd teithio'n hawdd i gyn-swyddog o Almaenwr y dyddiau hynny, felly ni allai fynd i Wlad Belg am dymor hir iawn. 'Doedd Elise ddim yn ateb ei lythyrau. Sgrifennodd at ei ffrind yn y pentref a chafodd wybod ei bod wedi mynd i Frwsel yn union ar ôl iddo adael, a'i bod hi wedi priodi milwr Prydeinig ac yn byw erbyn hynny yn Lloegr.'

Stori gyffredin iawn yn ystod dyddiau helbulus rhyfel, ond yr oedd Ben wedi llwyddo i gyfleu ing arbennig y ddau unigolyn hyn.

'Y plentyn?' sibrydodd Hanna. 'Be' ddigwyddodd i'r plentyn?'

'Dyna 'roedd Gerhard am gael gwybod. O'r diwedd cafodd fynd i Wlad Belg ac i bentref bach ei garwriaeth. Yno y cafodd hynny o'r stori a wyddai ffrind Elise. Ar ôl iddo fynd, ni allai Elise aros yn y pentref rhag ofn i'w beichiogrwydd ddechrau dangos. Aeth i Frwsel lle'r oedd hi'n gobeithio medru mynd ar goll ymhlith pobl nad oeddynt yn ei hadnabod. Mae'n debyg iddi gyfarfod Robert yno bron ar unwaith. Ni wyddai'r ffrind a oedd hi wedi dweud wrth ei gŵr newydd ar unwaith ei bod hi'n feichiog. Mae'n siŵr, yn hwyr neu'n hwyrach, fod ei chorff hi'n rhy fawr iddi fedru tadogi'r plentyn arno ef. Yr hyn *a* ddywedodd wrtho oedd mai un o'r *Résistance* oedd y tad, a'i fod wedi'i ladd.'

Dihangodd ochenaid fach o wefusau Hanna. Gwyddai am yr ochr ramantaidd i natur Robert. Byddai stori fel yna wedi ei gyffwrdd yn fawr. Gallai ei ddychmygu yn sychu ei dagrau ac yn syrthio'n ddyfnach mewn cariad â hi.

'Ym Mrwsel yr oeddynt yn byw tra parhâi Elise i sgrifennu i'w ffrind, ond ar ôl iddi symud gyda Robert i Brydain fe beidiodd y llythyru, ac yr oedd y ffrind wedi colli cysylltiad yn llwyr â hi. Y cwbl allai Gerhard ei wneud oedd sgrifennu i hen gyfeiriad Elise ym Mrwsel a gofyn am i'r llythyrau gael eu hanfon ymlaen. Ni ddaeth ateb, a bu raid iddo dderbyn nad oeddynt wedi cyrraedd yn ystod yr anhrefn ar ôl y rhyfel.'

Cododd Ben ei ddwylo i ddynodi ei fod wedi gorffen ei stori. Ond yr oedd cymaint mwy i'w ddweud on'd oedd? Cwestiynau di-ri a dim ond Robert yn gwybod yr atebion.

Edrychodd Judith yn apelgar ar Hanna. 'Dyna pam y cefais i dipyn o sioc pan soniaist ti am y llythyr i Elise a oedd yn dal gan Robert. 'Dydw i ddim yn gwybod eto oedden ni'n iawn i ddweud wrthyt ti. Weithiau mae'n well peidio â gwybod y gwir.'

Ond beth *oedd* y gwir? 'Roedd hi'n amlwg i un llythyr, o leiaf, gyrraedd. Welodd Elise ef, neu a oedd Robert wedi'i gadw oddi wrthi? Yr oedd Hanna mewn mwy o ddryswch hyd yn oed nag o'r blaen. Hwyrach fod Elise wedi cael y llythyr, ac fel gwraig dda, wedi'i ddangos i Robert. Pam felly yr oedd Robert wedi'i gadw?

Yr oedd hi'n ceisio gweld darlun o'r Elise yma, a fu'n wrthrych serch dau ddyn, ond yr oedd rhywbeth niwlog annelwig, anorffenedig yn y darlun. Yr oedd darn mawr ar goll.

''Rwy'n ddiolchgar iawn i chi am ddeud wrtha' i.'

Yr oeddynt wedi gadael y bompren yn awr ac yn cerdded ar hyd llwybr arall a arweiniai'n ôl i'r tŷ. Yr oedd ei diolch yn ddiffuant. Teimlai, yn rhyfedd iawn, fod rhywbeth wedi'i godi oddi ar ei hysgwyddau. Wedi clywed y stori hon yr oedd ganddi hawl yn awr i fynd yn ôl at Robert gyda'i chwestiynau. Hwyrach y byddai'r atebion un ai'n help iddi ei ddeall yn well neu'n ei harwain i benderfynu beth a wnâi hi yn y dyfodol.

Wrth iddynt gerdded i fyny'r dreif at y tŷ, gwelsant Mrs. Cassirer yn sefyll wrth y drws fel pe'n chwilio amdanynt.

'Hanna,' meddai, ac yr oedd rhywbeth yn ei llais a gododd anghysur yn y ferch, 'mae yna neges i chi.'

'I mi? Ond 'does neb yn gwbod—'

'Eich gŵr fu ar y ffôn. Mae'ch brawd—'

'Gwion . . .?' Aeth y byd yn oer.

''Dydi o ddim wedi marw?'

Ond mi fyddai hi'n gwybod, oni fyddai? 'Allai peth fel'na ddim digwydd i Gwion heb fod rhan ohoni hi hefyd wedi marw. Byddai wedi teimlo ei boen a'i ing. Gyda ffrydlif o gywilydd, sylweddolodd nad oedd wedi meddwl am Gwion a'i salwch ers wythnos gron, o leiaf. Llenwid ei meddwl â'i phroblemau hi ei hun, hi a Robert. Clywai Mrs. Cassirer o bell.

'Na, *liebchen*. Ond mae'n bur wael. Mae eich gŵr am i chi ffonio'n ôl.'

Rhedodd Hanna i mewn i'r tŷ a chodi'r ffôn yn drwsgl. Am rai eiliadau ni allai gofio ei rhif ei hun, ond o'r diwedd fe ddaeth. Rhaid bod Robert yn sefyll wrth y ffôn, oherwydd fe atebodd ar unwaith.

'Hanna . . .?'

'Robert! Beth am Gwion?'

'Mae'n dost, Hanna. Bu dy dad ar y ffôn gynnau. Maen nhw am i ti fynd adre os medri di.'

Caeodd ei llygaid. Rhaid iddi beidio â llewygu.

'Wrth gwrs. Be' ddeudodd Dada?'

'Canser sydd arno fo. 'Roeddet ti wedi amau, on'd oeddet? 'Roedden nhw'n meddwl ei fod o'n gwella ar ôl ei driniaeth, er bod yr arbenigwr wedi eu rhybuddio nhw, ond—'

'Pam na fasen nhw wedi *deud* wrtha' i?'

Torrodd ar ei draws yn ffyrnig. Yr oedd yn rhaid iddi arllwys ei gofid drwy ddigio wrth bobl eraill.

'Ti oedd wedi deud y byddet ti yno ddiwedd Mawrth, a 'doedden nhw ddim am dy styrbio di cyn hynny. Clyw, cariad, wyt ti am i mi ddod draw yna?'

'Na. 'Does dim amser. Rhaid i mi gychwyn ar unwaith.'

'Dyma pryd y dylai fod car gennym.'

'Dim ots. Mi wna' i'n iawn efo trên. 'Dwi'n siŵr yr aiff Judith â fi i Paddington.'

'Mi ddo' i yno i dy gyfarfod di'n ôl. Rho wybod erbyn pa bryd. Tria beidio â gofidio gormod.'

'Ia . . . Diolch, Robert.'

Rhoddodd y ffôn i lawr yn araf. Sylweddolodd nad oedd hi ddim yn crio. Yr oedd rhai pethau fel petaent yn hidlo dagrau o'r corff. Teimlai ei bod hi'n gwaedu'n araf o'r tu mewn. Trodd at y tri Chassirer a safai yno'n gaer o dosturi o'i hamgylch.

'Rhaid i mi fynd adre.'

Nid oedd angen iddi egluro mai ei 'hadre' hi oedd Pengele.

'Wrth gwrs,' ebe Mrs. Cassirer, 'ond rhaid i chi gael bwyd yn gyntaf. Sut ewch chi?'

'Bydd yn rhaid i mi gael trên o Baddington. Judith, wnei di—?'

Ond yr oedd Ben wedi torri ar ei thraws.

''Does dim rhaid. Mi a' i â chi i Gymru yn fy nghar.'

'O, Ben, 'alla' i ddim gadael i chi.'

'Mae gen i rai dyddiau cyn y bydd yn rhaid i mi fynd i Bafaria. Bydd yn bleser mawr cael eich hebrwng. Yn naturiol, 'fydda' i ddim yn aros.'

Pam lai? Mi fyddai'n arbed y daith yn ôl i Lundain, y siwrnai o Paddington, y newid yn Amwythig a Rhiwabon. Ac mi fyddai'n gwmni. Nid oedd Robert wedi cynnig dod gyda hi i Gymru.

'Diolch, Ben.' Llwyddodd i wenu ychydig. 'Caredig, fel arfer.'

Rhyw siwrnai ryfedd oedd hi. Ceisiai sgwrsio'n naturiol â Ben, er nad oedd hwnnw'n or-siaradus. Ni fynnai ef siarad ond pan ddymunai hi. Ond rhywun arall oedd yn y car, nid Hanna. Yr oedd hi ei hun mewn byd arall o gymylau. Hanner ofnai gyrraedd adre i weld rhyw Gwion dieithr yn ei gystudd. Ac eto, gwaeddai ei holl galon am iddi fod mewn pryd, cyn iddo ddiflannu i ddiddymdra. Diddymdra. Nid oedd ganddi bellach y cysur o weddi— neu'r 'ffârs' fel y byddai rhai o'u ffrindiau'n dweud. Haerllugrwydd fyddai troi at rywbeth a elwid yn Dduw mewn amser o gyfyngder a hithau wedi'i chyflyru crbyn hyn i gredu mai rhywbeth cyffelyb i gyffwrdd pren neu foesymgrymu i'r lleuad am lwc oedd gweddi.

Ceisiai beidio â meddwl am beth fyddai'n digwydd i gorff Gwion ar ôl iddo gael ei ollwng i'r pridd, ond mynnai darluniau arswydlon ymwthio o flaen ei llygaid. Teimlai y byddai hi ei hun yn cael ei difa gan y cynrhon gydag ef. Ni allai godi ei meddyliau yn uwch na'r bedd oedd yn aros amdano, oherwydd nid oedd unlle uwch, yn y pen draw. Nifer o gelloedd yn unig oedd dyn, yn ôl Robert. Wedi iddynt ddarfod, dyna derfyn ar y bersonoliaeth a'r cwbl.

Ac eto . . . Gwion. Gwion a fu mor fyw, a fu mor real, yn nes ati na'r un creadur arall ar wyneb y ddaear. Ni allai oddef meddwl amdano'n peidio â bod. Am y tro cyntaf yr oedd hi wyneb yn wyneb â marwolaeth yn ei holl hacrwch personol. Pan fu farw Nain, mi fuo hi'n drist wrth gwrs, ond nid yw tristwch plentyn chwech oed yn parhau. Dyna'i hunig gyfarfyddiad â'r profiad anorfod, tan rŵan.

Dywedodd wrthi'i hun nad oedd Gwion wedi marw eto, ac na ddylai ei meddwl redeg o flaen ffeithiau. Ond yn ôl ac yn ôl y dôi'r darluniau o'r hyn oedd yn mynd i ddigwydd. Mor bitw yn awr yr ymddangosai ei ffrae â Robert. Mor ddiwerth ei cherddoriaeth a'i breuddwydion i fod yn olynydd i Morfydd Owen. Rhoesai'r byd yn grwn am gael troi'r cloc yn ôl bedair blynedd, sef y cyfnod cyn iddi ddewis ymadael â Thyddyn Alarch a Phengele a Gwion, a mynd i'r byd dieithr hwn a oedd wedi codi clawdd rhyng-ddi hi a'i gorffennol a dinistrio ei gallu i wynebu difodiant y sawl yr oedd hi'n ei garu.

'Fyddai hi ddim yn sgrifennu'r un nodyn eto. Cosb fyddai hynny am fod mor esgeulus ohono, am beidio â sgrifennu, am beidio â ffonio, am beidio â holi'n fwy manwl ynghylch natur ei salwch. Beth oedd wedi digwydd iddi? Teimlai nad oedd am weld Llundain byth mwy.

Yna cododd dicter mawr ynddi yn erbyn y Duw nad oedd yn credu ynddo. Dim ond tair ar hugain oed oedd Gwion. Pam fo? Sut 'roedd *o* wedi pechu? Pam nad oedd hyn wedi digwydd i Johnny Parry a fu i mewn ac allan o Borstal ar hyd y blynyddoedd? Neu Dic Llwynog a fyddai'n curo'i wraig yn ddidrugaredd yn ei ddiod? Rhy dda i fyw. . . . Dyna fyddai'r hen bobl yn ei ddweud am hwn-a-hwn neu hon-a-hon yn marw'n ifanc o'r diciáu. Cysur ffyliaid diniwed! Os clywai nhw'n dweud hyn am Gwion, mi fyddai hi'n poeri yn eu hwynebau.

Fel ffilm o flaen ei llygaid fflachiai golygfeydd yn mynd yn ôl, yn ôl, i'w phlentyndod. Gwion a hi'n bedair oed yn cogio helpu cario gwair, ac yn yfed llaeth enwyn nes eu bod yn rhowlio gyda phoen stumog. Gwion a hi'n ymdrochi'n anufudd yn Llyn Criafol ac yn rhedeg ras wedyn i ben Bryn Cŵn. Ei dagrau hi y diwrnod cyntaf y bu raid iddynt fod ar wahân, diwrnod cychwyn yn y ddwy ysgol uwchradd. Gwion ynghanol y gynulleidfa yn y Wigmore Hall, brin saith mis yn ôl . . .

'Mae Mam wedi paratoi coffi a brechdanau i ni. Gawn ni gymryd hoe am ychydig?'

Bu bron iddi weiddi 'Na, na, 'rydw i am bwyso ymlaen!' ond sylweddolodd mewn pryd y byddai ar yrrwr angen seibiant a chytunodd, er na theimlai fel bwyta nac yfed dim.

Yr oeddynt yn tynnu tua Amwythig erbyn hyn a'r tir gwastad yn dechrau newid. Tua'r gorllewin gallai weld bryniau bach yn addewid o'r mynyddoedd y tu draw iddynt. Yr oedd Ben yn dadbacio'r fasged ac yn arllwys y coffi i'r cwpanau. Mor dawel oedd, meddyliai'n ddiolchgar, ac mor gysurlon. ''Dwn i ddim pam 'dach chi'n gwneud hyn i mi, Ben.'

Estynnodd yntau'r cwpan iddi ac yna'r brechdanau cyn ateb. Yna edrychodd arni'n dreiddgar.

'Na wyddoch chi?'

Gwelodd ar unwaith ei bod hi wedi sangu ar dir peryglus wrth wneud y sylw. Hwyrach y byddai'r hen Hanna wedi dilyn y peth ymlaen yn chwareus o'r fan honno, ond, heddiw, na, gwaeddai rhywbeth y tu mewn iddi. 'Does arna' i ddim isio cymhlethdod arall yn fy mywyd. 'Does arna' i ddim isio brifo neb eto.

Y fasant eu coffi mewn distawrwydd. Ofnai yn ei chalon iddo ddweud rhagor. Ond nid oedd Ben am ymhelaethu. Yr oedd wedi dweud digon.

Ymdoddai'r haul yn afradus uwchben yr aber pan drodd y car i fyny'r allt i gyfeiriad Tyddyn Alarch. Mynnai Ben ei gollwng hi wrth y llidiart a throi'n ôl am Bengele ar ei union i chwilio am westy. Ond gwyddai Hanna y byddai ei rhieni yn gweld hynny yn od iawn, yn odiach na bod dyn dieithr nad oedd yn ŵr iddi wedi'i hebrwng hi adre bob cam o Hertford. Mewn ffordd yr oedd hi'n falch o gael rhywun dieithr gyda hi yn croesi rhiniog y drws. Byddai'n rhaid iddi gadw rhyw fath o reolaeth arni ei hun.

Porai'r defaid ar y dolydd bob ochr i'r ffordd arw a arweiniai o'r llidiart at y ffermdy. Newydd ddod yn ôl o'u wintro, meddyliai Hanna'n bŵl, ac ŵyn bach y defaid hyn yn dechrau cael eu geni. Popeth fel arfer, yn union fel y buont ym mhob tymor ar hyd y blynyddoedd. Ond am un peth.

Ei thad a ddaeth allan i'r buarth wrth glywed sŵn y car. Nid edrychai'n syn i weld ei ferch yn disgyn o'r car mawr, du. Gwyddai y byddai hi wedi hedfan adre pe byddai modd, wedi iddi gael y newydd. Mae o wedi heneiddio, meddyliai Hanna. 'Roedd y croen tenau'n felyn am esgyrn cerfiedig ei wyneb. Safai yno'n ansicr, ac aeth hyn fel saeth at galon ei ferch. Rhedodd ato a'i gofleidio, pob dieithrwch a chwerwder a fu rhyngddynt wedi diflannu yn wyneb y peth mwy.

'Sut mae o?' sibrydodd.

'Y salwch yn 'i gerdded o. Mae o'n cysgu ar hyn o bryd. Effaith y morffia.'

Yr oedd hi'n falch o hynny. Yr oedd arni angen amser i ymwroli cyn mynd i'w weld. Trodd i gyflwyno Ben i'w thad. Os oedd yn synnu clywed yr enw hwn yn lle enw ei fab yng nghyfraith, ni fradychai hynny.

Yr oedd ei mam yn dod i lawr y staer i'w cyfarch. Edrychai'n flinedig ac yn llai o lawer nag y cofiai Hanna hi. Daeth y dagrau cyntaf i'w llygaid, ond fe'u gwthiodd yn ôl. Rhaid iddi *hi* gysuro yn awr, nid chwilio am gysur. Cusanodd ei mam heb ddweud gair, yna, unwaith eto, cyflwynodd Ben iddi.

'Nid—?' cychwynnodd ei mam, yna stopio.

''Fedar Robert ddim gyrru,' eglurodd Hanna'n gelwyddog, yna fe'i cywirodd ei hun. 'Wel, ddim yn dda iawn, beth bynnag. A 'does gynnon ni ddim car. Ben, brawd Judith, gynigiodd ddod â mi.'

''Roedd hynny'n ffeind iawn,' murmurodd ei mam. 'Mi arhoswch dros nos?'

'Ddim ar unrhyw gyfri,' ebe Ben. 'Mae'n siŵr fod yna westy yn y dref.'

Edrychai Mrs. Thomas yn ddiolchgar ac ni phwysodd arno.

'Ond mi gymwch swper hefo ni gynta?'

Amneidiodd Hanna ei phen iddo gytuno, a mwmiodd Ben ei ddiolch. Yr oedd Mrs. Thomas am iddynt fynd i'r parlwr i aros, ond ni allai Hanna ddiodde'r syniad o eistedd yn y stafell bropor honno nas agorid ond ar y Sul.

'Bydd Ben yn hapusach yn y gegin,' meddai. 'Ac mi alla' i eich helpu chi.'

Yr oedd yn dda cael rhywbeth i'w wneud. Chwiliodd am liain i'w roi ar y bwrdd mawr o dan y ffenestr, yna penderfynodd adael iddo a gosod y bwrdd yn naturiol ddi-liain fel arfer.

Edrychai Ben o gwmpas gyda diddordeb—ar y simdde fawr a'r gwreichion yn neidio o'r boncyffion gwynias, ar y setl dderw a'r dresel ar hyd un o'r waliau, ar y sampler a phennill—yn y Gymraeg ddieithr—wedi'i weithio'n ofalus arni, ar y cwpwrdd cornel a'i res o gwpanau arian yn disgleirio ymhlith y platiau gleision a'r jygiau lystar. Dyma gefndir Hanna.

Cyn iddynt ddechrau ar eu swper dywedodd Hanna nad oedd hi eisiau bwyd. Gadawodd yr ystafell a heb ddweud wrth y lleill aeth i lofft ei brawd. Agorodd y drws yn ddistaw, ofnus. Yr oedd yn rhaid iddi ei weld drosti ei hun cyn dechrau holi ei rhieni.

Gorweddai Gwion, hanner ar ei eistedd, rhwng cymylau o glustogau, ei gnawd fel cysgod ar bared, wedi'i naddu at yr esgyrn. Deuai ei anadl yn drwm ac yn boenus drwy geg lled agored. Yn awr ac yn y man symudai ei fysedd main, hir ar y gynfas fel pe'n ceisio dal rhywbeth. Ar y bwrdd yn ei ymyl yr oedd poteli amrywiol, a llestr yn llawn dŵr a rhyw fath o ewyn arno. Deuai aroglau dieithr i'w ffroenau. Syllai'n amheus ar y ffenestr gaeëdig, ond nid ei lle hi oedd ymyrryd trwy ei hagor.

Fel y safai yno yn edrych i lawr arno, ei chalon yn byrlymu o gariad a thosturi, agorodd Gwion ei lygaid. Sylwodd Hanna ar unwaith fod canhwyllau'r llygaid yn fawr ac fel petaent yn taflu cysgod dros yr wyneb i gyd.

'Hylô, Gwi. Ti wedi deffro?'

Ceisiodd swnio'n naturiol ac aeth yn nes ato. Lledodd gwên hyfryd dros ei wyneb.

'Hanna . . .'

Synnai glywed fod ganddo lais, a hwnnw'n weddol gryf. Bu hi'n tybio y byddai'r cancr yn ei wddf wedi'i ddinistrio. Yr oedd y rhyddhad mor fawr fel yr anghofiodd ei phenderfyniadau. Eisteddodd ar y gwely a phwyso ymlaen i'w gusanu.

'Gwi . . . be' wnest ti i ti dy hun? Pam na fasen nhw wedi deud wrtha' i yn gynt?'

Gydag ymdrech daeth y geiriau: 'Wel, 'rwyt ti yma rŵan.'

Eisteddodd yno am ychydig yn dal ei law a oedd yn gwasgu ei llaw hi'n rhyfeddol o gryf. Nid oedd angen i'r ddau efaill siarad. Toc, meddai:

'Gwranda. Rhaid i mi fynd i lawr am ychydig bach. Mi fydda' i'n ôl ar unwaith. Wyt ti isio rhwbath?'

'Ddim rŵan.'

Dilynodd ei wên hi i lawr y staer. Ond ni allai hi wynebu'r lleill eto. Aeth allan i'r buarth, ac yno, yn y gwyll a oedd yn cau amdani, ymollyngodd o'r diwedd i ddagrau chwerw.

Daeth Ben yn ôl yn y bore, ond i Hanna yn awr yr oedd fel rhith yn perthyn i fyd arall, er mor ddiolchgar oedd hi iddo. Gwyddai, ond iddi ddweud hanner gair, y byddai wedi aros yn hwy, ond yn awr yr oedd hi'n ysu am iddo fynd, a gadael y tri ohonynt i'w gofal a'u galar yn eu cynefin. Ffarweliodd y ddau â'i gilydd yn ffurfiol, ac fel y syllai Hanna ar ei gar yn mynd drwy'r llidiart isaf ac yn troi'r gornel i'r ffordd, teimlai ryddhad na fu iddi syrthio i ryw rwyd emosiynol â'r dyn hwn.

Yn ystod y dyddiau nesaf nid oedd bywyd i'r un o'r teulu ond yn ystafell y claf. Cymerai'r tri, y tad, y fam a'r chwaer, eu tro i'w warchod nos a dydd. Deuai'r nyrs ardal fore a nos i roi chwistrelliad iddo at y boen a ddeuai'n amlach, amlach fel ymwelydd busneslyd. Synnai hi ei fod yn para cyhyd, meddai yn ei llais prysur, proffesiynol.

'Ond mae o'n ifanc, wrth gwrs. Niwmonia aiff â fo. 'Dydi'r cancr ei hun ddim yn lladd. Dim ond peri i'r claf lwgu i farwolaeth.'

Rhythai Hanna arni, gan ei chasáu. Ond ni ddywedodd air, rhag ofn iddi ddial ar Gwion. Ar unwaith fe'i ceryddai ei hun am fod mor afresymol. Yr oedd ei mam yn ymateb yn well i sylwadau'r nyrs.

'Ie, mae'r peth bach wedi bod yn llwgu ers rhyw dri mis neu ragor. Gobeithio y caiff ryddhad yn fuan, yntê, nyrs?'

Ond yr oedd hi, Hanna, am gadw Gwion gyda hi cyn hired ag oedd yn bosibl. Eisteddai wrth ei wely yn syllu'n farus arno yn ei gwsg, yn ceisio gwenu wrth ddweud straeon bach digri wrtho pan fyddai ar ddi-hun, a chwilio'n ddyfal am ei wên yn ôl. Yr oedd hi wedi dod â'r gramoffon fach i'w lofft a chwaraeai rai o'i hoff recordiau'n ddistaw, ddistaw. Gwyddai fod hyn yn ei blesio bron cymaint â phe byddai hi ei hun wedi canu iddo. Ond ni allai wneud hynny. Un tro ceisiodd ddawnsio i'r miwsig fel y byddai hi'n arfer gwneud ers talwm, ond yr oedd hynny yn ormod iddi. Yr oedd ei thraed fel plwm.

Dri diwrnod ar ôl iddi ddod adref, a hithau'n ei wylio'n cysgu, fe ddeffrôdd Gwion yn sydyn. Yr oedd golwg well arno nag a fu, rhyw loywder yn ei lygaid a nerth newydd yn ei lais.

'Hanna,' meddai, 'sbïa ar y gist acw, wnei di? Mae 'na lyfr newydd gan Waldo Williams . . .'

Stopiodd i anadlu'n boenus ac i gael gwared â'i boer yn y basn wrth ei ymyl. Cododd Hanna ar unwaith ac aeth i chwilio ymhlith y pentwr blêr o lyfrau ei brawd. Cydiodd yn y llyfr bach gwyrdd a gwyn.

'Hwn 'di o? *Dail Pren?*'

'Dyna ti. Wnei di ddarllen peth? . . . Darllena . . . ''Mewn Dau Gae'', wnei di?'

Trodd Hanna'r tudalennau. Setlodd i lawr drachefn ar y gwely. Dechreuodd ddarllen:

O ba le'r ymroliai'r môr goleuni
Oedd â'i waelod ar Weun Parc y Blawd a Parc y Blawd?
Ar ôl i mi holi'n hir yn y tir tywyll
O b'le deuai, yr un a fu erioed . . . ?

Ciledrychodd Hanna ar ei brawd. Yr oedd wedi cau ei lygaid, ond gwrando yr oedd, nid cysgu. Hofrai'r wên ar ei wefusau.

>   *. . . Pwy sydd yn galw pan fo'r dychymyg yn dihuno?*
>   *Cyfod, cerdd, dawnsia, wele'r bydysawd . . .*

Darllenodd Hanna at y diwedd. Hoffai sŵn y geiriau, heb eu deall. Bydd yn rhaid i mi brynu'r llyfr hwn, meddyliodd. Yna saethodd drwyddi'r wybodaeth y byddai'r llyfr hwnnw ar gael iddi heb ei brynu, cyn bo hir.

Erbyn y diwedd yr oedd Gwion wedi syrthio i gysgu, rhyw gwsg newydd, tangnefeddus.

Daeth ei mam i mewn, ryw awr yn ddiweddarach, i newid lle â'i merch, ond yr oedd Hanna ei hun wedi cysgu yn y gadair, y llyfr yn agored ar ei glin. Cymerodd y fam un edrychiad ar wyneb y mab.

'Hanna . . .' sibrydodd. 'Deffra, cariad.'

Deffrôdd y ferch yn sydyn. Cydiodd y fam yn ei llaw.

'Cariad . . . mae 'na newid. 'Dwi'n meddwl . . .'

Neidiodd Hanna o'i chadair i edrych ar ei gefaill. Yr oedd wedi syrthio i anymwybod trwm. Llifai cysgodion yn araf dros ei wyneb fel tonnau tawel. Aeth Mrs. Thomas i dop y staer a galwodd yn isel ar ei gŵr.

'William!'

Yna daeth yn ôl a syrthiodd ar ei gliniau wrth erchwyn y gwely. Daeth William Thomas i mewn i'r llofft. Estynnodd ei law i gydio yn llaw ei ferch, ac felly y bu'r tri nes i'r anadlu arafu ac yna beidio.

178

14

Pan ffoniodd Hanna i ddweud na fyddai hi'n dod i Paddington, y byddai Ben am fynd â hi'n union i Bengele, yr oedd y newydd wedi dod fel cnul i obeithion Robert am gymod. 'Roedd hyn yn gadarnhad iddo o'r ofn parhaol mai trwy'r teulu hwn y deuai chwalfa i'w briodas.

Yr oedd wedi gadael Hanna i lawr unwaith eto, a'r Ben yma wedi dod i'r adwy. Rhy hwyr dweud fel y bu yn ei feddwl yn teithio gyda hi yn y trên i Bengele, ond ei fod am aros nes iddynt gwrdd yn Paddington. Byddai wedi bod mor hawdd iddi wrthod ar y ffôn.

Teimlai'n gwbl annigonol. Yr oedd popeth y cyffyrddai ynddo'n methu. Cystal iddo gyfaddef iddo'i hun fod yr ail briodas wedi mynd i'r gwellt fel yr un gyntaf, a dysgu gwneud y gorau o smonach ei fywyd.

Ond beth i'w wneud yn awr? Fel y gwnaethai dro ar ôl tro ers ei blentyndod, aeth i chwilio am Paul. Nid oedd wedi ei weld oddi ar noson y parti pan gyhoeddodd Paul a Jenny eu newydd syfrdanol. Ofnai y byddai'n teimlo'n anesmwyth yn eu cwmni, ac felly yr oedd wedi gadael i'r dyddiau fynd heibio heb ymgais i ymgysylltu. Ond yr oedd arno angen cyngor Paul yn awr.

Jenny a atebodd y ffôn. ''Fydd o ddim adre tan tua chwech heno. Beth am i chi a Hanna ddod i gael pryd gyda ni?'

'Mi ddo' i os ca' i. Mae Hanna wedi gorfod mynd i Gymru. Ei brawd yn wael iawn.'

Nid oedd am ddweud rhagor nes gallu arllwys y cyfan wrth Paul. Synhwyrodd Jenny hynny, a thynnodd y sgwrs i ben drwy ddweud:

'Tua chwech, felly. Byddwn yn edrych ymlaen.'

Ni fu Robert erioed mor falch o gwmni ei ddau ffrind. Yr oedd popeth mor normal yn eu cartref, rywsut. Sylweddolodd nad oedd wedi bwyta ers y noson cynt, a phrin ddim yr adeg honno. Mwynhaodd ei fwyd a lleddfai'r gwin dipyn go lew ar ei iselder.

Sgwrsio cyffredinol fu wrth y bwrdd bwyd. Gofynnodd Paul ar ôl Hanna a'i brawd, a siaradai'n broffesiynol am berthynas ryfeddol rhai efeilliaid â'i gilydd. Synhwyrai'r ddau fod gan Robert rywbeth mawr ar ei feddwl, felly, yn llawn tact, ymesgusododd Jenny gan ddweud fod ganddi waith teipio i'w wneud ac y byddai hi yn y stafell arall am ryw awr.

Â'r ddau ddyn ar eu pennau'u hunain, bwriodd Robert iddi ar unwaith.

'Mae Hanna wedi 'ngadael i.'

Ceisiai ddweud y peth yn ysgafn fel hanner jôc, ond clywai Paul y boen yn ei lais. Bu distawrwydd, yna gofynnodd:

'Wyt ti'n gwybod pam?'

''Dwi'n gwybod beth oedd achos y ffrae ddiweddaraf.'

Yna dywedodd Robert am ei gynnig i fynd i Kampala, ac fel y byddai hynny yn gwrthdaro â'i chyfle hi i fynd i Munich. Ceisiai'n deg roi'r ddwy ochr yn wrthrychol, fel pe bai'n sôn am bâr arall. Pan welai unwaith neu ddwy ei fod yn ymesgusodi yn ormodol, brysiai i gywiro hynny.

''Dydw i ddim yn siŵr ydi Hanna'n sylweddoli mor bwysig ydi'r cynnig hwn i mi. Oni bai i Robinson farw'n sydyn 'does gen i ddim gobaith symud o'r fan 'dw i ynddo fo'n awr.'

Yna brysiodd i ddweud: 'Ond chwarae teg, 'roedd hi'n ddigon bodlon i mi gael mynd ond iddi hi gael y chwe mis yma ym Munich.'

'A 'doeddet ti ddim yn teimlo y gallet ti adael iddi?'

Cododd Robert ei ddwylo mewn ystum anobeithiol, gan synhwyro cerydd yng nghwestiwn y llall.

'Mae hi mor ifanc, gymaint yn iau na mi. Mae chwe mis yn amser hir.'

Gofynnodd Paul yn ofalus: ''Dwyt ti ddim yn amau ei ffyddlondeb?'

Edrychai Robert fel pe bai Paul wedi'i daro. Ond yr oedd ei onestrwydd cynhenid yn ei orfodi i wynebu'r cwestiwn.

''Dydw i ddim wedi cael achos hyd yn hyn. Ond—'

180

Yr oedd yn anodd ganddo roi'r peth mewn geiriau. Gadawodd Paul lonydd iddo hel ei feddyliau at ei gilydd.

'Wyt ti'n cofio Judith Cassirer, ffrind Hanna yn yr Ysgol? Ei brawd hi sydd wedi mynd â Hanna i Bengele. I'w cartre nhw yn Hertford yr aeth hi. Mae Hanna mor ddiniwed ... ond mae arna' i ofn hwn.'

Daeth crych rhwng aeliau Paul. 'Rhaid i ti ymddiried mwy ynddi, Robert. Mi wn i fel mae Hanna'n dy garu di.'

'Plentyn yw hi. Mae hi'n caru 'nghorff i.'

''Dwyt ti ddim yn gadael iddi garu mwy na hynny. *Mae* 'na wahaniaeth oedran, ond 'dyw hynny ddim yn rheswm dros i ti ei thrin hi fel person anaeddfed.'

Cododd Paul i dywallt gweddillion y gwin i'w gwydrau gwag. O'r ystafell arall daeth sŵn cliciadau cyflym teipiadur Jenny. Nid oedd Robert wedi ateb, ac aeth Paul yn ei flaen:

'Wyt ti am i mi siarad yn blaen, neu wyt ti am i mi ddweud pethau neis-neis i dy gysuro di?'

Cododd Robert ei ysgwyddau. 'Dweud y gwir fyddi di bob amser. Dyna pam 'dw i yma. Mi alla' i gymryd gen ti. Ond paid â dweud eto 'mod i'n treio chwarae Pygmalion, dyna i gyd.'

Chwarddodd Paul. ''Fyddai'n well gennyt ti i mi dy gyhuddo di o ganibaliaeth ysbrydol?'

'Canibaliaeth!' cbychodd Robert.

'Dyna dy natur di, fy ffrind. 'Rwyt ti'n chwilio am ber-ffeithrwydd mewn priodas, ond perffeithrwydd yn ôl dy syniadau *di* yn unig. 'Dwyt ti ddim yn fodlon goddef unrhyw wyro oddi wrth hynny. Dy nod yw meddiannu ac ymdoddi yn hytrach nag uno. Rwyt ti'n dweud nad ydi Hanna ddim yn dy ddeall di, ond, chwarae teg, ti sydd heb roi cyfle iddi dy ddeall.'

'Pam 'rwyt ti'n dweud hynny?'

'Am dy fod yn gyndyn o ddweud hanes Elise wrthi. Wyt ti ddim yn sylweddoli? Mae hi'n llawn dicter cudd dy fod ti'n cadw rhywbeth oddi wrthi. 'Does gen ti ddim syniad pa fath o amheuon sy'n dod i'w meddwl hi. Mi ddywedwn i mai d'unig obaith di o'i chael hi'n ôl fyddai dweud y cyfan

181

wrthi. P'run bynnag 'does gen ti ddim byd i'w golli nawr, yn nag oes? Y drwg efo chdi, Robert, yw dy fod ti'n rhy falch i ddangos dy archollion.'

Gwagiodd Robert ei wydr a'i osod i lawr. Yna edrychodd yn hir ar Paul.

''Dydw i ddim wedi dweud y cyfan wrthyt ti, chwaith.'

Lledwenodd Paul. ''Rown i'n amau hynny.'

Arhosodd yn ddisgwylgar, ond nid oedd am bwyso ar y llall. Ofnai ddweud dim i'w yrru i'w gragen unwaith eto. Ar ôl distawrwydd, dechreuodd Robert siarad:

'Well i mi roi cynnig arni.'

Daeth gwên gam i'w wefusau, ond nid i'w lygaid. 'Tad gyffesydd, ie, Paul?'

'Dywed, yn hytrach, . . . carreg ateb.'

Ond yr oedd hi'n anodd. Lle i ddechrau oedd y drwg. Er bod y digwyddiadau mor llachar yn ei feddwl ag erioed, anodd oedd gosod trefn ar ei gof. Neidiai lluniau digyswllt o'i flaen: y pwyso poenus ac araf ymlaen o Dieppe trwy Beauvais i Arras, gweddillion y fyddin Almaenig i'w gweld ar bob llaw—tryciau a thanciau a drylliau wedi'u gadael ar ôl fel hen sbwriel; y bonllefau a'r gweiddi—'*Le jour de gloire est arrivé*!' Yr hen wraig â sgarff am ei phen yn penlinio yn y stryd, ei dwylo ynghau, a'r dagrau'n gwlychu ei gruddiau; y jîps yn llawn carcharorion Almaenig. Ac yna ymlaen i Frwsel a'r blodau a daflwyd at ei danc ef gan orchuddio corff Almaenwr yr oedd rhywun wedi'i roi i orwedd arno yn symbol o'r gorchfygu—un o olygfeydd mwyaf *bizarre* yr holl ymgyrch. . . .

Ac yna, yr oedd yn ôl yn y fflat yn Guilford Street, yn ymwybodol fod Paul yn eistedd yn ddisgwylgar gyferbyn ag ef. Symudodd yn ei gadair fel pe'n ei orfodi ei hun i ddeffro o drwmgwsg. Yn sydyn fe wyddai fod yr awydd i adrodd yr hanes i gyd wrth Paul wedi tyfu'n rheidrwydd cryf.

'Fe gwrddais ag Elise y diwrnod cyntaf hwnnw ym Mrwsel. 'Roedden ni wedi mynd i mewn ar y trydydd o Fedi, bum mlynedd union ar ôl dechrau'r rhyfel. Yr oedd hi mor felys medru gadael ein tanciau a chymysgu â'r bobl, torheulo yn eu moliant a'u diolch, gwenu'n oddefgar ar y merched a fynnai rwygo pob math o swfenîr oddi ar ein hiwnifform. Yr oedd pawb yn dawnsio yn y stryd.

'Fe'i gwelais hi'n sefyll ychydig ar wahân. 'Roedd hi'n wahanol i'r merched eraill, yn sefyll yn llonydd tra oedd pawb arall yn neidio ac yn symud ac yn cadw reiat. 'Roeddet ti dy hun wedi sylwi ar y llonyddwch yna oedd yn perthyn iddi. Nid llonyddwch cerflun oedd o, nage? 'Roedd dyn yn ymwybodol o ryw ffwrnais yn llosgi y tu mewn iddi.'

Caeodd ei lygaid am ychydig, ond daeth ei hunanfeddiant yn ôl, a siaradai'n awr bron yn wrthrychol.

''Rwyt ti'n gwybod y rhan yma i gyd, ond gan 'mod i wedi dechrau'n y dechrau, fel petai, gad i mi ddweud y cwbl, hyd yn oed y pethe sy'n gyfarwydd i ti. Fe ddalion ni lygaid ein gilydd. Agorais i 'mreichiau a gwenu arni. 'Doedd dim rhaid dweud dim. Mi ddoth hi ata' i ac i 'mreichiau. Dyma ni'n dechrau dawnsio. 'Doeddwn i ddim wedi cyffwrdd mewn merch ers misoedd, ac yr oedd teimlo ffurf ei chorff yn erbyn fy nghorff i yn fy meddwi'n lân. 'Doeddwn i ddim am ollwng gafael ynddi. Fe allen ni fod wedi bod ar ynys ym Môr y De, gyn lleied oeddem yn sylwi ar y miri swnllyd o'n cwmpas.

'Rhywbeth trist, annirnad ynddi oedd wedi fy nenu i o'r cychwyn. Rhyw greadur rhamantus iawn oeddwn i'r adeg hynny—dal i fod, am wn i. Gwelwn yn ei llygaid holl wewyr Ffrainc a Gwlad Belg a gwledydd goresgynedig eraill Ewrop.'

Chwarddodd yn fyr. 'Teimlwn fel Perseus yn rhyddhau Andromeda.'

Ni allai gadw'r chwerwder allan o'i lais yn awr. Yn y distawrwydd a ddilynai, ofnai Paul y byddai'r llif o atgofion yn cael eu cau i mewn unwaith eto. Fel yr oedd Robert wedi dweud, yr oedd y rhan ddechreuol hon yn gyfarwydd iddo, ond nid oedd am ei atal. Synhwyrai—neu, o leiaf, gobeithiai—mai rhyw fath o rihyrsal oedd yr adroddiad hwn o'r hyn y byddai Robert yn ei ddweud wrth Hanna. Mentrodd roi proc bach i'r stori.

' 'Dwi'n cofio i ti ddweud—dair wythnos yn ddiwedd-arach 'roeddech chi wedi priodi.'

'Ie. Hi oedd yn daer am hynny. Deallais ei bod hi'n ddi-deulu ac yn unig, ac felly 'doeddwn i ddim yn gweld dim byd yn anghyffredin yn ei hawydd am sicrwydd perthynas. Cawsom gaplan fy nghatrawd i wneud y gwaith, yr unig un oedd ar gael yn yr holl anhrefn. *C of E*, wrth gwrs, er mai Pabyddes oedd hi.'

Caledodd llais Robert yn awr. 'Ddechrau Hydref mi gefais wybod pam yr oedd hi mor daer am briodi. Bu raid iddi ddweud wrthyf ei bod hi'n feichiog ers dros dri mis. Nid fi felly oedd tad y plentyn.

'Yr oedd hyn yn dipyn o ysgytwad, wrth gwrs, ond amser helbulus, annaturiol oedd hi, ac yr oedd pethe felly'n digwydd. Pan ddywedodd wrtha' i mai milwr yn y *Résist-ance* oedd y tad a'i fod wedi'i ladd, 'roedd f'ysbryd rhamantus yn barod i dderbyn y peth. Dywedais wrthi y byddwn yn gofalu amdani, ac mai hi oedd i benderfynu a wnâi gadw'r plentyn ynteu ei roi i'w fabwysiadu.

' 'Rown i'n teimlo mor haelfrydig, mor *dda,* mor hapus. A thrwy'r amser, rhaid ei bod hi'n chwerthin am ben fy niniweidrwydd.'

'Neu'n ddiolchgar amdano,' awgrymodd Paul yn gynnil.

'Man a man,' ebe Robert, gan daflu'r peth o'r neilltu. 'Mi ges wybod yn wahanol yn fuan iawn. Wyt ti am i mi fynd dros y noson honno? 'Dydw i ddim am dy ddiflasu di.'

' 'Wnei di ddim, ac mi wnaiff les i ti.'

Yr oedd Paul yn sicr erbyn hyn fod Robert yn ceisio gwrando arno'i hun drwy glustiau Hanna.

'Newydd orffen fy nyletswydd 'rown i, ac wedi mynd am dro. Cael fy hun yn y Rue de l'Etuve pan welwn dorf fechan yn ymyl y cerflun enwog hwnnw—ti'n gwybod, y Manneken-Pis. 'Roedd yna weiddi mawr a chwerthin cras. Amheuais ar unwaith beth oedd yn mynd ymlaen, yr oedd yr olygfa'n un gyfarwydd yn y dyddiau digofus hynny. 'Rown i ar fin troi i ffwrdd pan orfododd rhywbeth fi i bwyso ymlaen i weld.

'Dyna lle'r oedd hi, Elise, yn cael ei dal rhwng dwy wraig, a llabwst o ddyn yn hacio'i gwallt â siswrn rhydlyd. 'Roedd hi'n amlwg i mi ei fod o'n mwynhau'r gwaith oherwydd 'roedd o'n gwneud job fanwl ar y naw ohoni. 'Roedd hanner ei phen fel sofl cae gwair ar ôl y lladd, a'r tresi du, hir yr ochr arall yn dechrau derbyn yr un driniaeth. 'Roedd y gwragedd a'r bobl eraill o gwmpas yn gwawdio ac yn bytheirio. Fy ngreddf gyntaf oedd rhuthro drwyddynt a'i chipio hi rhag y bleiddiaid. Yr hen Berseus ar waith, unwaith eto, ti'n gweld.

'Ond yn sydyn mi sylweddolais eu bod nhw'n adnabod Elise, oherwydd 'roedden nhw'n gweiddi arni wrth ei henw. 'Chymrodd o ddim llawer i mi fesur y sefyllfa. Oddi wrth y dorf anystywallt hon y ces i wybod fod fy ngwraig wedi bod yn hwren i swyddog Almaenig. Pobl o'i phentref hi oedd y rhain, wedi taro arni ym Mrwsel, ac wedi mynnu eu dial.

''Rown i wedi fferru, yn methu symud, dim ond sbio'n wirion ar ochr arall ei phen yn moeli. 'Dwi'n cofio fel 'roedd y gwynt wedi codi gweddillion ei gwallt a'u gwasgaru ar hyd y Rue. 'Roedd hi'n sefyll mor llonydd, 'doedd dim angen i'r gwragedd ei dal hi. 'Doedd hi ddim hyd yn oed yn crio, dim ond sefyll yno'n dioddef ei gwaradwydd.'

Llyncodd Robert, ond aeth yn ei flaen.

''Roedd hi wedi 'ngweld i, wrth gwrs, fy ngweld i'n sefyll yno heb godi llaw i'w hachub. 'Roedd hi wedi 'nhwyllo i, 'roedd hi wedi gwneud y peth mwyaf ffiaidd y gallai merch ei wneud yr adeg honno; dyna oedd yn fy meddwl i a minnau wedi bod yn dyst i erchyllterau'r diawliaid Almaenig. Digon hawdd i rywun heddiw, dair blynedd ar ddeg yn ddiweddarach, fy meirniadu am orymateb. Mae'r casineb wedi oeri, ond 'rown i'n ifanc ac wedi gweld pethau dychrynllyd. Ac yr oedd hi, fy ngwraig, wedi gadael i Jyrman ei mocha hi.

''Wnes i ddim symud nes bod y peth drosodd a'r bobl wedi blino ar yr hwyl. 'Fedrwn i mo'i gadael hi yno. Ar ôl

185

i bawb arall gilio, mi es i ati. Bu raid i mi hanner ei chario hi'n ôl i'n hystafelloedd. 'Roedd hi wedi nosi erbyn hyn, felly nid oedd cymaint â hynny o bobl i sylwi arnom ni ac ar ei phen moel. Fe wnaeth y rhai oedd yno droi eu golygon o'r neilltu.

' 'Fedrwn i ddim siarad â hi, a 'ddwedodd hi'r un gair chwaith nes ein bod ni yn ein hystafelloedd.

' ''Wyt ti am i mi fynd?'' oedd ei geiriau cyntaf.

' 'Roedd f'ymennydd fel lwmp o iâ, ''Rhaid i mi gael amser i feddwl,'' meddwn i. 'Roedd hi mor dawel, mor ddiobaith, teimlwn 'mod i'n berchen ar ast 'roedd rhywun wedi'i chicio.

'Yna dechreuodd grio. '' 'Rwyt ti'n sylweddoli mai cael fy nhreisio gefais i? Os wyt ti am i mi fynd, mi af.''

' ''Ond pam yr holl gelwyddau?'' meddwn innau. ''Petaet ti ond wedi dweud—'' Hwyrach 'mod i wedi amau ei bod hi'n dal i ddweud celwyddau.

'Gadewais iddi gysgu ar ei phen ei hun. Mi es inne allan i'r Maes i yfed, ond y noson honno 'chafodd yr holl lyncu fawr o effaith arna' i, dim ond fy ngyrru i'n ddyfnach i'r felan. Wedyn mae gen i syniad i mi fod yn cerdded, cerdded drwy'r nos.

' 'Roedd hi tua pump o'r gloch pan es yn ôl. 'Roeddwn yn rhyw hanner gobeithio y byddai hi wedi codi'i phac a mynd ohoni'i hun, ac eto 'roedd yr hanner arall ynof yn arswydo rhag hyn. 'Rown i ei heisio hi, ti'n gweld. Mewn ffordd annymunol, 'roeddwn i'n ei blysio hi'n fwy nag erioed, ar ôl gweld beth weles i.

' 'Doedd hi ddim wedi mynd. 'Roedd hi'n cysgu, ei phen fel nionyn ar y glustog. 'Dwi'n cofio meddwl fod yna rywbeth cyntefig ynddi, yn fodlon goddef unrhyw sarhad yn gyfnewid am loches. Pan ddeffrôdd mi ddywedais wrthi y câi hi aros, ond ar un amod. Y byddai'n rhaid iddi erthylu'r plentyn.

'Am y tro cyntaf, mi dorrodd i lawr. Na, 'fedrai hi ddim. 'Doeddwn i ddim i fod i ofyn y fath beth ganddi. 'Roedd hi am gadw'r plentyn. 'Roedd hi'n Gatholiges, ac 'roedd arni ofn beth ddigwyddai i'w henaid anfarwol, yr oedd y cwbl yn erbyn ei chrefydd ac yn y blaen ac yn y blaen. Fel y gallet ti ddisgwyl 'doeddwn i ddim ar ôl o edliw iddi ei bod hi eisoes wedi tramgwyddo yn erbyn canonau ei chrefydd. 'Rown i'n reit bendant. 'Roedd yn rhaid iddi ddewis. 'Allwn i ddim meddwl amdani'n cario bastard bach rhyw Natsi. Os oedd hi'n dweud y gwir, yr oedd hi mewn digon o bryd i gael erthyliad heb fawr o berygl iddi ei hun, ac fe wyddwn i am feddyg a fyddai'n gwneud y gwaith.

'Yn y diwedd, mi welodd 'mod i o ddifri, ac nad oeddwn i ddim am ei chadw gyda baban yr Almaenwr yn ei chroth. Mi fodlonodd.

''Roedd hi'n bur wael. 'Doedd 'na ddim llawer o gyfleusterau ym Mrwsel i gario allan waith anghyfreithlon o'r fath. Ond 'roedd hi'n eneth gref o'r wlad, ac mi ddoth ati ei hun mewn byr amser.'

Yr oedd y teipio yn yr ystafell arall wedi peidio ers tro. Daeth Jenny i mewn yn cario hambwrdd. Taflodd edrychiad i gyfeiriad Paul, ac meddai:

''Dydw i ddim wedi gorffen fy ngwaith eto, ond 'rown i'n meddwl yr hoffech chi gael coffi.'

Ar ôl iddi fynd, aeth Robert yn ei flaen fel pe na bai neb wedi torri ar draws ei stori.

''Dwn i ddim pryd y sylweddolais i ei bod hi wedi dechrau yfed. Brandi i setlo'r stumog, dyna'r peth cyntaf ac fe ddigwyddai hyn yn amlach, amlach. Ond fe'i coeliais hi bod ei thu mewn yn dal yn wan ar ôl y llawdriniaeth. Yn raddol bu raid i mi dderbyn ei fod yn fwy na hynny. Rhyw feddwi'n dawel y byddai hi ar y dechrau, ar ei phen ei hun. Mae'n debyg ei bod hi'n unig. 'Dwi'n sylweddoli hynny'n awr. 'Doedd hi'n siarad fawr o Saesneg, felly 'doedd dim llawer o gyfathrach rhyngddi hi a'r milwyr a'r A.T.S. A chyn gynted ag y byddai hi'n gwneud rhyw lun o ffrindiau gyda gwragedd Belgaidd eraill, byddai rhywun caredig yn siŵr o fod wedi dweud ei hanes, a byddai cyfeillgarwch arall yn diflannu.

'Dyheuwn am i'r rhyfel ddod i ben fel y gallwn fynd â hi'n ôl i Gymru a normalrwydd. 'Roeddwn yn ei charu gymaint er gwaethaf ei chelwyddau. Teimlwn—pe bawn i ond yn gallu ei chael hi allan o awyrgylch rhyfel a'i holl atgofion, y byddai popeth yn iawn, ac y gallwn drwsio'i phersonoliaeth unwaith eto. Ond yr oedd tri mis i fynd heibio cyn i'r rhyfel orffen a dim sicrwydd faint mor fuan wedyn y cawn i *demob*.

'Tua chanol Chwefror fe glywson ni fod Dresden wedi'i bomio'n ulw. 'Dwi'n cofio dod adre i'r stafell, a dyna lle'r oedd hi'n gwrando ar y radio, a'r dagrau'n rhedeg i lawr ei gruddiau. 'Roedd hi'n chwil, wrth gwrs, ond nid yn dawel chwil. Dechreuodd weiddi arna' i fel pe bawn i fy hun yn gyfrifol am y bomio. Llofrudd 'own i, 'run fath â'r Saeson i gyd. 'Roedden nhw wedi mwrdro gwragedd a phlant Dresden, ac 'roeddwn *i* wedi mwrdro ci phlentyn hi a Gerhard. Dyna'r tro cyntaf i mi glywed ei enw. Na, 'doedd hi ddim wedi cael ei threisio. 'Roedd hi a Gerhard yn caru ei gilydd. Daeth y syniad i'm meddwl ei bod hi wedi cael gwybod rywsut ei fod wedi'i ladd yn y cyrch ar Dresden. Ond nonsens oedd hynny, oherwydd ni fu amser iddi glywed dim.

'Dyna pryd y gwnes i sylweddoli nad oedd hi ddim yn fy ngharu i, yn wir, ei bod hi'n fy nghasáu, am yr hyn yr oeddwn wedi ei orfodi arni. 'Doeddwn i ddim wedi breuddwydio y byddai hi'n coleddu'r fath deimladau. Wedi'r cwbl, er ei lles ei hun yn y pen draw yr oeddwn i wedi trefnu'r erthyliad.'

Hwyrach iddo weld cysgod eironig yn llygaid Paul. Edrychodd yn heriol arno, yna aeth ymlaen yn frysiog.

'Bu raid i mi ei gadael hi ym Mrwsel bron yn union wedyn, oherwydd 'roedd y brwydro wedi symud i mewn i'r Almaen ac yr oeddem ar gyrraedd Cologne. Sgrifennais ati bob dydd, ond prin iawn oedd y llythyrau a gefais yn ôl. Pan ddois yn ôl i Frwsel ym mis Mai, a'r rhyfel ar ben, hanner ddisgwyliwn ei gweld hi wedi'i heglu hi. Buasai hynny'n rhwydd iddi erbyn hyn. Ond dim ond dechrau dod i adnabod Elise yr oeddwn. 'Doedd hi ddim am gefnu ar ei thocyn bwyd. Na'i chyflenwr brandi.

'Yna, o dipyn i beth, dechreuodd y sibrydion gyrraedd fy nghlustiau. Fel yr oedd Elise wedi cael ei gweld yn eistedd y tu allan i'r bistros, nos ar ôl nos, yn disgwyl dynion i brynu diod iddi, ac yr oedd awgrymiadau go agored ynghylch ei ffordd o dalu'n ôl. Storïau maleisus, meddyliwn, gan rai oedd yn falch o gael dweud wrth swyddog dwl o Sais mai hyn oedd i'w gael o briodi *collaborateuse.* Nid oeddwn am ddweud dim wrthi, yn rhannol am fod arna' i ofn clywed ei chadarnhad, oherwydd yr oedd hadau'r amheuon wedi disgyn ar dir ffrwythlon. Ac 'roeddwn yn dal i'w charu'n ffyrnig. 'Allwn i ddim meddwl bod hebddi.

'Wel, yn ôl â ni i Lundain o'r diwedd, a gwaith dysgu yn yr ysgol yn Hammersmith. Ac yn wir, 'roedd pethe'n well am dipyn. 'Roedd yr yfed wedi peidio'n llwyr, wel, dyna 'rown i'n gredu, beth bynnag. Mi es â hi i'r theatr a chyngherddau ac amgueddfeydd, yn mynnu ei diwyllio hi. 'Roedd ei Saesneg yn gwella, ac 'roedd hi'n ymddangos yn weddol hapus. 'Doedd dim arwydd yn awr o'r casineb 'roedd hi wedi'i ddangos y noson honno ym Mrwsel. Mi es â hi i Gaerdydd, ac 'roedd 'nhad wedi dotio ati. 'Dydw i ddim mor siŵr am Mam. Mae 'na ryw graffter rhyfeddol yn honno.'

'A!'

Ni allai Paul beidio â thorri i mewn. Edrychai Robert yn gwestiyngar arno.

'A—beth?'

'Dim. Cer ymlaen â'r stori.'

'Na. 'Roedd rhywbeth wedi dy daro di.'

Ochneidiodd Paul. 'O'r gore. 'Rwyt ti'n meddwl y byd o dy fam, on'd wyt? Tybed ai dyna'r trwbwl?'

'Be' aflwydd wyt ti'n feddwl?'

' 'Rwyt ti wedi defnyddio hi fel llinyn mesur ar y ddwy wraig arall yn dy fywyd, a'u cael nhw'n brin.'

Yr oedd arno ofn i Robert ffromi a pheidio â gorffen ei stori. Ond ni wnaeth. Meddyliodd am y peth yn ystyriol am ychydig.

'Hwyrach dy fod ti'n iawn. Mae hi *yn* ddynes arbennig iawn, rhaid i ti gydnabod.'

'Ydi,' cytunodd Paul. 'Ond 'roeddet ti'n sôn am fynd ag Elise i Gaerdydd.'

'Oeddwn. 'Rown i'n cadw llygad barcud arni, oherwydd yr oedd y gwenwyn 'roedd pobl Brwsel wedi'i ledaenu yn dal yno. Ond 'ches i ddim lle i'w hamau tan rhyw flwyddyn yn ddiweddarach pan ddaeth y llythyr.'

'Llythyr?' Yr oedd y rhan hon o'r stori'n hollol newydd i Paul.

'Ie. Oddi wrth Gerhard Eisner, tad y plentyn. Yr oedd wedi'i gyfeirio ymlaen o'r hen gyfeiriad ym Mrwsel. Gwelais yr enw a'r cyfeiriad ar gefn y llythyr. Oni bai am hynny 'fyddwn i ddim wedi'i gadw'n ôl.'

Agorodd Paul ei lygaid. 'Fe gedwaist ti'r llythyr oddi wrthi?'

'Do. Oeddet ti'n gweld bai arna' i? 'Roedd hi wedi dangos yn ddigon plaen fod ganddi feddwl mawr o'r gwalch. 'Doeddwn i ddim am i hwn ddod i chwilio amdani. 'Roedd gen i hawl i arbed fy mhriodas.'

Siaradodd Robert mor ffyrnig o hunan-amddiffynnol, fel y gwyddai Paul mai hyn oedd y peth a fu'n ei gnoi ar hyd y blynyddoedd. Yr oedd y Robert a adnabu ef mor falch, yn ymffrostio bron yn ei onestrwydd, yn ei unplygrwydd. Peth cwbl groes i'w gymeriad fyddai iddo wneud y fath dwyll. Yr hyn a synnai Paul oedd dyfnder amlwg ei deimladau tuag at Elise. Ni fu erioed yn un am hel merched, fe wyddai Paul hynny, yr oedd yn ormod o ddelfrydwr. Ond unwaith y byddai merch yn ennill ei serch, byddai'n ei gosod ar bedestal ac addoli'r ddelfryd ohoni oedd yn ei feddwl, 'waeth beth fyddai hi mewn gwirionedd.

'Ym Mrwsel ar y dechrau yr oedd hi mewn cysylltiad â ffrind iddi yn ei phentref, Denise, ond peidiodd eu llythyru ar ôl yr erthyliad. Mae'n debyg nad oedd hi ddim am i Gatholigion selog y pentref wybod beth oedd hi wedi'i wneud. Beth bynnag, rhaid ei bod hi wedi ailddechrau yn Llundain, oherwydd mi gafodd ateb gan Denise a'i gyrrodd hi bron yn gandryll. Mae'n debyg i Gerhard

Eisner fod yno'n holi amdani, ond 'wyddai Denise mo'i chyfeiriad yn Llundain ar y pryd. Y cwbl y gallai hi ei roi iddo oedd ei hen gyfeiriad ym Mrwsel. Nid oedd Eisner wedi gadael ei gyfeiriad ef, meddai Denise, felly 'doedd dim modd cysylltu ag ef, ond hwyrach fod hynny o'r gorau.

'Dyna ddechrau'r diwedd. Yr oedd y llythyr hwn wedi'i haflonyddu'n llwyr. Ni chredai fod Gerhard heb adael ei gyfeiriad gyda Denise. Cyn bo hir byddai Gerhard yn dod o hyd iddi. Rhaid i mi beidio â disgwyl iddi aros gyda mi wedyn, oherwydd 'doedden ni ddim wedi priodi mewn gwirionedd, ddim yng ngolwg ei heglwys hi, beth bynnag.'

Mentrodd Paul ofyn yn gynnil: 'Ddywedaist ti wrthi wedyn am lythyr Gerhard?'

'Naddo. Mae 'na rai pethau sy'n rhy fuan neu'n rhy hwyr i'w cyfaddef. 'Roeddwn i rhwng y ddwy stôl hynny. 'Rown i'n meddwl y gwnawn i ryw ddiwrnod, ar ôl i'n priodas setlo i lawr. Mewn gwirionedd, 'roeddwn wedi cadw'r llythyr, hwyrach fel arwydd i mi fy hun o'r bwriad anrhydeddus hwn. 'Dwn i ddim. Mae o gen i o hyd.'

Yr oedd Paul mewn penbleth. Nawr oedd yr amser i ddweud wrth Robert fod Hanna wedi gweld y llythyr. Hwyrach y byddai'n ei gwneud hi'n haws iddo dorri'r garw a dweud y cyfan wrthi. Ni wyddai. Dewisodd gadw'n dawel. Nid oedd gan Robert lawer mwy i'w ddweud.

'O hynny ymlaen, gwaethygodd ei hyfed. Pe bai Gerhard Eisner wedi dod i'r fei, ni fyddai wedi adnabod Elise y pentref yng Ngwlad Belg. 'Rwyt ti'n gwybod cystal â neb sut olwg oedd arni—hagr, tenau, anniben.'

'Fe gest ti amser drwg.'

'Wyt ti wedi meddwl erioed sut beth ydi byw gyda rhywun sy'n hollol ddi-feind ohonot, ond sydd wedi colli pob ewyllys i wneud rhywbeth yn ei gylch? Pe bawn i'n credu mewn barn—' Daeth chwerthiniad sych o'i wddf, 'mi dddywedwn i fod y duwiau wedi dial arna' i. Paul, 'roedd y gorddôs yn rhyddhad i mi. Nawr, 'dwi erioed wedi dweud hynny o'r blaen, hyd yn oed wrthyf i fy hun.'

Pwysodd ymlaen yn ei gadair a'i lygaid yn gwreichioni.

191

'Ond damwain oedd y gorddôs. Nid y fi roddodd o iddi. 'Rwyt ti'n credu hynny, on'd wyt? 'Dwi'n amau'n fawr a gymerodd hi'r peth yn fwriadol. 'Dyw dynes feddw byth yn siŵr sawl tabled mae hi wedi'i llyncu. A ph'un bynnag, beth am ei gofal am ei henaid anfarwol Gatholig?'

Yr oedd y tân yn y grât ar fynd allan pan orffennodd Robert ei draethu. Yn fyfyriol, cododd Paul a gosod darnau glo fesul un ar y marwor. Cododd mwg o'r düwch, yna fflam las. Rhythodd y ddau mewn distawrwydd ar y fflamau'n gafael.

'Mi fydd hi'n haws gen ti ddweud wrth Hanna nawr, oni fydd? Wedi i ti gael datgloi'r peth heno.'

Ochneidiodd Robert. 'Wyt ti'n meddwl? Hwyrach na cha' i mo'r cyfle.'

15

Nid oedd am fynd i'r cynhebrwng. Gwaeddai pob greddf ynddi yn erbyn y dillad du, yr ysgwyd llaw defodol, y rhaffau'n gollwng yr arch yn sigledig i'r bedd, y canu crynedig a gwynt Mawrth yn chwipio'n greulon drwy'r fynwent. Ond byddai'n rhaid iddi ddioddef hyn er mwyn ei rhieni. Yr oedd hi wedi'u dolurio nhw ddigon.

Teimlai ... sut 'roedd hi'n teimlo? Yn wag, yn anwybodus, yn llawn dicter, yn *boddi* yn ei dicter. Ar y cloddiau yr oedd ambell Lygad Ebrill wedi ymddangos, a'r ddaear wedi'i sgubo'n lân ar gyfer y glasu. Natur yn tyfu'n anorfod, ond Gwion yn farw. Jôc sâl oedd y cyfan.

Daeth y gweinidog ati i ysgwyd llaw. Hwn oedd yr un a fu'n pregethu yn y capel y tro diwethaf iddi fod yno. Cofiai fel yr oedd hi wedi teimlo drosto, fo a'i dasg ddi-fudd. Heddiw yr oedd arni awydd bloeddio: 'Pam 'rwyt ti'n gwastraffu d'amser?'

Ond yr oedd y tristwch yn ei lygaid yntau'n ddyfnach na'r cydymdeimlo ffurfiol, confensiynol. Yn union fel petai o'n ymwybodol o'i chwestiwn, meddyliodd yn sydyn, ac yn lled gytuno â hi.

Safai ei thad yn sgwrsio gyda rhai o'i gyd-flaenoriaid. Yr oedd wedi cael maddeuant, felly. Hwyrach, meddyliai'n chwerw, fod marw Gwion wedi gwneud iawn am gamweddau'r tad. Rhyw dro doniol ar ddiwinyddiaeth Gristnogol.

Gobeithiai na byddai ef na'i mam yn gorymdroi'n rhy hir i dderbyn cydymdeimlad y cymdogion. Dyheai am i bawb glirio oddi yno a'u gadael nhw, y teulu, gyda'i gilydd i ffarwelio. Ond yr oedd pobl yn dal i fynnu ysgwyd llaw a mwmian: 'Fel'na mae hi . . .' nes ei bod hi ar fin sgrechian. Dihangodd oddi wrthynt ac aeth yn ôl i syllu ar yr arch, yn oer, ddiddagrau. Darllenodd yr enw a'r oedran —ei hoedran hi. Faint fyddai rhaid iddi *hi* fyw cyn i rywun arall bwyso dros y gwacter a darllen yr enw a'r oedran ar ei harch hi? Ai Robert fyddai'r rhywun arall hwnnw? 'Roedd oes gwragedd yn hir. Arswydai wrth feddwl hwyrach fod hanner can mlynedd o'i blaen heb Gwion.

Clywodd law ysgafn ar ei braich, a llais ei mam.

'Rhaid i ni 'i adael o, 'mach i.'

Amneidiodd ei phen yn fud, a cherddodd y fam a'r ferch at y tad a oedd yn aros amdanynt wrth y llidiart.

Ac yna bu raid iddi oddef y teulu a'r cyfeillion yn y gegin, yr hen bobl o amgylch y bwrdd mawr yn claddu'r ham a'r tomatos a'r treiffl fel tae hyn fyddai eu cyfle olaf i fwyta. 'Allai Gwion ddim bwyta.

Eisteddai ei dau gefnder ar y setl wrth y tân yn swil ddywedwst yn eu dillad parch, a Noni a Siws o'r fferm gyfagos yn tendio arnynt gan wenu'n ddisgwylgar. Bywyd bob dydd yn mynd yn ei flaen. Câi ei mam, yn amlwg, gysur o'r gwmnïaeth. Siaradai ag Anti Gwen a Mrs. Griffiths, Brynglas, am Gwion, fel y byddai'n gwneud fel hyn ac fel y byddai'n gwneud fel arall. Yr oedd hi hyd yn oed yn gallu chwerthin. Yr oedd Hanna yn eiddigeddus ohoni, un o wragedd cefn gwlad, yn gallu derbyn bywyd a marwolaeth fel rhan o Drefn Duw, hyd yn oed marwolaeth ei mab ifanc.

Ond nid Hanna. Ni allai hi blygu i'r fath Drefn angharedig. Nid oedd ganddi gysur ei mam y byddai hi ryw ddydd yn gweld Gwion eto. Pridd i'r pridd. 'Roedd y peth mor derfynol. Terfynol, terfynol, . . . cnociai'r gair yn ei phen fel morthwyl.

Yn sydyn, yr oedd arni angen siarad â Robert. Yr oedd hi'n perthyn mwy bellach i'w fyd ef nag i fyd bach y gegin hon. Cododd gan fwmian esgus a gadawodd yr ystafell. Yr oedd y ffôn wrth y drws ffrynt, ac er nad oedd hi eto'n chwech o'r gloch ac amser y galwadau rhad a oedd yn ddeddfol yn y tŷ hwn, cododd y derbynnydd a gofynnodd am rif ei chartref yn Llundain.

Nid oedd wedi siarad ag ef oddi ar noson marw Gwion. Yr adeg honno, bu ef yn daer am gael dod i Bengele ar unwaith, ond ni allai hi wynebu'r dryswch emosiynol, oherwydd nid oedd hi wedi rhoi trefn ar ei bwriadau. Gwrthododd adael iddo ddod, ac ni phwysodd wedyn, er peth syndod iddi. Ond yr oedd ar Robert ofn ei tharfu'n awr. Fe wnâi ei orau i blygu i'w dymuniadau hi.

Ond yr oedd hi'n dyheu amdano, i glywed ganddo ef pa fath o gysur oedd i rai fel hwy heb ffyn baglau crefydd i'w cynnal mewn profedigaeth.

Cydiodd yr hen wefr ynddi pan glywodd ei lais yr ochr arall i'r llinell.

'Robert . . . 'does gen i ddim neges arbennig. Dim ond isio siarad.'

'Dwi'n falch o dy glywed di. Popeth drosodd?'

'Popeth . . . ond y locustiaid yn y gegin.'

'Sut wyt ti'n teimlo?'

'Olreit . . . na, diawledig.'

'Wyt, mae'n siŵr.'

'Robert, mae pawb yma mor ffyddiog—'nhad, mam, pawb. 'Does gennyn nhw ddim syniad am y pwll du 'dwi'n boddi ynddo fo—'

Yr oedd hi'n crio, y tro cyntaf y diwrnod hwnnw.

'Mae golwg mor . . . mor farw ar bobl farw, yn does? Fel tasen nhw wedi'u gwagio. 'Doeddwn i 'rioed wedi gweld

corff o'r blaen. 'Roedd o'n ddychrynllyd. Paid ti â marw o
'mlaen i, yn na wnei? 'Fedrwn i mo'i ddiodde fo.'

'Hanna, cariad, treia ymwroli—'

Ond yr oedd hi wedi colli arni'i hun yn awr.

''Dydw i ddim yn gry' fel ti. 'Rwyt ti'n . . . stoïcaidd,
dyna'r gair? 'Rwyt ti'n gallu wynebu diddymiad. 'Fedra i
ddim. 'Does gen i ddim i ddal gafal ynddo fo. O, Robert
. . . 'dwi wedi blino! Mae'n ddrwg gen i. Paid â chymryd
sylw . . .'

Yr oedd y gwahoddedigion yn dechrau symud o'r gegin
ac yn dod allan i'r cyntedd. Sibrydodd Hanna na fedrai hi
ddim siarad rhagor, nad oedd hi ddim ar ei phen ei hun, a
rhoddodd y ffôn i lawr. Rhedodd heibio i'r galarwyr ac i
fyny'r staer i'w llofft. Taflodd ei hun ar ei gwely a beichio
crio fel na chriodd erioed o'r blaen.

Yr oedd distawrwydd i lawr staer a dwndwr y car olaf
wedi gadael y buarth pan ddaeth ei mam ati.

''Roeddwn i'n meddwl y basat ti'n licio panad.'

Cododd Hanna ar ei heistedd, a chydag ymdrech,
gallodd wenu ychydig. Yr oedd ei llygaid yn llosgi a rhyw
fath o niwlen o'u blaen fel na allai weld yn iawn. Mor-
thwyliai cur yn ei phen. Eisteddodd ei mam ar y gwely, a
rhyfeddai Hanna at ei thawelwch. Hi ddylai fod yn
cysuro'r fam, nid fel arall.

'Fedri di aros yma am dipyn?'

'Pryd mae'r Pasg? Ymhen tair wythnos? 'Waeth i mi
aros, ddim.'

'Be' am Robert?'

Nid oeddynt wedi gofyn pam na ddaethai ei gŵr i'r cyn-
hebrwng, ond hofrai'r cwestiwn yn yr awyr.

'Mae o'n iawn. Mi ffoniais i o'r pnawn 'ma.'

'O . . . iawn, 'ta.'

Yr oedd ei mam yn plethu'r gynfas rhwng ei bysedd.

'Hanna . . . 'dwi ddim wedi sôn gair am y . . . am y
dieithrwch rhyngthat ti a Dada—'

Torrodd y ferch ar ei thraws yn frysiog. 'O, mae petha pwysicach—'

'Na,' mynnai'r fam. 'Gwranda. 'Roeddwn i am i ti wybod cyn hyn. 'Does 'na ddim gwerthu i fod.'

Cododd Hanna ei phen yn ddisgwylgar. 'Ddar'u Dada dynnu'n—'

''Roedd o'n mynd i 'neud. Rhaid i ti gredu hynny. Ond cyn iddo allu gweld y dynion, fe ddaeth y llythyr 'ma i ddweud na fydden nhw ddim yn tyllu am iwraniwm wedi'r cwbl. 'Roedd y broses yn rhy ddrud, ac felly 'roedd y gwerthiant ar ben.'

Pam, pam, na fu iddo dynnu'n ôl cyn cael y llythyr, gwaeddai rhywbeth y tu mewn iddi. Byddai hynny wedi adfer ei anrhydedd. Fel pe'n synhwyro ei meddyliau, aeth y fam ymlaen.

''Doedd dim *rhaid* i mi ddeud y gwir wrthat ti, yn nag oedd? Mi fydda' wedi bod mor hawdd deud mai Dada dynnodd yn ôl gynta. Dyna oeddwn i isio, 'waeth i mi gyfadda'r cyfiawn wir. Ond 'fynna' dy dad ddim. 'Roedd o am i ti gael y gwir fel yr oedd o.'

''Dwi'n falch o hynny.'

Teimlai beth euogrwydd am ei hunan-gyfiawnder. Peth cas oedd bod mor feirniadol o bobl eraill. Yr oedd Gwion wedi deall. Rhaid iddi hi ddysgu bod yn fwy gwylaidd fel fo.

'Oedd Gwi yn gwbod?'

'Oedd. 'Roedd o yn hapus iawn.'

Gwastataodd Mrs. Thomas y gynfas grychiedig a chododd.

'Aros yna am ryw awr fach tan amsar swper. Mi gei di godi pan glywi di dy dad yn dŵad i mewn o'r godro.'

Aeth tridiau heibio cyn y gallai fentro i mewn i lofft Gwion. Gwyddai fod pob dydd y peidiai yn gwneud y peth yn galetach. Dydd Sul oedd hi, a'i thad a'i mam wedi mynd i oedfa'r bore. Nid oeddynt wedi pwyso arni i fynd hefo nhw, ac yr oedd hi mor ddiolchgar i gael y lle iddi hi ei hun. Eisteddodd wrth yr hen biano yn y parlwr a cheisio chwarae. Dyna fyddai ei balm hi fel rheol. Nid heddiw. Yr oedd y sgrech ar waelod ei stumog wedi'i meddiannu.

Cododd o'r stôl ac aeth i'r llofft. Agorodd ddrws Gwion. Yr oedd pob man mor anghyfarwydd o daclus, y llyfrau wedi'u gosod yn daclus, y bwrdd wrth erchwyn y gwely'n lân o bob moddion. Tywynnai heulwen denau i mewn ar y gwely gwastad. Y tu allan i'r ffenestr agored gallai glywed deryn du'n canu lond ei gorff bach.

Rhyfedd. Yr oedd aroglau blodau yn y llofft, ond nid oedd blodau yno. Rhaid bod ei mam wedi defnyddio persawr go gryf wrth ymweld â'r stafell cyn mynd i'r capel. Croesodd yn araf at y gist a byseddodd rai o'r llyfrau arni—*Ysgubau'r Awen, Cerddi'r Gaeaf, Llawlyfr y Cyngan-eddion* . . . mor hoff fu o farddoniaeth. Unwaith eto teimlodd gywilydd. Fe'i lapiwyd hi mor dynn yn ei thalent ei hun, 'doedd hi ddim wedi poeni holi am ei dalentau ef. Twriai drwy ryw bapurau oedd yno'n un pentwr taclus, gan ryw hanner gobeithio dod o hyd i ddyddiadur neu ryw-beth, ond nid oedd dim personol yno, ddim hyd yn oed restr gyffredin yn ei lawysgrifen ei hun. Gydag ochenaid fach trodd i adael yr ystafell pan syrthiodd ei llygaid ar *Dail Pren*. Aeth rhyw oerni newydd drwyddi. Dyma oedd y farddoniaeth olaf i Gwion ei chlywed, a hi oedd wedi cael ei darllen iddo.

Cydiodd yn y llyfr, ond ni allai ei agor. Rywbryd eto, addawai iddi'i hun, ac aeth â'r llyfr gyda hi i lawr y staer. Aeth yn ôl at y piano i geisio mynd drwy chwech *Impromptu* Schubert, ond yr oedd ei chwarae'n drymaidd ac yn drwsgl. Mae pob rhithyn o gerddoriaeth wedi mynd allan ohona' i, meddyliai. 'Wna i byth gyfansoddi dim eto. Daeth yn ôl i'r gegin i seimio'r cig yn y popty a gosod y tatws a'r moron ar y tân. Yna aeth i'r cefn i dorri rhagor o briciau ar gyfer yfory. Gwraig gyffredin oedd hi'n awr, yn addas i wneud dim ond tasgau cyffredin. Erbyn iddi orffen yr oedd ei rhieni'n ôl o'r capel.

Gwaethygodd y cur yn ei phen. Anogai ei mam hi i fynd

i'r gwely yn y pnawn, ond ofnai na fyddai hi'n cysgu'r nos, felly dewisodd fynd allan am dro.

Yn reddfol anelodd ei chamau tua Llyn Criafol. Y tro hwn nid oedd rig deirtroed na phibellau na chwt pren, dim ond natur ei hun a thawelwch perffaith, oni bai am lap-lap y dŵr ar y cerrig mân. Codai'r brwyn llwytgoch o'r dŵr yn warchae bygythiol, yn barod i rwydo'r neb a fentrai drwyddynt. Er bod yr haul yn dal i dywynnu, edrychai canol y llyn yn ddu ac yn ddwfn. Ac yn ddeniadol, meddyliodd yn sydyn ac yn arswydlon.

Mor hawdd fyddai camu i mewn yn ddyfnach, ddyfnach, a boddi'r anobaith oedd yn cau amdani. Cafodd ei llygad-dynnu i ganol y dŵr, a dyheai am gael ei sugno i mewn i rywbeth mwy na hi ei hun. Dychmygai fod ysbryd y llyn yn ei denu'n nes ac yn nes . . .

Caeodd ei llygaid. 'Allai hi ddim gwneud hynny i'w rhieni. Nac i Robert. Peth hunanol yw hiraeth, meddyliai, yn cau pawb arall allan. Er ei bod hi wedi crio wrth siarad hefo Robert ar y ffôn ddydd yr angladd, a dymuno bod yn gryf ac yn stoïcaidd fel fo, yr oedd yn dechrau gwawrio arni nad oedd ei gŵr mor hunan-ddigonol ag yr oedd hi wedi ei dybio. Mewn ffordd ryfedd yr oedd hyn yn tyneru ei theimladau tuag ato.

Trodd ei chefn ar y llyn hudolus. Uwchben Bryn Cŵn hofrai dau gudyll coch yn erbyn y gwynt, eu cynffonnau'n lledu yn osgeiddig araf. Yna yr oeddynt wedi troi'n chwareus o amgylch ei gilydd, yn tynnu ar ei gilydd gan gyflawni hen ddefod gyplysu natur. Nid oedd yn eiddigeddus wrthynt. Ond y munud hwnnw gallai edrych ar eu campau heb ddigofaint.

Dechreuodd gerdded tua throed y bryn, ac i fyny'r llwybr caregog rhwng yr egin rhedyn. Sibrydai awel dyner o'r gorllewin drwy ei gwallt. Er bod pob man yn dawel, nid tawelwch marw mohono. Yr oedd natur yn disgwyl ei hailenedigaeth. Unwaith, trodd i edrych i lawr ar y llyn oddi tani. Yr oedd cysgodion symudol ar y dŵr. Teimlai eu bod yn dal i'w gwahodd, ond gyda phob cam a gymerai i fyny tua chopa'r bryn, yr oedd hi'n dianc o'u gafael a rhag yr ysfa ddieflig.

Yr oedd rhywbeth rhyfedd yn digwydd iddi, rhyw ddisgwyl mawr am rywbeth, ni wyddai beth. Daeth rhyw gyffro annirnad drosti, ond yr oedd popeth yn anghyflawn, fel edrych mewn drych llaith. Nid oedd hyn yn iawn. Ble 'roedd ei thristwch? O ble y daeth y teimlad rhyfedd hwn i'w mynwes?

Cyrhaeddodd graig a gysgodai lain o laswellt gwastad, llecyn cyfarwydd ers ei phlentyndod. Yma y byddai Gwion a hi'n dianc ar ôl ysgol i chwarae, i rannu cyfrinach, i gymodi ar ôl ffrae. Yn ymyl yr oedd coeden griafol unig yn cysgodi'r llecyn oddi wrth stormydd y dwyrain. Eisteddodd Hanna i lawr yno, gan amgylchynu 'i phengliniau â'i breichiau.

Wrth rythu ar y griafolen, daeth yn ymwybodol o ryw ddistawrwydd rhyfeddol o'i chwmpas. Cymerodd beth amser iddi sylweddoli mai ynddi hi ei hun yr oedd y distawrwydd. Yna, yn raddol, clywai ryw lawenydd mawr yn codi ynddi, rhyw awydd i chwerthin allan yn orfoleddus. Peth garw, gwerinol oedd y goeden, yn gorfod goroesi yn erbyn stormydd oesoedd, ond iddi hi, y munud hwnnw, y pren hwn oedd y peth prydferthaf yn y byd. Yr oedd yn union fel petai rhywun wedi sychu ei llygaid a pheri iddi weld unwaith eto â llygaid plentyn.

Gorweddodd yn ôl ar y glaswellt byr, yn ddi-hid o'r oerni a'r lleithder. Teimlai ei bod hi'n un â'r holl greadigaeth, ac yr oedd pob man wedi'i olchi mewn rhyw oleuni llachar. Llanwyd hi â sicrwydd newydd o realaeth annherfynol. Nid oedd wedi deall dim cyn hyn. Ond yn awr, ar y ffin rhwng deufyd, fe wyddai, cyn wired â phe bai rhywun wedi dweud wrthi, fod popeth er daioni.

'Gwion . . .' sibrydodd i'r gwynt.

O hyd ac o hyd, yr oedd ei llawenydd yn dyfnhau. Gyda gwefr adnabod teimlai ei bod hi wedi dechrau amgyffred beth oedd y *môr goleuni* a'r *cydnaid calonnau wedi eu rhew rhyn.*

Bu ei chalon hi yn hir, yn rhy hir, yn y rhew rhyn, fel yn y stori honno am y dywysoges a'i chalon mewn cas gwydr y bu raid i'r tywysog ei dorri'n deilchion cyn iddi allu teimlo teimladau dynoliaeth. Ond yr oedd rhywbeth . . . rhywun . . . *y tawel ostegwr helbul hunan,* efallai . . . wedi torri trwy'r gwydr.

Ni wyddai am ba hyd y bu yno. Nid oedd ganddi oriawr, ac nid oedd amser cloc yn bwysig. Yr oedd yr haul yn machlud pan ddaeth i lawr o'r mynydd. Ofnai y byddai'r teimlad anhygoel a brofasai'n diflannu, ond er bod y claer-ineb yn dechrau pylu, nid oedd y tangnefedd. Yr oedd hi'n synhwyro ei bod hi wedi'i huno â rhywbeth grymusach na hi ei hun, rhywbeth oedd yn ei helpu i fod yr hyn a ddymunai fod. Gwyddai y byddai digalondid yn dod yn ôl, yr oedd hyn yn rhan o fod yn wraig, ond byddai ganddi rywbeth yn perthyn iddi hi ei hun i afael ynddo. Ni allai ei alw'n sicrwydd o Dduw, na dim y byddai hyd yn oed ei thad a'i mam yn ei ddeall. Ni fyddai Robert yn medru ei amgyff-red. Ond yr oedd mor real iddi hi â'r llyn o'i blaen, ac fe wyddai, beth bynnag oedd wedi'i ddatgelu iddi ar ben Bryn Cŵn, y byddai gyda hi am byth.

Pan gerddodd heibio i'r ysgubor i mewn i'r buarth gwelodd gar dieithr yno. Bu bron iddi droi yn ei hôl, oherwydd nid oedd am i fân siarad dieithriaid ddileu ei phrofiad cyfriniol cyn bod rhaid. Ond yr oedd ei mam wedi'i gweld hi drwy'r ffenest, ac wrthi'n gwneud arwydd pwysig arni i ddod i'r tŷ.

A dyna lle 'roedd ffigur cyfarwydd ac annwyl yn dod allan dros drothwy'r drws i'w chyfarfod.

'Robert!'

Yr oedd y ddau ym mreichiau ei gilydd, y dieithrwch, yr eiddigedd, y digofaint a'r ansicrwydd a fu rhyngddynt wedi'i chwalu.

''Rown i'n poeni cymaint amdanat ti. 'Roeddet ti'n swnio mor ddryslyd ar y ffôn—'

Chwarddodd hithau a'i gofleidio'n dynn.

'O, Robert, 'dwi mor falch.'

'A minnau.'

Syllodd arni â golwg newydd. Yr oedd hi'n gryfach, yn wahanol i'r plentyn o wraig a fu ganddo, i'r wraig a fu'n crio ar y ffôn.

'Y car acw—ble cest ti o?'

'Ei hurio. 'Dyw'r trên ddim yn rhedeg ffor'ma ar y Sul. 'Dwyt ti ddim yn meindio, yn nag wyt?'

Astudiodd ef yn fanwl. 'Roedd yr ansicrwydd newydd ynddo'n ei brifo, ond yn creu ynddi ryw gariad newydd amddiffynnol. Yr oedd fel petai hi'n ei weld drwy lygaid goddefgar, cariadus Gwion.

''Dwi'n falch sobor i ti ddŵad.'

Cerddasant i'r tŷ. O leiaf nid oedd raid iddi gyflwyno ei gŵr i'w rhieni. Cawsai'r tri gyfle i sgwrsio am hir cyn iddi ddychwelyd o'r mynydd. Yr oedd ganddynt lawer o waith sgwrsio eu hunain, a llawer problem yn dal heb ei datrys. Ond yr oedd hi'n dechrau dysgu fod gan broblemau eu ffordd o'u datrys eu hunain, dim ond eu gadael yn ddigon hir. Y noson honno, gorweddent yn y gwely cul, eu cyrff yn ymdoddi fel y tro cyntaf erioed.

Drannoeth aeth Robert a hithau am dro at Lyn Criafol. Heddiw gallai edrych ar y tonnau bach yn dawel, a rhyfeddu at y newid ynddi hi ei hun. Ciledrychodd i fyny i gyfeiriad Bryn Cŵn, ond nid awgrymodd ddringo i fyny yno. Yr oedd ganddi ei hunaniaeth ei hun rŵan, ac yr oedd rhai pethau yr oedd hi'n mynd i'w cadw iddi'i hun rhag i neb darfu arnynt, hyd yn oed y Robert yr oedd hi'n ei garu. Ni fyddai hi byth yn dweud wrth neb am y profiad.

Yr oedd diniweidrwydd wedi mynd ers talwm, ond hyn oedd ystyr aeddfedu. Ar ôl hirlwm o wacter yr oedd rhywbeth arall, rhyw ddwysáu teimladrwydd, wedi dod i gyfoethogi ei chanfyddiad o bethau. Teimlai ei bod wedi byw ugain mlynedd yn ystod yr wythnos ddiwethaf. Cofiodd fel yr oedd wedi dweud wrth Gwion na allai neb aros yn Eden am byth, ond yr oedd hi wedi dysgu bod modd cadw'r porth tuag yno ar agor.

Gwenodd ar Robert a oedd wedi aros a'i throi hi i'w wynebu. Gwelai rywbeth dirgel, annirnad yn ei gwên. Mae ganddi fywyd mewnol na fedra' i byth mo'i gyffwrdd, meddyliodd, â syndod darganfod rhywbeth newydd. Gwyddai na fyddai byth yn gallu rheoli ei meddwl hi eto. Gwyddai hefyd fod yr awydd i wneud hynny wedi diflannu.

'Hanna . . . mae'n ddrwg gen i am bopeth.'

Fy nghariad, fy nghariad, gwaeddai ei chalon, ac yr oedd cymod yn eu cusan hir. Dal i ymbalfalu tuag at ei gilydd yr oeddynt, ond, o leiaf yn awr, yr oedd y ddau'n wynebu'r ffordd iawn.

'Mi 'rwyt ti am fynd i Munich, on'd wyt?'

Am ei bod hi am i'r munud hwn bara am byth, bu bron iddi ddweud na. Ond gwyddai y byddai hi'n bradychu rhywbeth wrth wneud hynny. Robert ei hun oedd yn pwyso yn awr.

'Mae'n rhaid i ti. 'Fyddwn i byth yn maddau i mi fy hun . . .'

Yr oedd hi wedi ymryddhau oddi wrtho ac wedi mynd i sefyll yn llonydd yn ymyl y dŵr, gan rythu i ganol y llyn. Ni allai ddirnad ei meddyliau.

'Be' wnaeth i ti newid dy feddwl?'

'Y profiad o dy golli di. Hanna . . . gawn ni ddechrau o'r newydd?'

Clywodd ei hochenaid ysgafn, ac yna yr oedd hi'n chwerthin.

'Dyna ydi bywyd, yntê? Dechra o'r newydd o hyd ac o hyd.'

Cydiodd Robert mewn carreg a'i thaflu â holl nerth ei lawenydd newydd i ganol y llyn. Safodd y ddau yno yn rhythu ar y cylchoedd crych yn ymledu tuag allan.

Yna cydiodd yn ei braich, ac meddai:

'Ar y ffordd yn ôl i Dyddyn Alarch, mi ddyweda' i hanes Elise wrthyt ti.'

DIWEDD